Cet ouvrage a été imprimé par

FIRMIN DIDOT

GROUPE CPI

Mesnil-sur-l'Estrée

pour le compte de France Loisirs
en janvier 2004

Imprimé en France
Dépôt légal : février 2004
N° d'édition : 39961 – N° d'impression : 66824

Composition et mise en pages réalisées
par Étianne Composition
à Montrouge

FRANÇOISE GIROUD

UNE AMBITION FRANÇAISE

Christine Ockrent

FRANÇOISE GIROUD

une ambition française

ÉDITIONS FRANCE LOISIRS

Édition du Club France Loisirs,
avec l'autorisation des Éditions Fayard

Éditions France Loisirs,
123, boulevard de Grenelle, Paris.
www.franceloisirs.com

ISBN : 2-7441-6987-0

À la mémoire de Greta,
ma mère.

« Deviens sans cesse celui que tu es, sois le maître et le sculpteur de toi-même. »

Friedrich Nietzsche,
Ainsi parlait Zarathoustra.

NOTE DE L'ÉDITEUR

L'idée d'être « biographiée » faisait horreur à Françoise. Mais elle savait qu'elle le serait un jour ou l'autre, de bon ou de mauvais gré. Ce livre sur elle, elle l'a donc voulu pour au moins une raison : décourager les autres projets pour l'élaboration desquels on sollicitait de partout son consentement, voire sa complicité.

Elle l'a voulu à trois conditions : que Christine Ockrent l'écrive, ce pourquoi elle lui a ouvert ses archives et accordé les entretiens nécessaires ; qu'un domaine de la sphère privée qui lui était particulièrement cher soit respecté : nous y avons veillé ; enfin, qu'elle-même n'ait pas à lire ce livre qu'elle ne voulait contrôler de quelque manière que ce fût. Devançant son vœu, je me suis engagé à ce qu'il ne soit publié qu'après sa mort.

Le voici.

Claude Durand

PROLOGUE

Une vieille dame très digne

Doucement elle s'est mise à pleurer, raidie, la tête en arrière, comme une petite fille qui résiste aux sanglots. Les larmes lentes prêtent à son visage de très vieille dame comme une douceur d'enfance.

« Djénane, quand elle est morte... elle m'a abandonnée. Je l'aimais tant... »

Quelques mots brisés, dans un murmure, et aussitôt elle se reprend. De sa sœur adorée, son aînée de six ans, disparue il y a une trentaine d'années, elle ne dira pas plus. Déjà elle s'est redressée. Regard droit, sourire flottant, elle reprend le masque qu'elle préfère, amène et impénétrable, celui des photos soigneusement choisies pour ses livres ou ses éditoriaux. De sa main alourdie de bracelets d'or, le geste vif, elle vérifie sa coiffure. Indifférente, la chatte abyssine s'étire à son côté. Sur un piédestal, la statuette Nok, la dernière œuvre d'art acquise pour le plaisir, fige le temps de sa moue africaine.

Le sourire se fait plus insistant, comme pour effacer cet instant de fragilité qui pourrait passer pour de la faiblesse ou de l'humanité. Surtout, ne pas entrouvrir de brèche, ne pas laisser autrui approcher de l'intime. Elle sait se tenir, Françoise. Pas de familiarité, aucune confidence, jamais. Sa mère le lui apprit, toute petite. Ne pas parler de soi, exprimer ce que l'on pense, jamais ce que l'on ressent. C'est ainsi que l'on tient son rang.

Impatiente, elle reprend le fil de son propos et de sa voix veloutée lance, faussement désinvolte :

« La vieillesse, c'est épatant. On est tellement plus libre de son propos, de son temps ! Plus besoin de séduire quiconque... »

Elle n'en pense pas un mot.

Sa sœur disait d'elle : « Françoise ferait du charme à une borne kilométrique... » La cadette en rit encore, de ce rire de gorge contenu, contrôlé, spirituel, qui a tant ensorcelé et tant agacé. La séduction est chez elle une forme de discipline.

Dans son salon du boulevard de Latour-Maubourg, à Paris, flanquée d'une grande télévision dont elle met le son très fort pour tromper sa surdité, cernée de livres, accompagnée des tableaux qu'elle aime – Matisse, Brauner, Miró, Alechinsky –, Madame Giroud, quatre-vingt-six ans, reçoit. Menue dans son tailleur-pantalon et pull de soie noire, elle réajuste avec coquetterie la boucle d'oreille qui masque un appareil auditif. Le regard brun pétille, l'élocution est précise. Seule la moquette trahit ici l'usure du temps.

Blanche, la fidèle soubrette, presque aussi âgée et plus sourde encore, agite la sonnette du déjeuner.

Françoise, guillerette, se lève :

« Ce Raffarin est plutôt rafraîchissant, non ? Il s'exprime autrement que beaucoup de nos amis... On me disait hier... »

Madame Giroud entretient son talent et sa cour. Elle n'a jamais manqué de visiteurs. Depuis toujours, elle butine l'air du temps comme personne.

Longtemps Françoise Giroud aura régné sur le journalisme français. Applaudie, célébrée, crainte, respectée, jalousée, rarement brocardée, jamais abattue, lue par des générations de fidèles qui ne boudent aucun de ses livres, elle aura été la première femme à revendiquer et à conserver aussi durablement sa place au frontispice de la profession.

Aussi, pour sa génération et celles qui suivront, sans s'y appesantir, fera-t-elle figure de pionnière. À son palmarès : *Elle*, *L'Express*, mais aussi *Paris-Soir*, *France-Soir*, *Le Journal du dimanche*, *Le Nouvel Observateur* qu'elle a enrichi chaque semaine d'une chronique dont la télévision était le prétexte, sans oublier le cinéma où elle fut scripte et scénariste, quelques textes de chansons, et la politique puisqu'elle fut aussi ministre...

Au cours d'une aussi longue vie où brillent tant de gloire et d'honneurs, elle n'a jamais cessé de cultiver la première des vertus apprises dès l'enfance : le travail. Travailler beaucoup, travailler sans relâche, s'abîmer dans le travail quand l'amour ou la fortune font défaut, survivre par le travail, vivre longtemps grâce au travail : chez Françoise, ni embardées ni éclipses, pas de ce faux panache qui tient lieu de facilité, pas d'emballements suivis de longs temps morts, pas d'approximations non plus, mais un effort constant, soutenu, entretenu devant la machine à produire les mots qui captent au plus près les hommes, les idées, les humeurs du temps.

Dans cet exercice elle aura été souveraine, jusqu'à modeler à sa main une forme d'écriture ciselée au plus près, beaucoup imitée, jamais égalée, jusqu'à façonner une génération entière de journalistes, de femmes plus encore que d'hommes subjugués, qui, l'âge mûr et souvent le succès venus, ne parleront d'elle qu'en rougissant encore.

Émus, ils raconteront les moments qui les ont marqués, les réactions qui les ont émerveillés, les attitudes, les poses qui les ont touchés, les remarques qui les ont blessés, les silences ou les mensonges qui les ont troublés. Et ils s'exclameront, gênés, soulagés, vaguement envieux : « Comment écrire sur Françoise ? Elle a déjà tout raconté ! »

Giroud a tout écrit sur Françoise. C'est ainsi qu'elle est devenue écrivain. Certes, au fil des années, elle a publié des portraits, des romans, des biographies. Mais rarement journaliste aura mis tant de soin, de livre en livre, d'anecdote en anecdote, par bribes, par touches, une précision ici, un coup de gomme là, à se raconter soi-même, à décrire son parcours et son monde, à évoquer les êtres aimés ou admirés, et ceux qui l'ont aimée et ceux qui l'ont admirée. Car elle fut aussi une femme d'aventures, celles qu'elle choisit, celles qu'elle suscita, celles qu'on lui prêta.

Giroud a mis tout son talent au service de Françoise. Ainsi elle en a constitué l'effigie, construit la statue, elle l'a raffermie, consolidée, affinée avec ses mots, polissant les jointures, masquant à l'occasion brûlures, fêlures et fissures, tout ce que la vie charrie et qu'elle a voulu enfouir au plus profond.

Toute sa vie elle aura voulu tenir son rang.

Je suis partie à la découverte de Françoise. Avec infiniment de respect, d'admiration, d'affection, même, mais aussi avec l'exigence qu'elle a manifestée si volontiers à l'égard des autres. Pendant plus d'un demi-siècle, avec intuition, cruauté parfois, elle n'a cessé de juger, de jauger ses contemporains pour les brosser en quelques phrases sèches, les griffant volontiers de formules peaufinées, rarement gratuites. Giroud a aimé le journalisme de chair et d'os. Elle s'est intéressée aux êtres plus qu'aux concepts, elle a pratiqué la critique plutôt que l'analyse, aux sentiments elle a préféré les mots. C'est ainsi qu'elle s'est fait craindre, admirer, respecter.

J'ai connu Françoise, mais, à la différence de beaucoup de journalistes de ma génération, ce n'est pas auprès d'elle que j'ai fait mes classes. Je n'ai pas eu cette chance ; passant par les États-Unis et la télévision, j'ai suivi d'autres chemins. Je l'ai rencontrée plus tard, grâce à l'un des hommes de sa vie, le seul sans doute qui lui ait offert le goût du bonheur, Alex Grall, qui dirigea les éditions Fayard avant Claude Durand. Elle se montra alors cordiale et distante, figée dans son personnage si lisse de la réussite au féminin.

Je ne vis jamais autant Françoise Giroud que lorsque, à mon tour, j'eus l'honneur de diriger *L'Express*. Fière et intimidée d'assumer, à des années de distance, une telle succession, je lui apportai nos projets de nouvelle maquette, qu'elle jugea d'un coup d'œil, allant droit aux imperfections, soulignant les scories de son doigt noué par l'âge, retrouvant subitement dans la voix la rapidité, l'énergie de ces années-là où elle incarnait l'audace et l'innovation de la presse magazine. Comme je m'inquiétais un jour auprès d'elle du ton à donner à mes éditoriaux, elle partit sans mot dire dans son bureau et revint avec un grand cahier cartonné aux spirales raidies par le temps :

« Tenez, me dit-elle, c'est pour vous. »

Soigneusement collés, je découvris, page après page, ses billets des années 1971-72.

« Méfiez-vous, ma petite Christine, me dit-elle un jour, ce journal a la scoumoune ! »

Il n'y a pas plus brutal qu'une folle passion déçue.

Ballotté d'un groupe industriel à un autre, *L'Express* traversa une nouvelle crise. J'en fus écartée. Mes relations avec Françoise se distendirent, mais je restai dans le cercle proche de ceux qui avaient à cœur d'entretenir sa curiosité et d'entendre son avis.

Voilà pourquoi j'ai pu écrire ce livre sans dettes ni retenues particulières à l'égard de son héroïne, sauf celles qu'inspirent le talent, la rigueur, la qualité d'une ambition poursuivie sans relâche et sans lâcheté le temps d'un très long parcours.

Grâce à Claude Durand, son éditeur, Françoise Giroud avait accepté le principe de cet ouvrage. Lors de nos conversations intervenues, de loin en loin, au cours de la dernière année de sa vie, elle avait choisi de répondre à certaines questions qu'elle n'avait jamais abordées ailleurs. Elle n'avait pas tenté de connaître ou de contrôler le résultat de cette entreprise. Elle n'avait pas demandé à me relire. Je lui en suis reconnaissante.

Elle préférait cependant que ce livre ne soit publié qu'après sa mort. Nous avons naturellement suivi sa volonté.

1

La Patronne

Elle a son parfum : Jicky, de Guerlain. Au 25, rue de Berri, près des Champs-Élysées, *L'Express* règne alors sur plusieurs étages. Lorsqu'un effluve de Jicky flotte dans l'ascenseur, tous savent qu'elle est arrivée. Chacun s'affaire, rassuré et inquiet : la Patronne est là.

Le jeudi, jour du bouclage, la tension est plus palpable, et pas question de faire du bruit : la Patronne écrit son éditorial. Comme toutes les semaines, elle s'est enfermée, et on n'entend près du bureau que le bruit de sa machine à écrire, le claquement sec du chariot allant à la ligne. Parfois le cliquetis s'interrompt, longuement. La Patronne n'écrit pas facilement, il lui faut du temps pour aligner, poncer, fignoler cette « chandelle » sur laquelle se précipiteront en premier les lecteurs, et d'abord, à l'Élysée, dans les ministères, au Palais-Bourbon, toute la classe politique.

L'Express gouverne les esprits.

Depuis le milieu des années 50, dans la ferveur

et la passion, le magazine est devenu l'organe d'une équipe qui entend repenser la politique, l'outil d'un milieu anxieux de redéfinir la morale publique, le symbole d'une génération qui y reconnaît ses aspirations, ses élans et ses mœurs.

À la une de *L'Express* se sont succédé Pierre Mendès France, pour qui le journal fut créé, la guerre d'Algérie et les tourments de la décolonisation, la torture, l'OAS qui tue également en métropole, l'agonie d'un régime et le retour au pouvoir du général de Gaulle. La télévision balbutie, aligne *Cinq Colonnes à la une*, mais la presse écrite domine sans partage, et *L'Express* en est l'avant-garde. Albert Camus, Sartre et Malraux y ont écrit, et surtout, bloc-note après bloc-note, fulgurant et vipérin, François Mauriac. À la IVe République changeante et chancelante de Gaulle substitue la Ve, austère, secrète. Ses « barons » doivent compter avec une publication qui, dans les années 60, chaque semaine, passionne 400 000 lecteurs. Au passage, ceux-ci vont découvrir la psychanalyse avec Lacan, au cinéma la Nouvelle Vague, les femmes qui affirment leurs droits, et les jeunes qui, au printemps, feront exploser 68.

Chaque semaine, Giroud donne le ton et signe l'éditorial. D'un paragraphe elle cristallise l'opinion, d'un mot elle griffe le miroir aux vanités, d'une formule elle peut infléchir un destin.

Les jours précédant le bouclage, en reine des

abeilles, elle sera allée de l'un à l'autre, faisant son miel des idées, des analyses, des anecdotes, des potins que tous lui rapportent, empressés à lui plaire, trop heureux de la servir. Elle les aura écoutés, tout sourire, de ce sourire qui les capte et qu'elle prodigue à tout va, sûre de son effet. De sa voix de velours elle aura relancé la conversation, posé les questions, insisté avec une candeur apparente sur son ignorance de tel ou tel point, jusqu'à ce que, flatté de lui en apprendre, l'informateur s'en retrouve vidé de sa substance. Alors, enveloppée de son parfum, Giroud s'isole, ayant choisi son sujet, mûri l'angle d'attaque de son papier, et les secrétaires filent doux, refusant coups de téléphone et rendez-vous jusqu'à ce que la porte s'ouvre à nouveau.

Parfois, brusquement, un bruit de fenêtre : Françoise aura reconnu dans la rue le grondement de la voiture de Jean-Jacques Servan-Schreiber, qui arrive tard. Ce claquement de portière, elle l'aura guetté depuis si longtemps. Puis elle reprend.

À huit heures du soir, la Patronne apparaît dans la salle à manger. Le rituel peut commencer. Le soir du bouclage, qui va durer tard dans la nuit, le buffet aligne toujours les mêmes plats : saumon froid, cœurs de palmier, crudités, eau minérale. Très peu de vin. Giroud se love sur un canapé, se fait apporter une assiette où elle picore : trois radis, deux grains de maïs. Personne n'aurait l'idée de se précipiter sur la nourriture, encore moins de parler fort. La Patronne fait son choix : qui ce soir aura l'honneur d'une apostrophe, d'une invitation à la rejoindre, à s'agglutiner autour d'elle pour faire la conversation ? Chacun a sa tactique, tournant près du canapé, faussement intéressé par le propos du confrère qui, lui aussi, fait la roue. Quelques personnages étrangers au journal mais en vue dans Paris sont, insigne honneur, de la partie. Les plus jeunes, les moins gradés de la rédaction s'en savent exclus, mais, au passage, ils guettent un regard, le signe que peut-être elle les aura reconnus et aura distingué leur papier au milieu de tous les autres.

De toutes les façons, Jacques Duquesne est là qui, à l'américaine, réécrit l'ensemble quand la Patronne ne s'y livre pas elle-même, histoire de donner au journal, d'un bout à l'autre, son ton homogène et sa patte distinctive. Georges Suffert, lui, ne souffre pas la correction ; les déformant parfois à sa convenance, il aura pourtant digéré les notes de jeunes et ravissantes reporters, telles Catherine Nay et Michèle Cotta, qui travaillent au corps les milieux politiques, et il aura dicté à son assistante, d'un jet, le nombre de feuillets requis. Sur le canapé de la Patronne, Claude Imbert a sa place attitrée, brillant, d'humeur égale, toujours prêt à partager saillies et bons mots. Jacques Boetsch aussi, le plus fidèle appui de Giroud, celui qui régit les reportages et les informations générales. Marc Ullmann déploie sa fausse nonchalance. Jacques Derogy passe rapidement, volubile, enthousiaste, rougissant, qui forme à l'enquête le pétulant Jean-François Kahn. Ivan Levaï n'est jamais loin : il couvre le secteur de l'éducation et observe, yeux écarquillés, les mœurs de la Cour :

« Il faut plaire à la Reine et chacun s'y emploie. On est à Versailles. Jean-Jacques règne en monarque absolu, changeant de favorite, mais la patronne du journal, c'est elle. Elle exerce sur nous tous une forme de fascination, et nous la respectons triplement : comme femme, comme journaliste, comme patronne. La Reine des abeilles... Ce que nous fabriquons, c'est de la gelée royale, nous sommes dans le saint des saints du journalisme français. Plus jeune, j'en rêvais... J'ai d'abord acheté le journal par passion pour Mendès France, et il y avait cette photo de Giroud, divine, la main sur une tête de panthère... Je me serais privé de sommeil, de salaire pour y travailler ! Vous n'imaginez pas le pouvoir de *L'Express* en ce temps-là : on pouvait rentrer partout, dans tous les milieux. En plus, nous avions les moyens : pas de problèmes de notes de frais ! Jean-Jacques estimait que nous devions être à l'égal des puissants : il ne lésinait pas[1]. »

« On n'a pas idée aujourd'hui de ce qu'en ce temps-là représentait *L'Express*, se rappelle Michèle Cotta. Les journaux vous apportaient la compréhension du monde, et d'abord celui-là, qui

1. Tous les témoignages entre guillemets proviennent de conversations avec l'auteur.

jouissait d'un pouvoir extraordinaire. C'était avant la télévision. Quand je rentrais chez moi, à Nice, les gens, ceux qui lisaient, me récitaient pratiquement nos papiers ! Et Françoise était la patronne de ce journal-là. »

Volubile, gouailleur comme à son habitude, toujours juvénile malgré sa retraite imposée de la chaîne de télévision parlementaire, savourant ses effets de voix comme à la radio, Levaï revit ses débuts : « C'était aussi une incroyable école de journalisme. Que de fois n'ai-je pas entendu Boetsch me dire : "Ta conclusion, c'est l'attaque, refais ton papier à l'envers..." ? La composition des papiers, leur nervosité, le style cursif, tout cela, c'était Françoise. Elle était l'arbitre absolu de nos élégances. En conférence de rédaction, on était suspendu à ses lèvres. La pire des injures, si une idée ne lui plaisait pas : "Tristounet !" Et quel bonheur quand de sa voix onctueuse elle vous disait d'un article précédent : "C'était bien !" Vous aviez le cœur bondissant jusqu'au ciel ! Un mot d'elle, et ce pouvait être la disgrâce, quel que fût votre niveau dans la hiérarchie. Elle était incontestable, incontestée. Et puis, elle était belle. »

Au milieu des années 60, Françoise a un peu plus de quarante ans. Brune, très brune, elle a le cheveu court, le regard noir, scintillant, velouté comme sa voix. Elle en joue. « Je suis maîtresse de ma voix », disait-elle parfois.

« Une voix de miel liquide », précise Catherine

Nay, l'une des jeunes journalistes qui formeront le bataillon de ses « filles ».

Elle n'est pas grande. Larges épaules, beaux seins, hanches étroites : un genre de beauté contemporain, vaguement androgyne. « Langoureuse et contrôlée en même temps. Très orientale... », confie Florence Malraux qui fut son assistante aux débuts du journal.

« Une grâce très féminine et un côté garçon. Inouïe de beauté et de charme, volontiers impudique, très décolletée ! » s'exclame Danièle Heymann, embauchée toute jeune, qui remplacera Florence dans le bureau de Françoise. « En conférence de rédaction, assise au milieu d'entre nous, elle prend des postures incroyables, jambes repliées, seins provocants... »

« Il fallait la voir aux dîners de bouclage, se souvient Catherine Nay, qui débuta à *L'Express* par un stage. Elle arrivait avec des airs de chatte sournoise. Elle avait une façon de s'asseoir incroyable. Elle se recroquevillait sur le canapé, les jambes repliées sous elle, en bombant le torse. On n'osait l'approcher. Elle était sublime ! Une icône ! Elle me terrorisait. Et ce parfum qui l'enveloppait... Je l'avais acheté, il ne m'allait pas du tout. »

Humour vif et voix suave, la grande Catherine dissimule parfois sous son rire de brusques accès de timidité.

« Françoise était irrésistible, elle le savait, quand elle vous décochait son sourire. Avec le temps, j'ai appris le classement : il y avait le sourire n° 1, le n° 2, le 3... Au 4, vous étiez par terre..., sourit à son tour Danièle Heymann. Avec les femmes, c'était le jeu de miroir et de rejet. »

« Plus cérébrale que sensuelle, ajoute Levaï. Son charme opérait plus encore sur les femmes que sur les hommes. Avec eux, il y avait un côté provocateur et vexant : je t'aguiche, mais je ne suis pas pour toi... »

« Les hommes surtout mettaient en garde contre sa méchanceté », se souvient Michèle Cotta qui fut sans doute la plus proche de ses « filles ». Toujours brune et piquante, elle retrouve aussitôt ses mimiques d'autrefois. «Attention, elle tue ! » lui avait lancé un rédacteur en chef trop protecteur qui voulait la séduire. « Moi, avoue Michèle, j'étais là, bouche bée devant elle, prête à mourir pour un sourire ! »

Giroud joue de sa séduction dans un seul but : le travail.

« Elle entrait avec les hommes dans une souriante compétition qui les déconcertait, note Florence Malraux, menue, pointue, fine observatrice de ses contemporains, qui vécut les balbutiements de *L'Express*. Au journal, elle n'apportait pas la frivolité, mais, au contraire, c'est elle qui imposa la rigueur, le sérieux... Je n'ai jamais vu une telle puissance de concentration !... Aucun éclat de voix, aucun caprice, elle paraissait toujours d'humeur égale. Elle que j'ai découverte si violente, plus tard ! Jamais une confidence ; nous préférions toutes deux les conversations abstraites, autour des mots et des idées. On ne tutoyait pas Françoise ; elle ne tutoyait personne. »

À *L'Express*, on s'appelle par son prénom, mais on se vouvoie volontiers ; on ne se serre pas la main ; on apprécie les anglicismes dans les conversations et dans les articles, comme cette expression, « *music to my ears* », dont Giroud usera et abusera dans ses propres livres... On fume énormément, à l'instar de la Patronne qui grille cigarette sur cigarette.

Mains carrées et ongles faits, Françoise est toujours impeccable, toujours coiffée, toujours bien habillée. La petite robe noire est de rigueur. Giroud se veut élégante, et se fournit volontiers chez Saint Laurent Couture. « J'ai les épaules trop larges pour le prêt-à-porter ! » souriait-elle, comme pour s'excuser, avant de donner ses vieux vêtements à sa secrétaire.

« C'était un peu choquant, raconte Catherine Nay ; des mois durant on avait admiré son ciré noir à col de tricot, et le voir porté par quelqu'un d'autre, ça faisait tout drôle. »

Impérieuse et mutine, l'éditorialiste d'Europe 1 devient à son tour intarissable sur ces temps d'apprentissage :

« Moi, au début, elle ne me regardait pas. Ses yeux semblaient noyés de brouillard lorsqu'elle les portait sur moi. Elle me pétrifiait. Un jour, en conférence, tout à coup désinhibée, Dieu sait pourquoi, je me mets à raconter quelques ragots qui circulent au Parlement. Françoise se met à rire. Miracle ! Les autres, à leur habitude, l'imitent. Plus je rapportais d'anecdotes, plus ma cote montait. Françoise, à sa façon, était très *people*. C'est elle qui m'a enseigné que la politique n'est jamais désincarnée, qu'elle est le fait d'hommes qui ont leur vie, leurs malheurs, leurs amours et leur mère. Surtout leur mère ! Elle attachait beaucoup d'importance aux mères ! »

Elle rit et en rougit encore de plaisir :

« J'ai su qu'elle m'avait adoptée le jour où elle a dit de moi : "Catherine n'est pas celle que l'on croit, elle a l'air d'une grande blonde, mais c'est en fait une petite brune piquante." C'est elle qui m'a conseillé de revenir à ma couleur de cheveux. J'étais blonde platine, à l'époque... »

« Nous étions tous si jeunes, murmure Florence Malraux. Elle donnait sa chance à tout le monde. Je me souviens de ma première journée à *L'Express*. J'avais vingt ans, je ne savais rien faire, et Françoise m'a chargée d'interviewer une institutrice qui avait été torturée par l'OAS. Je l'ai fait ! Grâce à sa confiance. Et la vue des blessures que cette femme m'a montrées a déterminé plus tard mon engagement contre la guerre d'Algérie. »

« Elle m'a tout appris », répète Danièle Heymann, lunettes sévères et humour narquois, qui, à soixante-dix ans, a toujours le regard qui brille quand elle parle journalisme. Je ne savais strictement rien faire, mais j'avais une idée fixe :

rentrer à *L'Express*. Giroud me terrorisait. Quand, à force de m'incruster, elle m'a admise dans son bureau, ce fut pour me dire : "Ma petite Danièle, vous êtes jeune, vous pouvez encore changer de métier." »

Danièle en rosit encore d'émotion : « Elle nous appelait toutes "ma petite". Le travail avec elle, c'était inouï. On entrait, jamais fier, avec son papier. Elle le lisait devant vous : "Asseyez-vous, ma petite Danièle." Elle ne tutoyait personne. Elle prenait le papier, le lisait, saisissait son stylo, un gros stylo noir, ne parlait pas. Elle faisait une petite croix dans la marge : coup de poignard ! C'était le signe de l'erreur. Plus il y avait de petites croix, plus c'était mauvais... Mais elle n'était jamais humiliante. Ni injures ni ricanements. Pas un mot plus haut que l'autre. Juste, de sa voix si posée : "Bon ! Eh bien, il y a du travail !" La fin devait passer au début, le troisième paragraphe permuter avec le quatrième, et l'accroche n'était pas la bonne. Elle vous remettait tout cela en place plus vite que l'éclair. C'était toujours juste. On sortait de son bureau terrorisé à l'idée de ne pas s'en souvenir. Elle traitait tout le monde de la même façon. »

« Elle ne demandait rien qu'elle n'aurait su faire elle-même, confirme Florence Malraux. Elle détestait être prise en défaut, elle ne l'a jamais été. Elle m'a beaucoup appris. Par son exemple. Elle n'était jamais méprisante. Parfois, elle me manifestait une forme de tendresse protectrice, me prêtait ses vêtements – qui ne m'allaient pas très bien ! –, m'emmenait chez le coiffeur..., se souvient, émue, celle qui quittera *L'Express* pour le cinéma et Alain Resnais. Elle savait aussi admirablement utiliser les gens pour ce qu'ils étaient. J'avais des amis, que je lui ai présentés, dans le monde littéraire. J'avais travaillé chez Gallimard, je pouvais demander des textes à Lévi-Strauss, Robbe-Grillet ou Sagan... Françoise savait les convaincre de participer régulièrement au journal. Sauf Sagan qui trouvait trop rasoir de remettre sa copie à des gens aussi sérieux. » Toute à ses souvenirs, la fille de Malraux égrène son rire de jeune fille.

Dans la France de ces années-là, *L'Express* fut pour les femmes un extraordinaire tremplin. C'était le seul journal où elles entraient sur le même pied que les hommes, où elles bénéficiaient du même statut. La compétition était rude, tant le prestige d'y travailler était immense, mais les deux sexes y étaient à peu près également représentés.

Giroud y veillait. Non qu'elle fût dépourvue de toute misogynie, note Danièle Heymann : « Françoise aimait les femmes, et aimait travailler avec elles, à une condition : qu'elles se hissent à son niveau d'exigence. Elle détestait les “bonnes femmes”. Si vous montriez à ses yeux le moindre signe de faiblesse, aucun homme n'aurait été aussi féroce qu'elle. Partir plus tôt parce qu'un enfant est malade, arriver en retard pour un problème domestique, vous n'y pensez pas ! Le pire à *L'Express*, c'était d'être enceinte : on avait honte, on rentrait le ventre, on rasait les murs... On accouchait presque à la sauvette et on revenait au plus vite, comme si de rien n'était... »

En 1968, pour la première fois, les femmes viendront travailler en pantalon. Giroud aura donné l'exemple. Auparavant, sans son aval, c'eût été impensable.

Au fil des années, Françoise fonctionne toujours entourée de jeunes femmes. « Un incroyable gynécée ! s'exclame Levaï dont les yeux en brillent encore. « Toutes ravissantes... On ne savait plus où donner de la tête : Irène Allier, la fille de l'éditorialiste de *Franc-Tireur*, Danièle Granet, Michèle Cotta et Catherine Nay, qui se tiraient la bourre, Liliane Sichler, Michèle Manceaux, Claudie de Surmont, Alice Morgaine et tout le bataillon de filles de *Madame Express*... On vivait tous ensemble, on draguait comme des fous, l'ambiance était très "sexe", très en avance pour l'époque. Tout le monde couchait... La vie sentimentale était agitée, à *L'Express*. Mais, sur la Patronne, pas un mot ni un murmure. Le journal c'était elle, et le journal c'était sacré. »

« On lui prêtait à l'époque beaucoup d'amants, raconte néanmoins Michèle Cotta. Le masque de l'austérité a été plaqué plus tard. »

Les filles les plus jolies sont affectées au service politique. Pourquoi ? Pour faire parler ces messieurs.

« Qui eut l'idée d'envoyer des minettes astucieuses à la sortie des Conseils des ministres ? » s'interroge Levaï. Était-ce Jean Ferniot, vieux briscard de la IVe République, qui régna quelque temps sur le secteur, était-ce Jean-Jacques ou bien fut-ce Françoise ? Les souvenirs convergent :

« Moi, c'est Jean-Jacques, raconte Catherine Nay. Il disait : il faut des femmes. Il me convoque et me jauge du regard : trop grande, pense-t-il de toute évidence.

« – Vous connaissez la politique ?

« – Non, dis-je.

« – Très bien, vous vous occuperez des gaullistes. À droite, il n'y a que deux types intéressants : Giscard et Chalandon. Allez-y ! »

C'est ainsi que la vie de Catherine trouva son cours.

Michèle Cotta, elle, « couvrait » la gauche. Elle se dépensait sans compter, débordant parfois sur la droite.

« Il y avait l'hôtel de la rue de Ponthieu, renchérit Levaï. Les hommes y avaient leurs quartiers. Au bouclage, Françoise regardait sa montre et, vers cinq heures, disait : bon, la sieste est finie... Plus tard, elle racontera avoir vu ainsi sortir de l'hôtel deux futurs présidents de la République... »

« J'étais au service littéraire depuis trois ans, raconte Cotta. Je m'y trouvais bien. Arrive

Catherine. Jean-Jacques a aussitôt l'idée d'un trio : la grande blonde pour la droite, Irène Allier pour le centre, et moi, la petite brune, pour la gauche. Cela m'allait très bien ! » ajoute Michèle dans un de ses fréquents éclats de rire, brefs comme une politesse. En 1965, aux côtés de Claude Estier, elle avait participé, petite main, à la campagne de François Mitterrand. « Au départ, Françoise était plutôt réticente au principe de ce commando de charme : par réaction féministe, ou parce que ce n'était pas son idée... En tout cas, ç'a très bien marché... »

De cette caricature indûment appuyée de « mère maquerelle » du journalisme, plus tard Giroud se défendra mollement : « Elles étaient ravissantes, elles le sont toujours..., me dira-t-elle avec son rire de gorge. Catherine et Michèle sont mes deux réussites », ajoutera-t-elle, blessant au passage toutes les autres qui connurent un parcours moins glorieux ou qui sont aujourd'hui moins pimpantes.

« Un jour, j'ai écrit un portrait de Françoise, raconte Jean Daniel, fondateur et directeur du *Nouvel Observateur*. Je le lui ai transmis. J'avais écrit : "C'est une belle femme". Elle me l'a renvoyé en ayant inversé les termes. Elle préférait : "femme belle"... »

Le directeur du magazine dans lequel Giroud a, chaque semaine, signé jusqu'au bout une chronique entretint longtemps avec elle les rapports tumultueux d'un rival en journalisme et en séduction, habitué à charmer les hommes autant que les femmes. Un peu plus les femmes, bien sûr – sauf celle-là.

Toujours soucieux de séduire à quatre-vingt-trois ans, Jean Daniel en sourit aujourd'hui, de ce sourire qu'il semble d'abord adresser à lui-même :

« Elle avait une nuque très tentante. Au tout début du journal, Simon Nora, le plus audacieux d'entre nous, y déposait un baiser qu'elle feignait d'ignorer. Elle jouait de sa féminité avec art et sobriété, comme si elle la programmait... Elle était toujours entourée, telles des hirondelles, d'une nuée de jeunes personnes plus ou moins dévotes qu'elle faisait aller chez le même coiffeur. Sous prétexte de les former, elle pouvait être sans pitié... Un soir, à six heures, elle croise dans l'escalier un jeune couple qui s'en va et reconnaît une stagiaire. “Où donc allez-vous ?” Timide, la jeune fille répond : “Nous partons. – À six heures ? Vous n'y pensez pas ! Ma petite, il faut changer de métier. Vous avez l'honneur de servir. Il faut savoir que, pour nous, il n'y a pas d'heures.” C'était Claude et son fiancé Jean-Louis Servan-Schreiber, le frère cadet de Jean-Jacques... »

« Françoise évoluait entourée de jeunes femmes, poursuit Jean Daniel, mais elle n'aimait et ne recherchait que la compagnie des hommes. Chez elle, ou plus tard au journal, elle organisait des petits dîners très choisis où elle trônait, seule femme. Les épouses étaient interdites, les maîtresses aussi, à quelques exceptions près. Pas question de conversations futiles. Jean-Jacques détestait cela, et Françoise aussi. »

La Patronne règne sur *L'Express*, rayonnante et distante, attentive et secrète, imprégnée de ce mélange enivrant : l'engagement politique, l'effervescence intellectuelle, la fusion professionnelle, la réussite... Autour d'elle, les hommes s'ébrouent, rivalisant d'esprit, d'intelligence, se gonflant et se lissant les plumes. Elle est à son affaire.

« Françoise exerçait son magnétisme d'abord sur les femmes. Pour les hommes au contraire, souligne Jean Daniel, pour les machos que nous étions, son autonomie, son désir d'affirmer son autorité étaient très irritants. Elle nous impressionnait par sa dignité, son absence totale de vulgarité, mais elle avait peine à dissimuler son goût du pouvoir. »

Françoise aime le pouvoir, sa fréquentation et son exercice. Le sien, elle l'entretient par la plume, par l'autorité et l'influence que lui confère le journal. Elle en aime le reflet dans le regard des autres ; d'un mot, d'un accent, d'un sourire, elle sait nourrir l'appréhension, le doute, le soulagement, l'adhésion. Elle en apprécie tous les effluves. Elle en joue comme personne. Elle jouit de sa place à Paris.

« Les déjeuners politiques qu'elle organisait à

L'Express étaient les plus courus de la capitale, raconte Catherine Nay. Je me souviens de Raymond Marcellin, alors ministre de l'Intérieur de Pompidou, les yeux exorbités au spectacle de Françoise, lascive comme à son habitude sur son canapé, la main dans le corsage, réajustant d'un geste familier la bretelle de son soutien-gorge... Elle riait, il était fasciné... Tous les ministres, devant elle, redevenaient petits garçons, bavant, lui cirant les pompes, autant la droite que la gauche. C'est elle qui avait fait Mendès ! Quel pouvoir, et depuis si longtemps ! »

Aux débuts de *L'Express*, conçu comme un brûlot politique pour refonder une gauche anticoloniale et la ranger derrière Mendès France, Giroud ne s'occupe pas des pages réputées importantes. Elle gouverne la fin du journal, les pages pratiques, dénommées plus tard *Madame Express*. À l'époque, elle n'a pas droit de regard sur les papiers politiques que contrôle Pierre Viansson-Ponté, venu de l'AFP et de la Société générale de presse, qui deviendra ensuite l'âme et la plume du *Monde*. Elle a fort à faire avec le reste.

Quand Jean Daniel, spécialiste incontesté de l'Algérie et de la décolonisation, rejoint l'équipe, elle juge la place qui lui est accordée excessive, et sa prétention un peu pesante, mais Jean-Jacques l'a voulu ainsi.

Rituellement, la conférence de rédaction se déroule en deux parties. Dans la première, consacrée à l'ouverture du journal, Jean-Jacques parle seul, et à l'occasion écoute Jean Daniel. Puis il s'en va, laissant Françoise conduire la suite.

« Un jour, se souvient Jean Daniel, furieuse, elle s'est levée en même temps que Jean-Jacques et lui a demandé de rester. "Un journal forme un tout, a-t-elle affirmé, violente ; il ne s'arrête pas aux pages politiques. La prochaine fois, je parlerai aussi de la première partie." La semaine suivante, elle l'a fait. »

C'est ainsi qu'à *L'Express* Giroud est devenue la Patronne : en sachant tout faire mieux que personne.

2

La fille

Françoise est née pauvre dans un milieu bourgeois dont elle s'est sentie exclue. Toute jeune, elle a vu chez les autres ce que pouvaient être la richesse et le luxe. Elle a su très tôt ce qu'était la déchéance sociale, ce que signifie la perte de son rang, les rapports de forces qu'impose alors la société.

« Il faut avoir été dans une position subalterne, avec toutes les petites humiliations que cela suppose, pour savoir que le monde se divise en dominants et en dominés, et que seuls les dominants respirent..., écrit-elle dans *On ne peut pas être heureux tout le temps*[1]. Plus tard, beaucoup plus tard, j'ai fait partie des dominants, puisque j'ai dirigé deux journaux, mais je n'ai jamais oublié l'expérience de mon adolescence... »

Dans son œuvre autobiographique, c'est là-dessus que Giroud insiste le plus volontiers, ce sont ces confidences-là qu'elle distille en premier.

1. Fayard, 2001.

Comme pour expliquer ou justifier la suite et le reste. Elle ne tolérera plus la pauvreté et le mépris.

De son enfance, de sa prime jeunesse, il ne reste pas de contemporains. Rares sont ceux qui aujourd'hui peuvent en témoigner, compléter ou contester la version de ses souvenirs telle qu'elle les égrène de livre en livre.

« Pourtant, raconte aujourd'hui Edmonde Charles-Roux, écrivain, longtemps journaliste, qui la connut tout de suite après la Deuxième Guerre mondiale, elle mettait à l'époque une sorte d'insistance à rappeler la misère dont elle se serait extraite. Certains en venaient à trouver son histoire presque suspecte – trop chromo, trop cliché... Mais elle s'insérait dans le climat de cette époque confuse, déboussolée, disloquée... » Propos de bourgeoise, aurait dit Françoise de son ton pointu. De bourgeoise installée qui n'aurait pas eu, comme elle, à conquérir la place qui lui était naturellement due.

France Gourdji naît à Genève en 1916. La Première Guerre mondiale a précipité ses parents en Suisse, mais ils n'y demanderont pas asile. Elle est la seconde fille de Salih Gourdji et d'Elda Fragi, tous deux turcs et juifs sépharades. Lui, né à Bagdad, journaliste, a créé à Constantinople l'Agence télégraphique ottomane. Fuyant son pays au début des hostilités pour cause d'idées libertaires et d'opposition à l'alliance avec l'Allemagne, il aurait ensuite mené diverses missions pour les services spéciaux alliés. Il avait fait des études de droit à Paris, où il avait gardé des amis, et participé au mouvement Jeune Turc. Il avait ensuite épousé une ravissante personne née à Salonique, fille d'un médecin-major, colonel dans l'armée turque.

« Mon grand-père maternel avait le titre de pacha, tient à souligner Françoise, un titre de noblesse non héréditaire. Mon père était bey. »

Car il importe de situer la famille dans ses vrais quartiers.

Comme je m'étonnais un jour auprès d'elle de ses réticences à l'égard de la partie turque de son histoire, Françoise, irritée, me lança, bien à sa façon :

« Mais j'ai tout écrit là-dessus ! »

Je lui fis valoir que, sur ce sujet, son approche était toujours oblique, feutrée. Alors elle m'envoya une note rapidement tapée sur son ordinateur, avec quelques fautes d'orthographe, ce qui ne lui ressemblait pas. En ressort une noble et ancienne généalogie :

« Mon père, écrivait-elle, est probablement descendant d'une famille dite *deumnès*, c'est-à-dire l'une des cinq cents familles sépharades converties à l'islam au XVIIe siècle. Les deumnès, actifs et riches, ont été les premiers dans le monde proprement turc à s'ouvrir aux idées laïques, libérales et nationales (voir le livre d'Edgar Morin *Vidal et ses frères*). Un généalogiste qui a fait des recherches sur ma famille a découvert que le membre le plus ancien dont il ait retrouvé la trace, au XVIIIe siècle, était drugman. En Orient, le drugman était l'interprète du Palais. »

Un jour, François Mitterrand, alors président de la République, croyant lui faire plaisir, l'emmena à sa suite en voyage officiel en Turquie où elle n'était jamais allée. Tout à sa passion des cimetières, Mitterrand proposa à Françoise d'aller avec elle dans le vieil Istanbul à la recherche des tombes de ses ancêtres. Elle refusa tout net. Il revint à la charge : rien à faire. Mitterrand, qui la connaissait pourtant depuis la IVe République et les débuts de *L'Express*, n'avait pas compris que Giroud se voulait obstinément, farouchement, exclusivement française.

Dans *Arthur ou le bonheur de vivre*[1], elle livre sa propre version de l'histoire : « François Mitterrand était charmant comme il savait l'être, m'interrogeait sur mon père, sur mon grand-père, médecin-colonel qui avait soigné le Sultan Rouge. Il voulait tout savoir. “Cela vous émeut d'être ici ?” Non, franchement. Mon père avait dû fuir ce pays avant ma naissance. Je n'y avais ni racines ni souvenirs... “Votre famille a bien une tombe au cimetière ?” Non. Toute ma famille est enterrée en France. »

« En même temps, se souvient Micheline Pelletier, photographe, épouse d'Alain Decaux et

1. Fayard, 1997.

l'une de ses plus proches amies, à qui elle avait raconté l'anecdote, elle pouvait se montrer très dure envers ceux qui n'acceptaient pas leurs origines. Ainsi Édouard Balladur, natif de Smyrne : quand il était à Matignon, tous les prétextes étaient bons pour l'égratigner dans ses papiers. Comme si leur origine commune durcissait encore son jugement sur lui. »

Les Gourdji ont très tôt choisi la France pour patrie d'élection. Ils sont imprégnés de sa langue, de sa culture, de ses lois. Son père déclame Corneille par cœur et ne jure que par la République. Sa mère est à l'affût des modes et du mouvement des idées ; elle envie son frère, qui poursuit à Paris des études d'avocat – il sera gravement blessé à Verdun, précise Françoise. Elda voulait devenir médecin, selon la tradition de sa famille. Pas question, avait tranché son père : elle n'est qu'une femme. Françoise s'en souviendra avec hargne.

« Dans ces pays du Levant, et surtout dans les milieux juifs d'Orient, dit Edmonde Charles-Roux, fille d'ambassadeur et fine connaisseuse de ces mœurs qu'elle a abondamment décrites dans ses romans, la France incarnait pour cette génération le comble de l'élégance, le sel de l'intelligence et de la modernité. Parler français, c'était signifier son appartenance à l'élite, une manière de se rattacher à un pays sans en être nécessairement ressortissant, même si la double nationalité était très répandue. C'était aussi, conscient ou pas, un déni des racines et de la culture juives, enfouies sous le culte de la laïcité. »

La République, mère des Arts et des Lois, valait toutes les fidélités.

« *La France...*, écrit à soixante-seize ans Giroud dans *Arthur ou le bonheur de vivre*[1]. On n'imagine pas aujourd'hui ce que ces deux mots signifiaient pour un étranger, leur charge d'amour, de vénération, de gratitude... C'est de cela qu'au plus profond de mon enfance j'ai hérité et qui me rend, aujourd'hui encore, sensible à chaque instant le bonheur de vivre en France. »

Marin Karmitz, qui épousera Caroline, la fille de Françoise, explique avec gravité et émotion cette passion française qu'éprouvait de la même façon sa propre mère : « Ma mère avait le même âge que Françoise ; comme elle, elle était belle ; comme elle, elle avait été élevée dans la pensée française. Elle était née juive en Roumanie. Pour les gens de cette génération, dans les pays du pourtour méditerranéen, Paris était la capitale du monde. La civilisation était construite sur les valeurs de la France – la liberté, l'égalité, la fraternité. En Roumanie les curés propageaient Voltaire, le français était la langue de la culture ;

1. *Op. cit.*

chez les sœurs de Sion, dans sa province roumaine, ma mère lisait Balzac... La France représentait un choix de vie, une éthique. Il fallait s'en montrer digne. »

Dans *Leçons particulières*[1], Giroud renchérit : « Je nourrissais une admiration inconditionnelle pour la France, celle que j'avais bue avec le lait de ma mère : la France grande, héroïque, généreuse, rayonnant de tous les feux du cœur et de l'esprit, la France où chaque vallon, chaque rivière, chaque colline étaient sacrés, et sacrés Jules Ferry, Pasteur et Clemenceau, la France laïque, la France des Lumières, bref la France, singulière entre toutes les nations. »

La France à laquelle Françoise adhère de toutes ses fibres est d'abord celle de sa mère. Ne lui en a-t-elle pas donné jusqu'au prénom ? À vingt ans, France le transformera en Françoise, et Gourdji deviendra Giroud. Voilà qui sonne en effet plus français.

Sa mère... Dans la vie de Françoise, jusqu'à son dernier souffle, son dernier sourire, l'ultime étonnement, l'interrogation finale, Elda aura été le personnage central, solaire et la référence absolue : « Elle était belle. Elle irradiait aussi le charme, l'esprit, la fantaisie... toutes les générosités s'épanouissaient en elle et la faisaient radieuse, d'un

1. Fayard, 1990.

rayonnement qui touchait les humbles, fascinait les puissants et déclenchait de toutes parts des avalanches de confidences. Fine, longue, elle était d'une grâce souveraine, vraiment[1]. »

Dans les photos choisies pour justifier son dernier ouvrage autobiographique, *On ne peut pas être heureux tout le temps*[2], Françoise ne livre aucun portrait d'Elda Gourdji, née Fragi. Comme si aucun cliché ne pouvait rendre justice à cet amour-là.

Cette mère adorée dont l'évocation, jusqu'à la fin de sa vie, l'émouvra aux larmes, va inculquer à ses deux filles leur viatique : en toutes circonstances, savoir se tenir. Rester droite, sans plier aux autres ni aux circonstances ; ne jamais se plaindre et ne rien expliquer ; ne pas parler sentiments ; être prête quand le destin vous appelle, le forcer au besoin, lui réclamer ce qui vous est dû : la fortune et la gloire, sinon le bonheur. Et travailler sans relâche : là est le secret de la réussite.

Tout enfant, raconte Françoise dans *Leçons particulières*, « je cours dans un jardin et me cogne contre une grille... Le sang jaillit, je hurle énormément. On accourt, et ma mère dit : "Tiens-toi. Dans notre famille, on ne pleure pas" ».

L'aînée des filles, Djénane, au type plus oriental que sa sœur, est grande, charmante,

1. *Ibid.*
2. *Op. cit.*

ondoyante et douce. Douce est le prénom francisé que choisira de lui donner Françoise. Celle-ci est plus petite, râblée, décidée, moins féminine. À sa naissance, le père n'espérait-il pas de toutes ses forces un fils ?

« En me voyant, il a dit : "Quel malheur !" – et il m'a repoussée. La légende veut qu'il m'ait fait tomber... En tout cas, je ne m'en suis jamais remise. Je veux dire que, pendant quelques décennies, et sans dételer, je n'ai cessé de demander pardon, autour et alentour, de ne pas être un garçon. Je n'ai cessé de vouloir faire la preuve qu'une fille, c'était aussi bien[1]. »

Comment effacer cette faute originelle ?

« Je choisis de devenir non pas un garçon manqué, mais une fille réussie », écrira-t-elle plus tard dans une de ses jolies formules.

« Bien qu'elle fût plus âgée que moi, ma sœur, que j'appelais Douce, ne mit pas en doute que j'étais, à dix ans, l'homme de la famille ; ma mère en fit une évidence. Dans le trio uni, soudé que nous formions, j'étais supposée incarner la sagesse, la force, la raison, et porter tous les espoirs d'une revanche sur le sort funeste qui nous avait frappées[2]. »

Salih Gourdji, tuberculeux, reclus en sanatorium, appauvri, n'ayant reconquis à Paris ni

1. *Ibid.*
2. *Ibid.*

prestige ni influence, disparaît à l'âge de quarante-trois ans. Françoise a huit ans.

« Plutôt qu'un père, j'ai eu une absence-de-père, une image-de-père, image parée par ma mère des traits les plus aimables : bravoure, audace, séduction, don des langues, talent dans son métier, le journalisme, et comment il avait défié les Boches ! Jusqu'à quel point ressemblait-il au personnage flamboyant proposé à ma vénération, je ne sais pas[1]. » Elle ne sait pas, mais elle prendra soin d'en entretenir ou d'en embellir l'histoire : grand journaliste, maître espion au service des meilleures causes...

« Culpabilité et compétition, ajoute-t-elle ailleurs[2]. Ce sont là deux leviers puissants, et je ne sous-estime pas ce que je leur dois. Si j'y ajoute le désir de ma mère qui, de ses deux filles, m'avait élue pour ramasser le glaive brisé de mon père et remettre notre famille "à son rang", comme elle disait, on voit que j'étais bourrée de vitamines ! Que ne ferait-on pas pour satisfaire au désir de sa mère ? »

Elda n'abandonne rien de son élégance et de ses exigences, mais vend peu à peu les biens qui leur restent. « Un jour c'était l'argenterie, un autre jour les tapis, puis vinrent les livres, enfin le

1. *Ibid.*
2. In *On ne peut pas être heureux tout le temps*, *op. cit.*

piano... Ce n'est que l'un des savoirs dont il m'est resté l'âpre regret[1]. »

Son beau-frère l'aide parcimonieusement, les grand-tantes se vengent, les cousins ricanent des deux petites filles pauvres. Il faut entretenir une grand-mère arrogante qui ne voudra jamais accepter la ruine et ne se nourrira que de côtelettes d'agneau. Sans perdre la face ni le sourire, élevant ses enfants au mieux des convenances, Elda Gourdji transforme la maison de famille en pension du même genre.

L'époque est tourmentée, la crise de 1929 fait des ravages, les organisations extrémistes gangrènent le pays, mais ce n'est pas la politique, encore moins l'idéologie qui préoccupent la famille. À en croire Giroud, c'est la survie. La mère ne sait pas compter, les pensionnaires, quand ils sont charmants, ne paient pas, l'affaire périclite. Les trois femmes déménagent dans un trou à rats du côté des Batignolles.

Heureusement, elles s'adorent. Elda n'a pas encore cinquante ans, et exercera longtemps ce charme qui envoûtera plus tard les amants et les amis de sa fille. Elle ne cherche pas à se forger une autre vie. Aucun homme ne franchira le seuil de leur intimité. Françoise ne sait pas à quoi ça ressemble, un homme, sinon que ce n'est jamais là. Donc, ça ne sert à rien.

---

1. In *Leçons particulières*, *op. cit.*

Dans *Leçons particulières*, Giroud livre cette clé : « On m'a donné, pour le voyage de la vie, ce viatique sans prix d'où j'ai tiré pour toujours confiance dans la générosité de cœur, la tendresse rustique, la solidité des femmes. Sur elles on peut compter. S'appuyer. Dans le même temps, à cause de cette absence-de-père, il m'est apparu que les hommes étaient peu fiables. Ils disparaissent quand on a besoin d'eux... Ma propre liberté, je n'en ai pas le mérite. Je n'ai pas eu à la conquérir. C'est sans doute pourquoi j'ai été protégée de nourrir quelque acrimonie que ce soit à l'égard du genre masculin... Globalement, je trouve même les hommes gentils. Oui, gentils. »

Ses filles, Elda veut en faire de parfaites petites Françaises. Elles seront donc baptisées, elles suivront le catéchisme, elles iront en pension au lycée Molière, puis Françoise, en uniforme bleu marine, ira au collège de Groslay – quitte à subir les humiliations infligées par une directrice payée avec retard.

Giroud écrira plus tard – mais personne n'est là pour le confirmer – que sa mère se serait secrètement convertie au catholicisme vers l'âge de trente ans. Elle insistera sur son acharnement, pendant la guerre, à ne pas se sentir concernée, ni pour elle ni pour ses filles, par les lois antisémites de Vichy. L'étoile jaune n'était pas pour elles, ce n'était pas leur histoire, leur communauté ni même leur famille. Quand Djénane, l'aînée, partira en camp de concentration, ce sera pour faits de Résistance – elle aura compté parmi les premiers Français entrés dans la lutte, dès 1941, à Clermont-Ferrand. Françoise, arrêtée par la Gestapo en mars 1944, fera quelques mois de prison à Fresnes. Dans le réseau Dejussieu, chef de l'Armée secrète, elle n'exerçait pas des responsabilités aussi importantes que sa sœur : elle servait de boîte aux lettres, et son appartement de planque. Elle échappera néanmoins de peu à la déportation.

Douce reviendra en mai 1945. « Trente-cinq kilos, et elle était grande dans sa robe rayée, raconte une première fois Françoise dans *Si je mens...*[1]. Elle m'a tendu un objet. C'était un cendrier en cristal de Bohême très épais. Et elle m'a dit : “Tiens, je t'ai rapporté cela de Tchécoslovaquie...” Après deux ans de camp de concentration. Je ne peux rien dire d'elle qui soit plus illustratif. » Dans chacun de ses récits autobiographiques, Françoise rendra hommage à sa sœur en insistant sur ce geste étonnant.

Djénane lui parlera une nuit entière de Ravensbrück et de Flossenburg. « Ensuite, raconte Giroud, elle n'en a plus dit un mot, jamais. Mais nous étions si proches que j'avais le sentiment de l'entendre rêver[2]. »

1. Stock, 1972.
2. In *Leçons particulières*, *op. cit.*

La proximité, pour ne pas dire la fusion entre les deux sœurs est telle que Françoise s'identifiera aux choix et au destin de Djénane, se les appropriant à sa façon, jusqu'à susciter plus tard une vilaine polémique sur la médaille de la Résistance obtenue par l'une et revendiquée par l'autre. Aux yeux de Françoise, rien ne pouvait être plus français qu'une décoration, surtout celle-là.

La pension a fait faillite. La mère, agile de ses doigts, se fait couturière à domicile. Dans un de ses premiers livres[1], Giroud fait état d'une maison de couture – le terme embellit sans doute la réalité.

« Je me souviens de ma stupéfaction, raconte Micheline Pelletier, à découvrir Françoise, il y a quelques années, se taillant elle-même un pantalon. Elle est la seule personne que je connaisse à savoir le faire. Son amour des beaux vêtements, son goût pour les étoffes sont autant de façons de rendre hommage à sa mère, de se relier à elle. Elle admirait une robe de Dior non pour son prix ou son étiquette, mais parce qu'elle était magnifiquement coupée. »

Vers 1950, en été, Françoise va dans le Midi interviewer Christian Dior pour un journal américain[2]. Elle n'a rien à se mettre. En un tournemain, sa mère lui improvise une robe dans un

1. In *Si je mens...*, *op. cit.*
2. In *On ne peut pas être heureux tout le temps*, *op. cit.*

joli coton rayé aperçu au marché Saint-Pierre. « Comme elle est bien coupée ! » s'exclame le maître de la haute couture. Aucun compliment ne pouvait davantage combler Giroud.

Jusqu'à ce que le grand âge la trahisse, elle est restée fière de ses mains, qui ont su faire tant de choses : coudre, évidemment, réussir le pâté aux deux viandes, le moelleux au chocolat, cuire son propre foie gras – qu'elle servira chaque année à ses proches et à ses collègues jurés du prix Louis-Hachette – et même déboucher un carburateur. Quels exercices intellectuels peuvent procurer autant de satisfaction ? se demande-t-elle dans *Leçons particulières*[1], non sans une pointe de snobisme...

De son enfance Giroud gardera toute sa vie la nostalgie et le goût du luxe – quitte à l'afficher de façon ostensible dès qu'elle y a accès. Voitures, chaussures et vêtements sur mesures, hôtels étoilés, le Trianon à Versailles ou Eden Roc au cap d'Antibes... elle a trop connu les privations pour bouder son plaisir.

Danièle Heymann le confirme : « Elle n'avait pas besoin d'argent, elle avait besoin de luxe. Un besoin inextinguible, qu'elle affichait sans fard. C'était la revanche sur son enfance. »

Jean Daniel raconte : « Françoise avait la passion de la réussite, et elle ne dédaignait pas d'en

1. *Op. cit.*

faire étalage. Ainsi, à *L'Express*, plusieurs fois par an, empilés sur son bureau, elle donnait en spectacle les cadeaux somptueux qu'elle recevait des maisons de couture. Comme si elle avait besoin d'exhiber son propre succès. »

Au journal, ces années-là, courait aussi une vilaine rumeur : on disait que la Patronne ne résistait pas à la tentation de chaparder de-ci, delà, dans les boutiques qu'elle fréquentait, un parfum ou un foulard et qu'à son insu, un préposé de *L'Express* passait ensuite à la caisse, pour éviter tout incident... Ragots et médisance ?

En 1931, Françoise doit arrêter ses études : elle ne vengera pas sa mère en devenant médecin. Pas d'argent. De cette privation de connaissances et de reconnaissance elle tirera longtemps orgueil et souffrance.

Quarante-cinq ans plus tard, quand elle occupera dans un gouvernement le fauteuil d'André Malraux à la Culture, un député de l'opposition, cherchant à la mettre en difficulté à l'Assemblée nationale, lui demandera de faire état de ses diplômes. « Monsieur le député, lui répondra Giroud, je suis agrégée de vie ! »

Son agrégation aura commencé à quinze ans. On la surnomme alors Bouchon. Peu flatteur, mais, paraît-il, approprié. Elle mettra des années à se faire appeler Françoise, adoptant à cette fin une méthode radicale : elle refusera de répondre à toute autre apostrophe. Après avoir été quatre ans vendeuse dans le quartier de l'Opéra, Djénane va se marier jeune, c'est une solution, même si sa mère et sa sœur n'aiment pas l'élu, un bourgeois de Clermont-Ferrand qui tournera collabo. Parce que cela peut toujours servir, et qu'un lointain cousin paie la facture, Bouchon va apprendre la sténo-dactylo chez Remington – ce sera en fait son seul diplôme. Elle restera longtemps fidèle à cette marque pour ses machines à écrire, avant de passer à l'ordinateur.

Elle doit gagner sa vie. Elle repère une petite annonce dans *L'Intransigeant* et se fait embaucher dans une librairie.

C'est là, selon l'histoire qu'elle a volontiers racontée pour la postérité, que va la remarquer Marc Allégret. L'apprentissage de France Gourdji peut commencer.

3

L'apprentie

Marc Allégret est beau, charmant, cultivé, nonchalant, il a une voiture décapotable, il porte des costumes de flanelle grise un peu lâches, selon la mode du temps, et il est l'intime d'André Gide. Il a accompagné au Congo celui qui est à l'époque la grande figure de la littérature et de la pensée françaises, qui l'a initié très jeune aux amours alors interdites. Marc est couvert de femmes qu'il charme de son œil violet, qu'il écoute avec attention et qu'il forme au métier d'actrice. Il est metteur en scène, remarqué dès la fin du cinéma muet (*Papoul ou l'Agazada*, scénario d'André Gide). Il connaît Bouchon depuis qu'elle a neuf ans et qu'elle écoute les grandes personnes, celles qui fréquentent la pension de famille de sa mère à Groslay, une maison entourée d'un parc, tout près des studios d'Épinay, haut lieu du cinéma avant l'avènement du parlant.

Stupéfait, il retrouve la petite Bouchon vendeuse dans une librairie où, selon lui, elle n'a rien à faire. Il l'invite à manger des gâteaux dans une pâtisserie, ce qui lui paraît sans doute approprié à son âge, et lui parle cinéma. La jeune fille tombe éperdument amoureuse. Elle n'en dira rien, bien sûr, et n'en conviendra que bien plus tard : « L'amour est violent à cet âge. En vérité, je n'ai jamais aimé personne davantage que Marc Allégret, et cela, pendant des années. Lui m'aimait beaucoup, tout le monde saisira la nuance[1]. »

Dans ses premiers récits, Giroud préfère insister sur sa rencontre avec Gide dont, à la lire et sur la suggestion de Marc, elle devient une sorte d'assistante. Fréquenter Gide, travailler avec lui, l'écrivain le plus célèbre de l'époque ! C'est un premier barreau sur l'échelle de la réussite. Voilà qui mérite d'être raconté, et plutôt deux fois qu'une, au lieu d'une passion inassouvie pour un cinéaste presque oublié.

Dans un de ses premiers livres, Françoise, bien à sa façon, brossera cette esquisse qui en dit autant sur Allégret que sur elle-même : « Il est une sorte de passeur pathétique qui prend les autres sur cette rive où l'on s'impatiente, parce qu'on est jeune, parce qu'on est obscur, et que de l'autre côté la vie paraît si belle et si riche. Il les met sur son radeau, les aide à sauter sur l'autre rive, les regarde disparaître et repart. Lui, il refuse de descendre. Alors, il reste seul[2]. »

Allégret le passeur aura sans doute été l'une

---

1. In *On ne peut pas être heureux tout le temps*, *op. cit.*
2. In *Nouveaux Portraits*, Gallimard, 1954.

des passions de sa vie, mais, chez Giroud, le jugement l'emporte souvent sur le sentiment.

Bouchon est jeune, obscure ; Allégret va la faire passer sur l'autre rive, jusqu'au studio de Joinville où il tourne *Fanny*. Elle va même l'accompagner en tournage à Marseille, pour les extérieurs. Les assistants s'appellent Pierre Prévert et Yves Allégret ; elle sera script-girl. On la découvre sur une photo de tournage datant de 1932, haute comme trois pommes, cheveux bruns coupés très court, raie sur le côté, sérieuse, intense, scénario sous le bras, une petite fille[1].

Elle va travailler sur plusieurs films de son Pygmalion : *Sous les yeux d'Occident, les Amants terribles, Aventure à Paris*... Lui, aura découvert Michèle Morgan, Edwige Feuillère, Gérard Philipe, Jean-Pierre Aumont et bien d'autres ; il aura fait tourner les plus grands : Jouvet, Raimu, Barrault, mais, après la guerre, il ne tournera plus que des films médiocres et se retrouvera sans le sou.

En 1953, à la demande du producteur Pierre Braunberger, Giroud renouera avec Allégret pour le scénario de *Julietta*[2]. Elle veut discrètement payer le déjeuner de leurs retrouvailles. Il en est furieux et mortifié. Le restaurateur, complice, fait

1. Bernard Houssiau, *Marc Allégret découvreur de stars sous les yeux d'André Gide*, Yens-sur-Morges (Suisse), Cabédita, 1994.

2. In *On ne peut pas être heureux tout le temps, op. cit.*

croire à Allégret que le repas est offert au « grand réalisateur ».

Le temps passe, la roue tourne : Giroud ne laisse jamais rien traîner derrière elle.

Bouchon va progressivement s'affranchir de son mentor qui, à son désespoir, n'a d'yeux que pour les actrices. Elle gagne un peu d'argent, ce qui soulage sa mère. Mais à la cantine, contrairement aux autres, elle n'a pas de quoi se payer un dessert. Jusqu'à la fin de sa vie, quand un restaurant affichera à sa carte du Paris-Brest, Françoise ne pourra résister, quitte à n'en manger que trois bouchées : à Joinville, c'était la spécialité et elle ne pouvait s'en offrir.

« Dans ces milieux du cinéma d'avant-guerre, me racontait-elle, on faisait comme on pouvait. Il fallait bien percer, passer d'un film à l'autre, obtenir un cachet... On était soumis au bon vouloir des producteurs, des directeurs de production... Vous n'imaginez pas les mœurs. À part les actrices, il n'y avait que des hommes, qui à tous les niveaux exerçaient leur droit de cuissage... On couche, on fait son chemin comme on peut, on serre les dents... »

« "Ça se prend pour qui ?" » raconte encore Giroud dans *Arthur ou le bonheur de vivre*[1]. Combien de fois ai-je entendu cela... Mais c'est

1. *Op. cit.*

justement quand on n'est rien qu'il est intolérable de se faire pincer les fesses. Qu'est-ce qu'une fille pauvre dans un milieu purement masculin ? Un gibier, rien qu'un gibier, pourchassé quand il résiste, méprisé quand il cède. »

Pas de sentiments. Il faut avancer. Françoise sera promue assistante metteur en scène, une prouesse pour une fille à l'époque.

Il y a aussi de belles rencontres, celles que l'on racontera plus tard : Renoir, bien sûr, et le nom de Gourdji au générique de *La Grande Illusion* où elle écrit une des versions de la scène finale ; Saint-Exupéry sur le tournage de *Courrier Sud* en 1936, au Maroc, qui, à la lire, veut la protéger de sa grande carcasse, elle seule, au milieu de tous ces hommes, et refuse l'offre du chef des Touareg qui veut l'acheter... Saint-Ex est amoureux, elle reste farouche... Giroud aura su joliment réécrire les histoires dont Françoise est l'héroïne.

La réalité est souvent moins joyeuse. Elle a faim. Elle travaille dur. Avec ses yeux très noirs, son physique typé, ses seins lourds, sa fraîcheur d'enfance, elle plaît.

« J'ai appris récemment que Françoise aurait pu être ma tante ! » raconte Micheline Pelletier dont le grand-oncle, Simon Schiffrin, était un important producteur de l'époque. Dans *Leçons particulières*, Giroud s'en tient aux initiales et raconte la scène. Selon Micheline, « il était très séduit, il l'appelait "le petit chat". Il l'invite un soir à dîner et lui propose de l'épouser. "Un instant", dit Françoise qui file aux toilettes. Là, elle prend une pièce de monnaie et tire à pile ou face. Elle revient à table : "C'est non", lui annonce-t-elle froidement ». Le petit chat savait déjà griffer jusqu'au sang.

En 1938, sur la préparation de *Narcisse*, d'Ayres d'Aguiar, France Gourdji rencontre André Gillois, *alias* Maurice Diamant-Berger : il en a écrit les dialogues, elle est script.

Aujourd'hui centenaire, celui qui, de 1942 à 1944 à Londres, fut pour la BBC la voix du général de Gaulle, se souvient fort bien de la petite Gourdji, « de sa fraîcheur et de son intelligence. Elle n'est encore qu'une rien du tout, mais quelle volonté et quelle incroyable énergie ! ». Pour une émission de radio sur l'antenne du Poste parisien, il la persuade d'abandonner le nom de Gourdji – trop laid, lui dit-il – pour Giroud : les pseudonymes sont fréquents dans le métier, lui-même en aura changé au moins trois fois.

« Rien à voir, précise-t-il aujourd'hui, avec la montée de l'antisémitisme. Nous y étions indifférents, et parfaitement inconscients, surtout dans les milieux du cinéma. Pourtant, on y trouvait beaucoup de Juifs d'origine russe ou allemande, qui déjà avaient dû fuir leur pays. »

1939 : à vingt-trois ans, Françoise porte ainsi un nouveau patronyme. « Un acte fondateur, écrira-t-elle, un personnage à construire. » Comme si, débarrassée de son nom de famille, elle pouvait maintenant naître à elle-même.

Au cinéma, elle a été promue assistante – métier jusque-là fermé aux femmes, souligne-t-elle en passant dans *Leçons particulières*. Mais la guerre éteint les projecteurs.

La débâcle et l'exode l'entraînent à Clermont-Ferrand où habite sa sœur, mariée à un ingénieur de chez Michelin qui finira fusillé pour faits de collaboration. Sa mère s'y trouve déjà. Dans leur rue, les locaux du quotidien local, *La Montagne*, hébergent provisoirement l'équipe du *Paris-Soir* de Jean Prouvost. Charles Gombault, ami de Jouvet, l'un de ses protecteurs sur les plateaux de Joinville, la présente aux uns et aux autres. Elle les suit à Lyon avec, sous le bras, deux contes écrits à tout hasard – le genre est prisé par les journaux de l'époque. Il faut bien vivre.

À en croire Giroud, elle les apporte au directeur du journal, Hervé Mille, qui, dès le lendemain, l'installe dans son bureau en qualité de petite main, agile et talentueuse.

Un personnage, qu'elle ne mentionne dans *Leçons particulières* qu'au détour d'une phrase, a selon toute vraisemblance été son véritable protecteur.

Il s'agit d'une femme. Elle s'appelle George Sinclair. Un peu plus âgée que Françoise, elle est la première femme à avoir été reçue à l'École normale supérieure (en même temps que Georges Pompidou), la première aussi à avoir été nommée chef des informations dans un journal[1].

« Belle, charmante, d'une intelligence fulgurante[2] », elle a été découverte par Jules Sauerwein, ténor du journalisme d'avant-guerre, et promue par Pierre Lazareff, tout-puissant et génial patron de *Paris-Soir* qui en fit le premier journal populaire du pays avant de fuir à New York la guerre et les Allemands.

Lazareff l'adore, au point de provoquer la jalousie de sa femme Hélène qui lui fait un jour, à propos de Sinclair, une scène épouvantable rapportée à Yves Courrière par Hervé Mille :

« Mais enfin, Hélène, protesta ce dernier, vous savez bien que George ne se cache pas de préférer les femmes aux hommes. Avec elle, vous ne craignez rien. Elle ne risque pas de vous enlever Pierre !

– Je ne suis pas jalouse d'elle dans son lit, mais dans son bureau ! répliqua la flamboyante Hélène avec le zozotement qui ajoutait à son charme[3]. »

George Sinclair aime en effet les femmes et affiche volontiers son inclination. À en croire Hervé Mille[4], c'est elle qui lui présente Giroud et la prend sous son aile. Sous le nom d'Holbane,

---

1. *In* Jean-Claude Lamy, *Pierre Lazareff à la une*, Stock, 1975.
2. *In* Robert Soulé, *Lazareff et ses hommes*, Grasset, 1992.
3. *In* Yves Courrière, *Pierre Lazareff*, Gallimard, 1995.
4. In *50 ans de presse parisienne*, La Table ronde, 1992.

Françoise signe des petits papiers sur les spectacles et la vie parisienne. Sinclair la conseille, la pousse, la protège.

« Elle a joué vis-à-vis de Françoise le rôle que celle-ci jouera ensuite auprès de beaucoup de jeunes femmes, affirme Danièle Heymann qui a croisé George Sinclair plus tard, à *France-Soir*. C'était une grande lesbienne, qui tenait beaucoup à son prénom d'homme, sans "s" comme George Sand. Une remarquable journaliste, et une vraie fêtarde. »

Françoise choisira de ne pas s'en souvenir.

Après la guerre, George Sinclair retrouvera Pierre Lazareff et le suivra à *France-Soir* dont elle sera, de 1946 à 1972, l'une des grandes plumes avec Roger Grenier. Ce dernier évoque une femme très sympathique dont le talent avait brillé avant-guerre, puis qui avait sombré dans l'alcool :

« Lazareff la gardait par amitié, en souvenir de *Paris-Soir*. C'était une très chic fille, mais une vraie poivrote. En octobre 1963, Piaf et Cocteau sont morts le même jour. On s'était réparti la tâche : elle devait faire la nécrologie du poète qu'elle avait par hasard interviewé peu de temps auparavant. Elle était tellement ivre qu'elle ne retrouvait plus ses papiers... J'ai dû tout écrire à sa place, jusqu'au moment où, dans un rugissement, elle retrouva ses notes sous le seau à champagne... C'est elle qui aurait appris le journalisme à Giroud pendant la guerre. Giroud n'en parle jamais... »

Prudent, Grenier reste flou sur la propre version de Sinclair, qui ne lui en aurait rien dit. Il se souvient fort bien, en revanche, de sa maîtresse allemande, une cantatrice au caractère exécrable, Eva Busch, avec qui elle vécut jusqu'à sa mort en 1983.

Dans ses livres, Giroud rendra souvent hommage à un homme – celui qui, à la lire, dans le désordre et le désarroi de cette année-là, lui aura permis de découvrir, fascinée, le journalisme, et qui accompagnera plus tard ses premières avancées dans le métier, mais aussi dans le tout-Paris.

Hervé Mille – son « professeur », son « Pygmalion », écrit-elle dans *Leçons particulières* – est un petit homme sec, élégant, basané, aux yeux d'un bleu intense. « Fasciné par les duchesses », mondain effréné, journaliste passionné, révélé par un scoop sur la mort d'Isadora Duncan, Mille est né en Turquie, à Constantinople, dans une riche famille de négociants aixois bientôt ruinée[1]. Bras droit de Jean Prouvost et de Pierre Lazareff, pilier de *Paris-Match*, dans les années d'après-guerre il tiendra avec son frère, rue de Varenne où ils font appartement commun, le salon journalistique et mondain le plus couru de Paris. Rez-de-jardin, tentures de lourde soie, fleurs à profusion, parfums et sucreries, mets exquis, se souvient Edmonde

1. *In* Yves Courrière, *Pierre Lazareff*, *op. cit.*

Charles-Roux qui y croisait aussi Françoise : les frères Mille tenaient table ouverte et ressuscitaient avec esprit l'atmosphère levantine. Giroud partagea-t-elle jamais avec Hervé Mille cette mémoire d'Orient à laquelle lui-même tenait tant mais qu'elle avait choisi très tôt de refouler ? Ni l'un ni l'autre, dans leurs ouvrages respectifs, ne font allusion à des conversations sur ces racines communes. Comme si Paris, ses ivresses et leurs succès justifiaient tous les silences.

Au lendemain de la guerre, Giroud va conquérir Paris.

Déjà, elle a un début de signature. Quittant Lyon pour retrouver le cinéma – sous l'Occupation, les studios fonctionnaient à nouveau à plein régime –, elle a commencé à se faire un petit nom en adaptant des scénarios. On la retrouve en 1942 au générique de *L'Honorable Catherine*, de Marcel L'Herbier, puis de *Promesse à une inconnue*, d'André Berthomieu, dont elle signe le scénario. Elle travaille aussi avec Baroncelli, Stelli, Choux, écrit les dialogues d'un *Fantomas* et, en 1947, met au point avec Jacques Becker le scénario et les dialogues d'*Antoine et Antoinette*, qui obtiendra à Cannes le Grand Prix du Festival renaissant.

Plus important encore, elle a rencontré le couple qui va l'ancrer dans le journalisme, et surtout la femme qui va poursuivre son apprentissage : Hélène Gordon Lazareff, l'épouse de Pierre.

D'un livre à l'autre, Giroud leur rendra, à l'un et l'autre, l'hommage qui convient :

« Les Lazareff ont régné pendant plusieurs années sur Paris, et ils m'ont introduite dans une certaine société parisienne qui était alors brillante et stimulante[1]... »

Lui, avait été le tout-puissant patron de *Paris-Soir* puis fut celui de *France-Soir* et de *France-Dimanche*. Connaissant mieux que personne les ressorts de la grande presse populaire, il sut, au fil des générations, y attirer les meilleurs talents. Bientôt, avec *Cinq Colonnes à la une*, il allait donner à la télévision balbutiante ses premiers titres de gloire et d'influence.

Férue d'ethnologie, cultivée comme lui, passionnée de journalisme, comme lui d'origine juive russe, comme lui minuscule, frêle d'aspect mais douée d'une énergie débordante[2], Hélène abordait les gens et les choses avec une passion sans retenue.

À Louveciennes, dans leur propriété de campagne, le déjeuner du dimanche réunissait rituellement tous ceux qui brillaient à Paris – « grands patrons de la médecine, couturiers en vogue, romanciers couronnés, avocats en vue, peintres fêtés, belles comédiennes, politiques en

1. In *Leçons particulières*, *op. cit.*
2. *In* Yves Courrière, *Pierre Lazareff*, *op. cit.*

devenir, etc.[1] » Là les carrières s'accéléraient ou se défaisaient, les amours aussi.

Françoise poursuit : « Plus important, les Lazareff m'ont transmis une partie de leur savoir, qui était grand ; ils m'ont ouvert leur cœur, leur maison, leurs journaux ; ils m'ont entourée de leur chaleur... Hélène vivait toutes les relations humaines sur le mode de l'amour, et c'est bien de l'amour qu'il y a eu entre nous... »

À l'en croire, tout entre elles deux commença par un coup de foudre : « Elle vint à ma rencontre en marchant sur la pointe de ses pieds nus. Même ainsi, elle était plus petite que moi, c'est-à-dire vraiment menue, corps gracieux, visage chiffonné sous une frange qu'elle remettait sans cesse en ordre[2]. » « C'est une manière d'amour, il n'y a pas d'autre nom, qui a existé entre Hélène Lazareff et moi », raconte-t-elle à Claude Glayman en 1972[3]. Elle ajoute alors avec une admiration manifeste : « La force de cette femme menue, frêle, la faculté qu'elle avait de voir les choses comme elle voulait qu'elles soient..., sa façon d'arranger la réalité qui n'était pas mensonge, puisqu'elle était la première à y croire, à sa version... »

C'est Hervé Mille qui organisa leur rencontre, tout comme il avait participé à celle d'Hélène Gordon et de Pierre Lazareff en 1935.

1. In *Leçons particulières*, *op. cit.*
2. *Ibid.*
3. In *Si je mens...*, *op. cit.*

Hélène était alors rentrée de son exil américain avec de l'optimisme à revendre et une idée en tête : créer *Elle*, un magazine avec des photos en couleur, comme aux États-Unis, pour les femmes modernes qui allaient s'ouvrir à la société de consommation. D'entrée et de fait – sinon en titre – Françoise en devint rédactrice en chef.

Edmonde Charles-Roux rejoint les deux femmes dès les débuts du journal :

« Fille de bonne famille, j'avais fait une belle guerre et j'étais paumée. Hélène m'accepta comme grouillot parce que je faisais bien dans le tableau. Elle avait sa caution gaulliste en la personne de Couvette – la femme de Maurice Couve de Murville, proche du Général –, et quelques autres dames nettement issues des milieux collabos. Hélène et Françoise étaient très complémentaires. La première, boule de feu, sensuelle, féline, très *glamour* – c'est elle qui a inventé le terme ; l'autre, organisée, perspicace, séductrice au sourire ravageur mais au style naturel, plutôt sportif, genre bonne copine, même si certains la traitaient d'arriviste effrénée... »

Michèle Rosier a de sa mère l'air mutin, le verbe pointu et la frange baladeuse. Journaliste, modéliste, aujourd'hui productrice de cinéma, la fille unique d'Hélène, surnommée « Michounette », avait quinze ans lorsqu'elle vit Giroud pour la première fois :

« Elle était très frappante, très belle à sa façon,

très moderne – un mélange d'homme et de femme : le haut du corps très féminin, oriental, avec de gros seins qu'elle tentait de dissimuler en se tenant voûtée, de beaux yeux sombres, et le bas très garçon : hanches étroites, pas de fesses... Elle savait faire sa cour, mais Hélène s'en méfiait. Ma mère sentait qu'elles n'étaient pas du même tissu, et elle, si spontanée, si fière de l'être, restait avec Françoise sur ses gardes. Elles ne furent jamais vraiment proches, il n'y eut pas d'amitié entre elles... »

Jalousie d'adolescente se sentant sacrifiée à d'autres passions maternelles ? Michounette garde de la collaboratrice de sa mère un souvenir précis et cruel :

« Bien sûr, Françoise avait du talent, un ton, une formidable agilité d'écriture, elle était capable d'aligner la copie au milieu du vacarme alors que, pour Hélène, c'était une torture d'écrire. Mais elle dégageait une telle force que lorsqu'elle entrait, on sentait comme le vent du boulet. Il y avait beaucoup de violence dans sa façon d'être, au-delà de la voix douce, du regard affable et de son apparence veloutée. Elle avait un besoin forcené d'être admirée, et y travaillait sans relâche. Moi, je n'étais pas utile à son parcours, et sans doute ne l'admirais-je pas assez... »

Hélène est l'élégance et la coquetterie mêmes. Giroud racontera plus tard : « Nous partagions le goût effréné des robes. À la tête d'un journal, on a, de ce côté-là, quelques facilités. J'en ai beaucoup usé. Ma frivolité s'est toujours réfugiée tout entière dans les vêtements, même si je les choisissais noirs là où Hélène commandait du rouge[1]. »

Chaque année, *Elle* publiait un « Spécial collections », événement considérable pour les femmes : quatre cents pages ou plus qu'elles montraient, cochées, annotées, à leur couturière dans l'espoir qu'elle les mît au goût du jour. Le prêt-à-porter n'existait pas encore, le journal rendait la haute couture accessible à ses lectrices. De ce milieu Hélène était la grande prêtresse ; Françoise en apprenait les contours et les détours.

Michèle Rosier reprend le fil de ses souvenirs :

« Françoise n'avait pas d'élégance, elle marchait les pieds en dedans... Hélène, qui avait de très jolies jambes, évoluait volontiers sur la pointe des pieds... C'était un personnage poétique... Françoise l'observait sans relâche, copiant sa façon de s'habiller, de sourire des yeux... Hélène n'était pas une ambitieuse, c'était une passionnée, elle et Pierre s'amusaient dans la vie, ils s'amusaient d'eux-mêmes, des autres, de ce qu'ils faisaient. Françoise, elle, était prudente, elle donnait l'impression de porter plusieurs masques, comme si elle voulait aussi se protéger... Le contraire de sa sœur, qui était une merveille d'extériorisation et qui venait souvent au journal, comme sa mère, très

1. In *Leçons particulières*, *op. cit.*

fine, douce, distinguée... Hélène adorait les confidences, elle était curieuse de la vie privée des autres. Françoise se livrait très peu, ne rapportait jamais d'histoires toutes chaudes. Dans un journal féminin, elle faisait exception ! »

Daisy de Gourcuff, qui, sous le nom de son mari, Hector de Galard, prendra plus tard la direction du magazine féminin, y entra en 1951 à l'âge de vingt et un ans : « Je ne savais rien faire. À l'insu de mes parents qui ne voulaient pas d'une fille qui travaille, j'avais passé mon bac et suivi quelques cours de journalisme. Par mon oncle qui avait été emprisonné en Allemagne avec son amant de l'époque, le directeur du studio photo, j'obtins un rendez-vous avec Hélène Lazareff. J'étais mal habillée, mal coiffée, une vraie gourde. "Proposez-moi un sujet", me dit Hélène comme pour se débarrasser. On était en juillet, c'était les vacances, je suggère une rubrique : "Quoi de neuf à la rentrée ?" On en fit un numéro spécial ; on le refait tous les ans, et je suis restée vingt-trois ans au journal. »

Sous sa manière brusque et ses éclats de rire sec, Daisy bouillonne de sentiments. À soixante-dix ans passés, malgré ses efforts et les contraintes d'une fort bonne éducation, il lui arrive de se laisser emporter, et d'en rougir encore. Sa première passion professionnelle, avant qu'elle n'inventât *Dim Dam Dom* pour la télévision, ce fut le journal *Elle*.

« Quel tandem ! Françoise était fascinée par le tempérament d'Hélène, Hélène par le talent d'écriture de Françoise. Celle-ci faisait très mûre dans notre volière, très maîtresse d'elle-même, calme, responsable, organisée, jamais en colère. Le contraire d'Hélène ! »

Mais celle que Daisy aimait, c'était Hélène :

« Je l'ai adorée. Elle me le rendait, je crois. Lorque j'ai subi une grave opération du pied, elle est venue passer quelques jours avec moi à Méribel où j'étais en convalescence. Elle était entre deux amants et babillait sans cesse. Un jour viennent déjeuner à l'hôtel les Pompidou qu'elle ne connaissait pas. Lui était encore banquier chez Rothschild. "Avec un nom pareil, me lança-t-elle, jamais il ne réussira en politique !" »

Daisy, qui n'avait pas perdu de vue son amour de jeunesse, Olivier Guichard, fidèle du Général, qu'elle épousera bien plus tard, en rit encore de bon cœur.

À l'évocation de Giroud, elle s'assombrit :

« Françoise dirigeait la partie magazine du journal et signait aussi des portraits dans *France-Dimanche*. Très vite, dans sa façon d'être, elle avait assimilé le comportement de patron : s'habiller sévère, parler sec... Le contraire de sa sœur Djénane Chappat, adorable personne, qu'elle avait fait venir pour s'occuper de la rubrique shopping et qui savait tout sur les ustensiles de cuisine. En 1952, Antoine Pinay décrète une baisse générale des prix de 5 % et enjoint aux commerçants d'en faire état dans leurs vitrines. Françoise me demande de repérer dans Paris les trouvailles les plus astucieuses. Par hasard, le soir même, je la croise chez Lasserre où un galant m'avait invitée à dîner. Elle était avec Jean-Jacques Servan-Schreiber et choisit de ne pas me voir. Le lendemain matin à huit heures, coup de téléphone de Françoise : "Vous n'oubliez pas que vous avez un reportage à faire ! À pied, pas en Solex !" Et elle raccroche sèchement, comme pour me punir de ma nuit agitée. Elle m'en a toujours voulu, sans doute d'avoir provoqué en elle une réaction aussi mesquine. Tout au long de nos parcours respectifs, elle n'aura eu de cesse de me battre froid. »

Colette Modiano était stagiaire à *France-Soir*, au premier étage de l'immeuble du 100, rue Réaumur, qui, au cinquième, abritait les équipes d'*Elle* :

« On s'ignorait férocement. Les gens de *France-Soir* considéraient que les autres n'étaient pas des journalistes, et les filles d'*Elle* nous regardaient comme des ploucs. Giroud, elle, ne voyait personne, sauf ceux qui pouvaient la servir. Elle n'était pas gentille du tout, et franchement pas belle : c'était une petite grosse à la cuisse courte et au visage rond. »

Le passage des ans n'a pas atténué l'acrimonie de celle qui, dans la presse et l'édition aux côtés de Dominique Lapierre, croisera plusieurs fois le chemin de Françoise Giroud sans jamais succomber à son charme.

« C'était une femme qui s'était entièrement construite, professionnellement et physiquement. Elle voulait devenir la Parisienne sophistiquée, il y avait du boulot ! Hélène, qui était une garce, la rudoyait mais elle avait besoin d'elle : la bosseuse, c'était Françoise. Sans doute était-elle socialement complexée. Elle n'aimait pas les autres femmes, surtout celles qui avaient d'autres atouts que les siens. »

Colette Modiano était blonde, ravissante, et riche. Habitude rare à l'époque, elle venait chaque matin au journal dans sa propre voiture, une 11 CV Citroën. De quoi indisposer la rédactrice en chef d'*Elle*.

« Moi, c'est simple, elle ne me voyait pas. Je n'étais pas de son niveau, et ne pouvais lui servir. Elle faisait la cour aux dirigeants de *France-Soir*, et s'essayait à faire du charme. Elle tentait d'imiter Hélène. Elle s'est mise à plisser les yeux : c'était un nouveau truc pour séduire. Un jour, avec Dominique Lapierre, nous la croisons à Orly : elle m'ignore, ne s'adressant qu'à lui, tout sourire et yeux plissés ! Pour moi pas un mot, pas même bonjour ! »

Dans la France bouleversée, ravagée, pudibonde de l'après-guerre, le magazine *Elle* fait sur ses lectrices l'effet d'une révolution. La mode, l'électroménager, la vie pratique y sont abordés, mais aussi les mœurs – une vision de la modernité, très imprégnée d'Amérique, qui dérange aussi par une liberté de ton inconnue dans la presse dite féminine. Ainsi cette enquête lancée en 1947 : « Les Françaises sont-elles propres ? » Réponse : « Non ! »

En 1950, Françoise prodigue ses conseils aux lectrices : « Être une jolie femme, c'est une résolution qu'il faut prendre... [Elle] s'entretient comme les muscles : par l'entraînement quotidien... [...] Être jolie est un devoir. Vis-à-vis de votre mari, de vos enfants... Si vous vous sentez jolie, vous vous sentirez meilleure, vous serez meilleure[1]. »

Giroud raconte aussi les limites de l'exercice : « *Elle* ne pénétrait ni la France profonde ni les milieux populaires... Nous avons perdu la Bretagne à cause d'un article intitulé : "Elle a choisi la liberté". Il s'agissait d'une femme qui demandait le divorce. Pierre Lazareff a failli s'étrangler : "Vous êtes folles, disait-il, folles !"... Mais Hélène n'en faisait qu'à sa tête[2]... »

« Hélène était toujours sur le qui-vive, elle avait beaucoup d'idées et savait choisir entre celles des autres, raconte sa fille. Françoise avait le sens des titres, des formules, elle portait le texte, donnait le ton. Elle était plus qu'un bras droit, mais de là à

1. *Elle*, juillet 1950.
2. In *Leçons particulières*, *op. cit.*

prétendre, comme elle l'a fait, qu'elle a dirigé *Elle*... En fait, elles étaient très complémentaires et un peu concurrentes. Quand Giroud est partie, Hélène n'en a pas gardé un souvenir de plaisir. »

« Au journal, reprend Daisy de Galard, Françoise était toute à la joie d'exercer, comme Hélène, le pouvoir absolu. Elle s'est vite rendu compte que son emprise était, de fait, limitée par celle, plus légitime, d'Hélène. Pour être à la place d'Hélène, il fallait qu'elle aille ailleurs. »

Quand Hélène mourra, en 1988, après de longues années dans les ténèbres d'Alzheimer, Michèle demandera à Edmonde Charles-Roux de parler sur sa tombe. Edmonde refusera, et suggérera le nom de Françoise.

« Françoise a fait ça très bien », reconnaît aujourd'hui Michounette dans un sourire.

Françoise ne cache pas sa gratitude : à *Elle*, reconnaît-elle, « j'ai tout appris de ce que je sais de mon métier, sauf écrire. Cela ne s'apprend pas. Mais le reste : la technique, le maniement des photos, le rythme d'un journal, sa respiration, je le dois à ces joyeuses années passées à côté d'Hélène Lazareff, qui était orfèvre[1] ».

Giroud utilise au mieux le système Lazareff, fondé sur le repérage des talents, les engouements,

1. In *Arthur ou le bonheur de vivre*, *op. cit.*

les rapports de force et un sens très précis de la géographie des pouvoirs.

« Hélène eut un temps pour amant Paul Auriol, le fils du président de la République de l'époque. Les Lazareff étaient à l'Élysée comme chez eux, raconte Daisy de Galard. Ils avaient instauré leur rituel du dimanche et recevaient à déjeuner – à Villennes, en bord de Seine, puis à Louveciennes – tous ceux qui comptaient à Paris. C'était très organisé. Les Lazareff étaient passés maîtres dans le jeu subtil et cruel des préséances, de la hiérarchie, des renversements de fortune. Moi, j'étais en bout de table et me trouvais bien godiche ; Françoise n'était pas encore à proximité des plus gros poissons, mais elle faisait du charme... Il fallait la voir manœuvrer pour obtenir le tête-à-tête qu'elle ambitionnait, souriant de partout, plissant les yeux à la manière d'Hélène... »

Françoise Giroud est alors en pleine ascension. Son talent s'épanouit. Sans abandonner le cinéma où elle collabore encore à quelques scénarios, elle écrit de plus en plus. Hélène malade, son rôle à *Elle* devient prédominant. Elle fait aussi un papier par semaine dans *Carrefour*, un autre pour *L'Intransigeant*, puis, dans le *France-Dimanche* de Pierre Lazareff, un portrait de l'une des personnalités de ce Tout-Paris dans lequel elle fraie son chemin.

« À *Elle*, Françoise faisait déjà un peu peur à certaines, se souvient Edmonde Charles-Roux qui quittera le magazine pour *Vogue*, concurrent plus chic et plus snob. À partir de quel moment, dans sa conquête de l'échelle sociale, a-t-on commencé à la redouter ? C'est difficile à dire, mais elle a sûrement polarisé très tôt ce sentiment. Au journal, c'est Hélène qui l'aimait le plus. D'autres s'en méfiaient, elle était trop différente, malgré ses efforts. Moi, je la trouvais plutôt bonne copine, et franchement courageuse : tous les vendredis, gaiement, provisions sous le bras, elle nous annonçait qu'elle partait pour Lille rendre visite à son mari en prison... »

4

L'amante

Françoise Giroud a épousé Anatole Eliacheff en 1945. Elle a vingt-neuf ans ; lui, quelques années de plus.

Pudeur, tristesse, désir d'effacer de sa vie un personnage qui en est sorti tôt, sans gloire ni succès ? À la lire, on ne saura jamais s'il y eut entre eux deux une véritable histoire d'amour. Dans *Si je mens...*, elle évoque son mariage en ces termes : « Je me suis mariée avec un personnage qui sortait tout droit d'un roman de Dostoïevski. Plus russe qu'il n'est permis. Beau. Avec un sentiment aigu de l'absurde, qui a rencontré celui que j'éprouvais alors et l'a aiguisé. »

Plusieurs livres plus tard, elle décrit sans aménité l'époux, désigné par la lettre T dans *Leçons particulières* : « J'ai été mariée pendant près de dix ans avec un Russe pétri de ce qu'on appelle, faute de mieux, le charme slave... De dures épreuves avaient accentué son cynisme naturel. Il observait le cours des choses et le jeu des hommes avec une hauteur humoristique mais désespérée. Il n'était pas tonique. Il était russe. »

On ne sait pas alors qui est ce T, ni ce qu'il fait, et on n'apprendra son séjour en prison que dans le dernier ouvrage autobiographique[1].

Un jour, chez elle, Françoise s'est livrée à quelques confidences : « C'est Lucassevitch, un horrible bonhomme, un producteur de films, un vautour, qui me l'a présenté. À l'époque, je baignais dans ces milieux du cinéma, je commençais à me faire un nom comme scénariste. Les temps étaient rudes. Tolia était beau, généreux, il avait le sens du luxe, il avait été élevé dans l'opulence. À Montparnasse, quand on allait au cabaret avec Joseph Kessel, il m'enlevait mes bottillons pour y boire du champagne... À la Libération, il s'était arrangé, Dieu sait comment, pour faire réquisitionner un bel appartement avenue Raphaël. »

C'est un rez-de-jardin où, d'emblée, la jeune femme installe aussi sa mère.

Ce renversement de fortune frappe ceux qui avaient connu Françoise pendant la guerre, comme André Gillois :

« À mon retour de Londres, elle m'a invité à déjeuner avec toutes sortes de célébrités parisiennes dans un somptueux appartement près de la Muette, se souvient celui qui l'avait convaincue

1. *On ne peut pas être heureux tout le temps, op. cit.*

de changer de nom et qui s'était distingué depuis lors au service du général de Gaulle. Elle était très bien installée professionnellement et matériellement. Manifestement, elle avait de l'argent. »

Anatole Eliacheff – « Tolia » pour les amis – est producteur de cinéma. Né en Russie dans une famille juive qui avait fait fortune dans le pétrole à Bakou, il avait fui les Soviets d'abord à Vienne, puis à Paris. Hélène Lazareff, issue du même milieu juif russe, et richissime, reçoit volontiers le couple à Louveciennes. Sa fille Michèle Rosier garde d'Eliacheff un souvenir peu flatteur :

« Il n'était pas beau, un peu mou, avec des yeux très doux... Il faisait très "producteur de films" comme au cinéma, intelligent sans doute... »

Tolia se disait en effet producteur. L'histoire du cinéma n'en a rien retenu. Sans doute participait-il de près ou de loin, comme cela se faisait à l'époque, à des montages financiers en cascade où il jouait les intermédiaires.

Au détour d'un récit sur ses débuts à *Elle*[1], Giroud se décrit alors comme « une jeune femme dure, tendue, marquée par la guerre ». Elle insiste sur le « pessimisme rageur » qui la submerge, sur son désir de revivre, et évoque ce mariage « avec un homme singulier... qui compensait par l'humour une façon d'être désespéré ». Elle ajoute

1. In *Arthur ou le bonheur de vivre*, *op. cit.*

sobrement : « Je crois qu'il tenait à moi. Il me faisait un cadeau tous les dimanches... »

Et de raconter, avec plus de tendresse pour le chien que pour l'époux, l'histoire de Tchik, le boxer qu'il lui avait offert, mort de leur désamour :

« Que dire encore de mon mari ? Il possédait le sens russe de la fête... Il parlait toutes les langues. Mais ce n'était pas exactement un compagnon tonique, capable qu'il était de passer sa journée à relire Dostoïevski en russe. »

Et à courir les dames...

Avec la concision qui caractérise son propos comme son écriture, Françoise raconte : « Il s'était entiché d'une petite comtesse avide qui avait beaucoup couché avec l'occupant et qui avait mêlé Tolia à des affaires louches de textile et de bons d'achat allemands. Elle voulait un saphir, il le lui a offert. Puis elle l'a dénoncé. »

Eliacheff est arrêté en 1947, condamné à cinq ans de prison et interné à Loos, près de Lille. Trois ans durant, chaque semaine, Françoise prendra le train le vendredi pour le voir.

« Et en plus je lui restais fidèle ! » dit-elle en souriant dans un rare moment de confidence.

Rien n'est moins sûr. Michèle Cotta se souvient des confidences de Guy Schoeller, longtemps l'un des éditeurs les plus séduisants de Paris, racontant l'atmosphère libertine de la capitale dans les années d'après-guerre. Libérés de toutes les contraintes sociales ou morales, ayant encore en bouche le goût des souffrances et des privations récentes, ceux qui contribuent à faire renaître Paris s'en donnent à cœur joie et à corps perdu. Françoise, journaliste en vue, rédactrice en chef d'*Elle*, chroniqueuse à *France-Dimanche* où elle croque le Tout-Paris, n'y aurait pas été insensible, ni étrangère.

Edmonde Charles-Roux, elle aussi très lancée dans ce milieu, précise :

« Françoise était rongée d'inquiétude à l'idée qu'on en apprenne davantage sur le mari : avant la prison, il était toujours en quête d'argent pour des films qui ne se faisaient pas. Personne ne s'en préoccupait, pourtant. »

En tout cas, pour défendre l'emprisonné, Giroud mobilise l'un des plus grands noms du barreau, rencontré chez les Lazareff : Maurice Garçon. Tolia n'a toujours pas la nationalité française. Il faudra l'intervention du patron de *France-Soir* auprès d'Edgar Faure, alors garde des Sceaux, pour obtenir sa liberté conditionnelle.

« J'ai connu Tolia à Rome où il était parti, peu après, faire l'intermédiaire entre producteurs français et italiens. L'industrie du cinéma y était à l'époque florissante », raconte Danièle Heymann qui, toute jeune, en rupture avec sa famille avant de tenter sa chance à *L'Express*, obtient de son père cinéaste une introduction auprès d'Eliacheff. Elle ne sait pas taper à la machine, mais va lui servir de secrétaire. « Il était très charmeur, très russe, avec de grands yeux sombres, et ne travaillait pas beaucoup. Il était souvent triste. Françoise, je ne la connaissais que par la photo posée sur son bureau. J'étais stupéfaite de la fascination que cette femme continuait d'exercer sur Tolia qui était pourtant un séducteur. Sans cesse il commencait à me dicter des lettres pour elle, et ne les terminait jamais : "Ah, Danièle, on verra plus tard", disait-il avec son terrible accent russe... »

Françoise Giroud a quitté son mari. Il ne restait rien de vivant entre eux, dira-t-elle dans son dernier ouvrage autobiographique[1]. Parmi les photos qui illustrent le livre, elle n'a retenu aucun portrait de l'époux.

« J'avais émergé de ces dures années avec un appétit de bonheur, une faim d'amour, une envie impétueuse d'être heureuse autrement qu'un jour par-ci, par-là... J.-J. est tombé dans ma vie comme un aérolithe au moment précis où il fallait qu'il tombe[2]. »

1951. Jean-Jacques Servan-Schreiber a vingt-sept ans. Il est beau, petit, vif-argent, péremptoire – il porte volontiers sur les gens et les choses un jugement définitif. Longtemps il s'efforcera de faire plus vieux que son âge. Polytechnicien, il

1. *On ne peut pas être heureux tout le temps, op. cit.*
2. *Ibid.*

est aux yeux de ses parents, surtout de sa mère, le chef-d'œuvre de la troisième génération des Schreiber français – ces descendants de colporteurs de tissu juifs et prussiens qui ont fui l'antisémitisme allemand à la fin du XIXe siècle et qui, en France, ont fait fortune après la Grande Guerre en créant le premier journal consacré au commerce et comportant de la publicité : *Les Échos*.

Le journal est dirigé par deux frères dont les bureaux, pendant un demi-siècle, se feront face : Robert, qui a épousé une fille de sénateur de la République, la belle Suzanne Crémieux, égérie de la vie politique de son temps, et Émile, uni à Denise Brésard, ravissante, austère, qui n'est pas riche mais a pour atout d'être catholique.

Poursuivant l'ambition farouche de leur mère d'enraciner les Schreiber dans la société française, Robert et Émile ont pris soin de faire baptiser tous leurs enfants et de les déclarer en accolant à leur prénom celui de Servan, qu'ils ont l'un et l'autre utilisé pendant la guerre. Contrairement à leur frère Georges, médecin, qui choisit de rester fidèle à ses origines, les deux directeurs des *Échos* décident en 1950 de faire officialiser par le Conseil d'État leur changement de patronyme : ils s'appelleront désormais Servan-Schreiber.

Ils ont des propriétés à Montfrin, dans le Gard, à Veulettes-sur-Mer, dans le pays de Caux, et à Megève, où on invente les sports d'hiver. Comme le résument Sandrine Treiner et Alain Rustenholz dans leur ouvrage très complet sur cette extraordinaire famille[1] : « Ils se sont installés sur les terres de leurs épouses françaises. Elles s'occupent d'œuvres sociales ; eux sont maçons, laïcs, républicains, notables, proches du Parti radical, pivot de la IIIe République. » Dès la deuxième génération, les Schreiber se sont intégrés dans la bourgeoisie française.

Premier fils d'Émile et de Denise – qui auront trois filles et un autre garçon –, Jean-Jacques est élevé dans le culte de l'effort et de l'excellence. Dès le berceau, aucun membre de la famille ne doute qu'il soit promis aux plus hautes destinées. Sa mère, jusqu'à sa mort en 1987, y veillera, le couvant d'une passion exclusive, admirative et exigeante.

Sorti de l'École polytechnique, lié à Simon Nora et Jacques Duhamel qui, eux, ont fait l'ENA où ils ont eu pour professeur Pierre Mendès France, Jean-Jacques, sur les conseils de son père, renonce à entrer aux *Échos* où travaillent déjà, par esprit de clan et souci de rentabilité, sœurs, cousins et conjoints. Avec sa jeune femme Madeleine, née Chapsal, rencontrée à Megève, fille de Marcelle Chaumont, de la maison de haute couture du même nom, petite-fille d'un vice-président du Sénat, il part quelque temps pour le Brésil où il

1. *La Saga Servan-Schreiber*, Le Seuil, 1993.

multiplie les activités sans choisir sa voie, puis revient à Paris, rêvant de gloire et d'action.

Ce qui intéresse Jean-Jacques Servan-Schreiber dans le journalisme, ce n'est pas le commerce, ce sont les grandes idées sur les affaires du monde. Pour les exprimer, *Les Échos* ne conviennent pas, il lui faut *Le Monde*. À vingt-cinq ans, il réussit à séduire l'intraitable Hubert Beuve-Méry, *alias* Sirius, directeur du plus prestigieux des quotidiens français. Beuve prend Jean-Jacques au sérieux et lui permet de signer à la une ses premiers éditoriaux. Il s'y affirme favorable à l'Europe, que Robert Schuman vient de mettre sur les rails, à la fois ouvert et méfiant à l'égard des États-Unis, hostile envers l'Union soviétique.

Jean-Jacques a découvert sa voie : la politique et l'économie dont il pressent l'interaction, les affaires publiques, les relations internationales, autant de territoires qu'il conquiert avec appétit, soucieux de pédagogie, de vulgarisation et d'influence.

Pour *Le Monde* et pour lui, les portes s'ouvrent, celles des puissants qu'il aborde déjà en égal. Il voit Adenauer, chancelier d'Allemagne, et Jean Monnet qui l'enrôle dans sa croisade pour l'union franco-allemande, pilier de l'Europe en devenir. Autour de lui, à Paris comme à Veulettes, dans la propriété familiale, se rassemblent et s'ébrouent quelques brillants jeunes gens : les Nora, les Duhamel, ou encore Valéry Giscard d'Estaing, tous anxieux de réussir et de reconstruire le monde – si possible au mieux de leurs propres ambitions.

1951. Voilà un an que la guerre a éclaté en Corée, elle s'amplifie en Indochine. Jean-Jacques se brouille avec Beuve-Méry dont il ne partage pas la fibre neutraliste, et publie désormais ses papiers dans *Paris-Presse-l'Intransigeant* que dirige Hervé Mille – celui-là même qui a fait débuter Françoise Giroud à Lyon et l'a présentée aux Lazareff.

Cette année-là, la IVe République s'enlise ; Pierre Mendès France, député radical de l'Eure, a fait sensation à l'Assemblée nationale, quelques semaines auparavant, en exigeant un débat sur l'engagement français en Indochine.

Robert et Émile Servan-Schreiber se préoccupent de leur succession et de l'équilibre des pouvoirs entre les deux branches de la famille. Dans un document qu'ils font signer à tous leurs enfants, Jean-Claude, fils de Robert, et Jean-Jacques, fils aîné d'Émile, sont désignés comme les « chefs indiscutables en cas de disparition des vétérans ».

La famille s'élargit, des petits-enfants apparaissent, sauf chez Madeleine et Jean-Jacques. Denise s'en inquiète ; elle rêve d'un rejeton de ce fils-là, son chef-d'œuvre, et n'approuve pas l'épouse, trop rêveuse, trop artiste à son gré, trop mêlée aux milieux intellectuels de Saint-Germain-des-Prés. Madeleine, charmante et fantasque, fréquente Merleau-Ponty, Pontalis, Roger Nimier, la politique l'assomme, elle aime parler littérature et danser jusqu'au petit jour, toutes activités que Jean-Jacques, soucieux jusqu'à l'obsession d'optimiser son temps, considère comme parfaitement oiseuses. Souvent ils sortent séparément, mais ce soir-là, parce que Robert Schuman, alors ministre des Affaires étrangères, fera partie des convives, il accepte d'aller avec Madeleine dîner chez l'éditeur René Julliard.

« Notre prise de contact a été rugueuse, racontera Françoise quarante ans plus tard, se trompant pour l'occasion de Schuman. Je l'ai rencontré un soir de 1951... Il me semble que Maurice Schumann était là. Nous avons bavardé un instant. Ce jeune homme provocant m'a plu immédiatement[1]. »

Dans ses Mémoires, JJSS trousse ainsi la scène : « C'est un soir à dîner que j'ai rencontré Françoise Giroud, alors rédactrice en chef du magazine *Elle*. Nous avons aussitôt appris à ne perdre de temps en rien... Avant la fin du repas, je lui fais passer une petite note pliée, l'invitant, en quittant la table, “à venir danser ailleurs”. Je l'observe de loin. Elle réfléchit un bref instant, puis griffonne sur le billet et demande qu'on me le rapporte. Elle a écrit simplement : “Quand vous voudrez. F.G.” Tout est dit[2]. »

1. In *Leçons particulières*, *op. cit.*
2. *In* Jean-Jacques Servan-Schreiber, *Passions*, Fixot, 1991.

Françoise a une autre version : « Nous sommes partis en même temps. Il est monté dans sa voiture, moi dans la mienne. Nous avons roulé sur le boulevard Saint-Germain et soudain, pour me dépasser, il a pris le boulevard à contresens. Il a filé. Ma voiture était plus puissante que la sienne, je l'ai rattrapé sur les quais de la Seine, je lui ai fait une queue de poisson pour l'obliger à stopper, j'ai crié : “Vous jouez à quoi exactement ?” Et je suis repartie, le laissant loin derrière[1]. »

Françoise aime bien avoir le joli rôle...

Jean-Jacques, lui, ne s'en tient pas là : « Cette nuit-là, que nous passons ensemble, nous discutons aussi d'un journal à créer, celui que je souhaite. Projet né, en somme, au cœur d'une nuit tendre, avec une femelle de jungle. Un torse puissant, des jambes minces... une panthère. Plus tard, je choisirai, comme emblème de ce que nous ferons, la panthère[2]. »

Quelle que soit la version exacte, le récit le plus savoureux de cette rencontre qui va ouvrir l'un des chapitres les plus brillants et les plus passionnels de l'histoire de la presse française, on le trouve dans le roman à clés de Madeleine Chapsal, opportunément intitulé *La Maîtresse de mon mari* :

« Andréa était en acier. Était-ce parce qu'elle avait une bonne circulation – je lui ai toujours

1. In *Leçons particulières*, *op. cit.*
2. In *Passions*, *op. cit.*

connu la cheville fine – et que sa petite taille faisait que la station debout ne lui coûtait guère ? Ou était-ce son ambition, si accrochée à elle qu'elle en était presque visible, comme un succube ? Elle ne s'asseyait jamais. C'est dans cette attitude que je la remarquai pour la première fois... le visage levé vers Christian, lui souriant de toute sa personne. Oui, tout arrivait à sourire chez cette femme : la bouche, bien sûr, les dents, les joues, le front, les mains, le corps – tout sauf les yeux. Je n'ai jamais vu sourire les yeux d'Andréa, sans doute parce qu'ils étaient en permanence occupés à voir, juger, jauger... Vint le moment de passer à table. Christian refusa tout bonnement de s'asseoir à la place que lui avait réservée la maîtresse de maison : il voulait, dit-il, être à côté d'Andréa avec laquelle il avait commencé une conversation qu'il n'abandonnerait sous aucun prétexte ! Bien sûr, il obtint gain de cause. Parce qu'il était jeune, beau, convaincant... À la fin du dîner, Andréa était "prise", comme on peut le dire d'une bête plus ou moins sauvage attrapée au filet ou tombée dans un piège. Et moi, j'étais fière de mon chasseur[1]. »

Quelques pages plus loin, Madeleine explique avec finesse et ingénuité ce que sera le nœud de leur ménage à trois : « Étaient-ce son physique court et carré, ses seins généreux, son sourire perpétuel, sa voix qui se voulait joyeuse même quand

1. Madeleine Chapsal, *La Maîtresse de mon mari*, Fayard, 1997.

il n'y avait pas de quoi ? Elle vous entraînait dans un mouvement qui vous faisait oublier les affres de l'existence. Andréa était un moteur. Christian s'en était aperçu le premier. Je finis par le reconnaître à mon tour. Tout allait mieux quand elle était là. Elle, la maîtresse de mon mari... Au diable alors le conformisme[1] ! »

Françoise résume plus sobrement l'affaire : « Je l'ai aimé, il m'a aimée, moi plus que lui peut-être, mais lui autant qu'il en était capable... Cet homme, Jean-Jacques Servan-Schreiber, m'a, d'une certaine manière, inventée[2]. »

Elle a trente-cinq ans, il en a sept de moins. Le cinéma l'a sortie de la pauvreté ; les Lazareff, de l'anonymat. Servan-Schreiber va lui apporter l'amour et le pouvoir – deux ivresses qui seront chez elle à jamais mêlées, jusqu'à se confondre.

Jean-Jacques va révéler à Françoise ce qu'est la passion – la passion pour un homme, ses idées, son combat, ses défauts, ses emportements comme ses fulgurances. Elle se laissera transporter, enfin, mais elle ne sera jamais dupe, conservant, à ses dépens parfois, cette arme terrible que les épreuves ont forgée et affinée : la lucidité.

« Quand je l'ai connu, il n'avait pas trente ans, il était ardent et gai, d'une extrême délicatesse de

1. *Ibid.*
2. In *Leçons particulières, op. cit.*

sentiments et de manières dès lors qu'il vous portait intérêt, et il ne s'interdisait pas encore toutes les douceurs de la vie... Beaucoup de ceux qui ont participé aux diverses entreprises de Jean-Jacques ne lui ont jamais pardonné ce qu'il leur avait, un temps, donné... Il faut dire qu'il était tuant, entraînant dans son système tous ceux qui gravitaient autour de lui et qui se débattaient pour essayer de sauver leur vie personnelle au lieu de se sentir pris en permanence dans une cordée à l'assaut de l'Annapurna, le premier de cordée annonçant avec simplicité : "Chacun pour moi !" »

Plus loin, elle ajoute : « Un peu plus jeune que moi, il réunissait plusieurs des traits que je prêtais à mon père. C'était le même profil. Je ne pouvais pas y couper. Il fallait que ça m'arrive une fois[1]. »

L'association, mieux la transposition du personnage de l'amant à ce père réinventé qu'elle n'avait pas connu, Giroud la justifiera jusqu'à la fin de sa vie, au nom d'une passion commune de la chose publique.

La psychanalyse était passée par là.

Avec JJSS, Françoise Giroud va aussi apprendre la politique. Jusque-là, elle ne s'y intéressait guère et s'en mêlait encore moins, sauf à croquer pour *France-Dimanche*, parce qu'ils faisaient partie du Tout-Paris, quelques personnages de premier plan. Si elle raconte ici ou là que le

1. *Ibid.*

cœur de sa mère battait plutôt à gauche, par générosité plus que par idéologie, si elle admire l'entrée de sa sœur tôt dans la Résistance, on ne lui découvre ni engagement partisan ni envolées militantes dans les tumultes des années 30, ou dans les emballements de la Libération – à peine écrit-elle dans un des ses ouvrages autobiographiques[1] quelques lignes un peu contraintes sur la guerre d'Espagne :

« Je ne connaissais pas le milieu politique..., avoue-t-elle dans ses *Leçons particulières*, lorsque, fin décembre 1951, Jean-Jacques me dit : "Mendès intervient cette après-midi à l'Assemblée. Il faut absolument que vous l'entendiez..." Je me sentais peu concernée et je dis que j'avais, ce jour-là, d'autres obligations... Il me regarda, incrédule. Que pouvait-on avoir à faire de plus important que d'écouter Mendès France ? Et que pouvais-je avoir à faire de plus important que de lui faire plaisir en l'accompagnant ? »

C'est ainsi que naîtra *L'Express* : de la fusion entre deux êtres, de leurs talents complémentaires et de leur engagement au service d'une cause : celle de PMF, surnommé « Augustin » pour tromper les écoutes téléphoniques. Il s'agit, avec lui, de conquérir le pouvoir.

1. *Arthur ou le bonheur de vivre, op. cit.*

5

La fondatrice

Comme à son habitude, Françoise ne perd pas de temps.

À *France-Dimanche* où elle dispose d'une page hebdomadaire, son premier portrait de l'année 1952 est consacré à Pierre Mendès France. Rompant avec la badinerie de rigueur dans ce genre d'exercice, le ton est sans équivoque :

« Dans un monde que l'on s'efforce de nous représenter pourri et lâche, il est dans le camp de ceux qui font crédit aux hommes de son pays, qui les croient dignes et capables de supporter les plus dures vérités, de les souhaiter peut-être. Il a la terrible voix pure de ceux qui sont certains d'avoir raison[1]. »

Ses soirées, ses nuits avec Jean-Jacques, leurs week-ends au Trianon Palace, à Versailles, ou dans un des hôtels de luxe qu'elle affectionne, portent en gestation leur projet commun : créer un nouveau journal, différent de ce qui existe alors en

1. In *France-Dimanche*, semaine du 6 au 12 janvier 1952.

France, moderne, ouvert au débat, utile au pays et d'abord à Mendès. Jean-Jacques se sent à l'étroit à *Paris-Presse*, Françoise piaffe à *Elle*. Hélène Lazareff, ulcérée, y voit comme une trahison.

« Vint le moment fatal où, après sept ans d'intime collaboration, je dis à Hélène que j'allais la quitter. Ce fut épouvantable. Non qu'elle ne pût se passer de moi, la question n'était pas là. Je lui appartenais... Et pourquoi me conduisais-je de cette façon indigne ? Pour aller faire un autre journal : le comble !... Elle a tout essayé pour me dissuader. Elle a été voir ma mère pour lui faire valoir mon imprudence : quitter un puissant groupe de presse pour une aventure plus qu'aléatoire ! Elle a été méchante, perfide, cruelle, séductrice, et, pour finir, impuissante[1]. »

Encore faut-il trouver l'argent. Après quelques tentatives infructueuses pour convaincre des investisseurs, Jean-Jacques se rend à l'évidence : la solution est d'arrimer le nouveau journal aux *Échos*, d'utiliser la force de vente du quotidien familial, son réseau de distribution et, si possible, sa trésorerie.

Reste à convaincre la tribu. Pas tant son père Émile – tout ce qu'entreprend Jean-Jacques touche au génie, lui répète sa femme Denise – que l'autre branche, l'oncle Robert et le cousin Jean-Claude, passé directeur adjoint du quotidien économique.

1. In *Arthur ou le bonheur de vivre*, *op. cit.*

Justement, ce dernier songe à une édition du sixième jour, le samedi. De là à courir le risque de lancer un brûlot politique au service de Mendès et de Jean-Jacques, qui pourrait hérisser les abonnés traditionnels du journal...

Frères et cousins tombent cependant d'accord, préservant le subtil équilibre entre les deux branches de la famille : à Jean-Claude le titre de directeur général, l'administration et la publicité, à Jean-Jacques et à Françoise la responsabilité rédactionnelle. On augmentera le prix de l'abonnement. La maison est prospère – si le journal ne fait pas beaucoup de bénéfices, il entretient le train de vie des quinze membres du clan – et toute la famille continuera d'œuvrer pour son succès. C'est Émile qui invente le titre du samedi : ce sera *L'Express*.

Françoise ne trouve pas seulement en Jean-Jacques un homme qui la traite d'égale à égal dans leur projet commun, elle entre de plain-pied dans une famille riche, puissante, établie, qui a le sens de sa cohésion, de ses intérêts et du rôle singulier dévolu au fils aîné d'Émile.

Denise, sa mère, a tranché : puisque Françoise est utile à Jean-Jacques, va pour Françoise. De toutes les façons, elle n'a jamais aimé sa bru qui lui a pris son fils sans même réussir à lui faire un enfant. Pas question pour autant de répudier Madeleine : Jean-Jacques aime avoir tout son monde autour de lui. Au long de sa vie, sa première femme continuera de jouer un rôle primordial. Mais il s'est empressé de présenter à sa mère sa nouvelle partenaire, et Françoise met tout en œuvre pour séduire Denise.

« Maman était plutôt conservatrice et très "convenable", se souvient Christiane Collange. Quand Jean-Jacques lui a présenté Françoise, bien qu'il soit encore marié, elle n'a pas protesté. Il avait tous les droits ! Il faut reconnaître que Françoise était la séduction même. Elle était toujours parfaitement élégante, s'habillait en haute couture, très bon chic bon genre, impeccablement coiffée, pas une mèche de travers. Elle jouait de son charme physique avec beaucoup d'assurance. Et elle avait un sourire ravageur... Personne ne pouvait lui résister... Maman non plus ! »

À soixante-dix ans passés, Christiane n'a rien perdu de la vitalité et du franc-parler qui ont fait d'elle la plus rétive et la plus inventive des filles Servan-Schreiber :

« Ah, ce n'était pas drôle d'être une fille dans cette famille, je peux le dire ! assène-t-elle, les yeux plantés dans les miens, fourrageant dans sa crinière rousse alors que nous déjeunons dans sa cuisine. Dans l'esprit de Maman, il n'y en avait que pour Jean-Jacques. Il faut reconnaître qu'à sa manière il était irrésistible. »

Dans l'appartement de l'avenue Pierre-Ier-de-Serbie qu'il habite avec Madeleine, volets fermés, travaillant comme il aime à la lumière électrique, Jean-Jacques réunit le premier carré de fidèles. Il y a là Françoise, bien sûr ; Brigitte Grosz, la sœur préférée, férue de politique, qui s'ennuie aux *Échos* à faire du publi-reportage, et dont le mari n'a pas encore francisé le nom en « Gros », pour faire plaisir aux beaux-parents ; Pierre Viansson-Ponté, spécialiste de politique intérieure, débauché de la Société générale de presse de Georges Bérard-Quélin en même temps que son assistante, Léone Georges-Picot.

Fille d'une prestigieuse lignée de diplomates et d'industriels, cousine de Valéry Giscard d'Estaing qui lui présente Servan-Schreiber, celle-ci, note Jean Lacouture, représente « cet alliage de cordialité et de "bon genre", d'ouverture et de retenue, de compétence et de liberté de ton[1] », qui lui fera jouer dans l'aventure un rôle discret mais déterminant. Près d'un demi-siècle plus tard, elle se souvient avec précision de sa première rencontre avec Giroud :

« Jean-Jacques avait demandé à Françoise de me recevoir avec cette recommandation : "Prenez-la de haut, elle est un peu mondaine..." Je vais chez elle avenue Raphaël, très impressionnée : j'étais jeune et timide, elle avait déjà une grande réputation professionnelle. Avant même que le journal n'existe, elle se comportait en patronne. C'est elle qui m'a éblouie, plutôt que Jean-Jacques... »

1. *In* Jean Lacouture, *Pierre Mendès France*, Le Seuil, 1981.

La petite équipe s'installe dans deux minuscules bureaux de l'immeuble des *Échos*, au 37, avenue des Champs-Élysées. Simon Nora, inspecteur des Finances, spécialiste d'économie, proche de Mendès, les rejoint le soir après le ministère. Maquette, rubriques, typographie : Madeleine, l'épouse, donne son avis, et Christiane, la plus jeune sœur, accepte le poste clé de secrétaire de rédaction.

« Vous n'imaginez pas le climat d'ébullition, l'enthousiasme, la frénésie qui nous animaient, se souvient Léone, attendrie. Nous étions tous si jeunes... Nous vivions quasiment ensemble, et Jean-Jacques était le chef de bande. Nous allions souvent en groupe faire de la gymnastique ou jouer au basket salle Lerousseau, aux Champs-Élysées. Je me rappelle François Mitterrand, alors jeune et ténébreux député, qui avait déjà été ministre, à qui il est arrivé de se joindre à nous en pestant : il trouvait ça ridicule... Jean-Jacques avait sur la vie des conceptions très arrêtées : il fallait faire du sport, les hommes devaient s'habiller d'une certaine façon, costume et cravate sombres, chemise blanche, ils devaient s'éclaircir les tempes pour faire plus vieux... Le week end, on partait souvent à Veulettes, chez ses parents, et on continuait à travailler, ou plutôt à discuter interminablement de la France, de Mendès ; on refaisait le monde... »

Jean Daniel, qui travaillait pour Bérard-Quélin avec Viansson et Léone, est bientôt embauché par Jean-Jacques comme rédacteur en chef adjoint sur la foi de deux articles prémonitoires sur la rébellion algérienne. Il a trente-trois ans. Son regard sur le groupe est plus acéré :

« J'ai découvert à *L'Express* ce qu'était la vraie bourgeoisie. Ils avaient tous de l'argent, c'était naturel à leurs yeux, comme leur engagement mendésiste et patriote. Ils voulaient refaire la France en y consacrant leur talent et leurs moyens. Ils s'appelaient par leurs prénoms et se vouvoyaient. Pour être plus énergiques, ils prenaient des vitamines que Jean-Jacques distribuait lui-même. Il expliquait qu'il faut toujours monter et descendre les escaliers à pied, c'est meilleur pour la santé. Il mettait un soin infini à se vieillir, et pour se grandir portait des chaussures spéciales. Il n'avait aucun humour, c'était sidérant. Moi, il me trouvait trop dilettante, et Viansson trop méthodique. »

Et Françoise ?

« Françoise, pour moi et aux yeux de beaucoup de confrères, c'était la chroniqueuse du Tout-Paris. Une journaliste *people*, dirait-on aujourd'hui, qui s'ennoblissait par *L'Express*, même si on reconnaissait déjà son exceptionnel talent d'écriture. Quand Albert Camus, grâce à moi, accepta d'écrire pour nous, Claude Bourdet, dans *France-Observateur*, publia un papier furibard : comment Camus, ce parangon d'austérité, pouvait-il signer aux côtés de cette femme qui ne pouvait partager la même conception du journalisme... »

« De cet épisode, raconte Françoise, j'ai gardé une image : Albert Camus, debout, sanglé dans son imperméable, me regardant avec son sourire bleu de séducteur automatique, et me disant : "Ne vous laissez pas intimider. Ce sont des chiens". » « Des moutons, plutôt[1] », ajoute-t-elle.

« En vérité, raconte Pierre Bénichou, Camus la haïssait : elle incarnait cette presse *people*, façonnée par Lazareff, cette presse d'avant-guerre que le patron de *Combat* voulait remplacer par "une presse fraternelle et virile". Et surtout, quand elle était rédactrice en chef d'*Elle*, elle lui avait joué un très vilain tour ! »

Fils du meilleur ami du prix Nobel de littérature, élevé avec ses enfants, Bénichou, l'un des piliers du *Nouvel Observateur*, cultive avec humour et coquetterie une causticité redoutable qu'atténue parfois, au moment où on ne l'attend pas, une flambée de sentiments.

« Dans ces années de l'après-guerre, Camus était avec Sartre la vedette absolue, et en plus il était beau. Il dissimulait sa vie privée par éthique et par convenance personnelle : sa femme était très jalouse... Un jour, dans l'appartement de la rue Madame, arrive une petite servante pour s'occuper

1. In *Leçons particulières*, *op. cit.*

des jumeaux. Sa mère à lui avait fait les ménages, alors, vous imaginez, il osait à peine adresser la parole à cette fille... Un jour, à la une d'*Elle*, paraît cet article : "Quinze jours chez Camus". Giroud avait eu l'idée d'envoyer une jeune journaliste faire la bonne pour raconter la vie du grand homme... »

Avec gourmandise et nostalgie, Bénichou se souvient de sa propre jeunesse :

« J'étais entré tout môme, en 1956, à *France-Dimanche*... Il y avait là une équipe formidable, des mecs en or : les Lanzmann, Jarlot, Woldemar Lestienne et quelles plumes, aux côtés d'Antoine Blondin ou Albert Vidalie ! Giroud, qui y signait des portraits, avait fait paraître en 1952 un livre au titre inoubliable : *Françoise Giroud vous présente le Tout-Paris*. La collection "L'Air du temps" venait d'être lancée par Pierre Lazareff, et l'éditeur était Gallimard. Son style faisait mouche, même si nous trouvions que c'était du sous-Yvan Audouard : des phrases courtes, un adjectif entre deux points... Pour nous, Giroud, c'était ça : une échotière... avec Carmen Tessier et France Roche, on les appelait "les trois petites de Lazareff"... »

Pierre en rit encore, à peine gêné. La confrérie des machos sévit toujours, mais elle a moins de talent que cette génération-là...

Françoise était aussi en froid avec l'autre grande figure du panthéon intellectuel de l'époque,

Jean-Paul Sartre. Dans *France-Dimanche*, en 1951, elle avait brossé de lui un portrait aussi brillant que grinçant : « Il est à la fois un petit-bourgeois, une grande vedette, un chef de file – une petite file –, un auteur à succès, une tête de Turc, un révolutionnaire et un homme charmant. » Et elle concluait : « La popularité a mis à Jean-Paul Sartre un masque de clown derrière lequel il se débat. Quand il l'arrache, on cesse de le regarder. Quand il le porte, on ne perçoit plus son véritable visage et c'est dommage, parce qu'on perd aussi l'occasion – rare – de regarder l'honnêteté intellectuelle en face. »

Cet article provoqua l'indignation de l'entourage qui, sous la signature de Jean-Laurent Bost, répliqua dans *Les Temps modernes* par cette description peu amène de son auteur : « Ses yeux ne sourient jamais. Sous une bonhomie assez mal jouée, on sent une aridité désolante... On n'y décèle d'authenticité que dans la servilité[1]. »

La journaliste conquérante de *France-Dimanche* et d'*Elle* n'avait pas bonne presse parmi les gens qui pensent.

« En 1952, reconnaît Giroud avec un zeste de coquetterie, c'était une drôle d'idée, de la part de JJSS, d'aller chercher à *Elle* la codirectrice d'un hebdomadaire politique. Mais, en fait, c'était bien

1. Françoise Roth et Serge Siritzky, *Le Roman de « L'Express »*, Atelier Marcel Jullian, 1979.

vu. J'avais l'expérience qui lui manquait encore, celle de la conception et de la fabrication d'un journal. Sur le fond, il avait vérifié, après le fameux discours de Mendès France, que nous étions sur la même longueur d'onde[1]. »

La politique n'en était sans doute pas la seule mesure.

Fébrilement, passionnément, Françoise et Jean-Jacques accouchent de leur journal. Douze pages, des articles courts et non signés : c'est la vérité qui doit s'exprimer, non le tempérament de tel ou tel. Giroud réécrit l'ensemble pour donner l'unité de ton et de style. Elle s'occupe de tout : de la maquette, de la titraille, du rubriquage ; elle vérifie les morasses, les corrigeant directement sur le marbre. Elle s'affaire, précise, méthodique, impressionnante, rayonnante.

Le 14 mai 1953, un jeudi pour une sortie le samedi, le premier numéro de *L'Express* tombe des rotatives. À la une : quatre articles consacrés à la mécanique de la diplomatie russe, le sens des grèves, une charge contre René Mayer, le président du Conseil du moment, le plan de Churchill, un document sur l'Afrique, « Far West de l'Europe », et une interview exclusive : celle de Mendès France, bien sûr, qui a refusé le titre de directeur du journal mais dont le plus proche conseiller,

1. In *Leçons particulières*, *op. cit.*

Georges Boris, participe aux conférences de rédaction.

Dans *Arthur ou le bonheur de vivre*, Françoise évoque en ces termes ce premier numéro : « À l'exception d'une page consacrée à un entretien avec Mendès, le contenu devait tout ou presque à J.-J., le contenant à mes idées fixes sur la typographie, la mise en page, le style du journal dont j'avais rêvé. Élégance et austérité. Austérité excessive, d'ailleurs, plus tard adoucie... Nous voulions de l'information, de la concision, du rythme, de la mise en scène, du journalisme, quoi ! Alors il m'est arrivé de réécrire des numéros entiers. Je travaillais dix heures par jour et jusqu'à trois heures du matin, les soirs de bouclage. C'était pure folie... »

Enivrante et fructueuse folie ! Le supplément des *Échos* coûte cher, mais 2 % seulement des abonnés dénoncent leur contrat. Folie militante : la situation politique en France est chaotique. Sous la présidence de Vincent Auriol, les gouvernements de la IVe République ont la vie de plus en plus courte. L'inflation galope. La guerre pourrit en Indochine, l'étau viet-minh se resserre autour de Diên Biên Phu. En Afrique du Nord, les incidents se multiplient ; le gouvernement Laniel dépose le sultan du Maroc. Multipliant à l'Assemblée nationale les mises en garde et les appels à la négociation en Indochine, Pierre Mendès France apparaît comme un recours. Il a quarante-six ans. Avec *L'Express*, qui lui délègue

Léone Georges-Picot pour ses relations avec la presse, le député radical de l'Eure dispose d'un outil d'influence. Le journal devient l'organe et le refuge des intellectuels. Sur une idée de Françoise, les lecteurs peuvent, dans un forum, dialoguer avec le philosophe Merleau-Ponty, ami de Madeleine Chapsal, le commissaire à l'Énergie atomique Francis Perrin, ami de la famille Servan-Schreiber, le père Avril, l'avocat Georges Izard, le médecin Lucien de Gennes, le démographe Alfred Sauvy, Jean Vilar, qui dirige le TNP, et Françoise Giroud elle-même.

Un an après son lancement, *L'Express* réussit son premier coup : la publication d'un rapport secret sur l'Indochine signé des généraux Ély et Salan. Le journal est saisi, les bureaux perquisitionnés, Françoise réussit à subtiliser le document compromettant Salan et, se faisant passer pour une secrétaire, va l'avaler aux toilettes[1]. Le lendemain, pour la première fois, le journal dépasse les 50 000 exemplaires.

L'équipe s'est étoffée de quelques journalistes professionnels, tels Jean Daniel, K.S. Karol (qui s'appelle encore Kewes), bientôt Philippe Grumbach. Désormais les papiers sont signés par leurs auteurs. Le journal prend son rythme. Exploitant ses différends sur l'Afrique du Nord avec la direction du *Figaro* dont le prix Nobel

1. In *Arthur ou le bonheur de vivre*, *op. cit.*

de littérature est l'un des piliers, Jean-Jacques convainc François Mauriac d'écrire dans *L'Express*. Le premier « Bloc-notes » paraît en avril 1954.

Françoise raconte la scène : « Quand il mit pour la première fois le pied dans les modestes locaux de *L'Express*, Mauriac dit : “Je viens voir ma jeune maîtresse...” Et il s'esclaffa avec cette façon qu'il avait de porter la main à sa bouche après chaque saillie. D'un mot, comme toujours, il avait cliché la situation. Et quoi de plus roboratif qu'une jeune maîtresse pour un vieil écrivain au faîte des honneurs ? “Je ne suis pas fait pour l'insuccès”, disait-il. Il fut comblé par le succès avec ce fameux « Bloc-notes », chef-d'œuvre inclassable où il passait en dix lignes du cri au murmure, de la colère au soupir, de l'actualité à l'éternel, du chuchotement à l'interpellation[1]. »

Peut-on mieux rendre grâce ? Pourtant leurs relations n'étaient pas des meilleures.

« C'est Jean-Jacques qui a séduit Mauriac, déployant tout son charme et les feux de son intelligence, précise Jean Daniel qui lui-même n'y était pas insensible. Le vieil homme est véritablement tombé amoureux de lui : mélange de narcissisme et d'homosexualité refoulée. Françoise ? Il s'en méfiait, et avait peur du contact avec elle ! »

Et de rapporter cette anecdote :

« Un soir, nous dînions à quelques-uns chez

1. In *Leçons particulières*, *op. cit.*

Françoise. Une telle invitation était un gage de réussite au journal... Il y avait là Mendès, Mauriac, Sauvy – jamais d'autre femme, bien sûr. Françoise s'éclipse un moment, Mauriac me demande : "Vous vous entendez avec cette femme ? Moi, elle me fait peur. Vous n'avez rien remarqué ?" Et il pointe sur la cheminée une paire d'extenseurs de gymnastique. "Méfiez-vous d'elle !" me lance-t-il dans un chuintement. »

L'écrivain la surnommait « LA femme », et ce n'était pas tendre.

Françoise n'en est pas dupe : « Il n'aimait pas les femmes, surtout celles des hommes qu'il aimait. Quelque chose le dérangeait chez ces créatures, jusqu'à ce qu'elles aient atteint l'âge où l'on n'a plus de sexe. Et même... Un soir que nous dînions chez lui avec la veuve de Paul Claudel, il murmura après qu'elle fut partie : "Comme elle a dû être laide !" Les mots terribles lui échappaient, il ne les rattrapait pas et ne les répétait jamais, il en était assez riche pour les dilapider[1]. »

Comme elle ne s'avoue jamais vaincue, Françoise prétend cependant avoir réussi à créer avec le vieil homme un moment de complicité en le ramenant en voiture décapotable de Megève où il avait été passer quelques jours auprès de Jean-Jacques.

Au sujet de ce dernier, dans ses carnets

1. In *Leçons particulières*, *op. cit.*

intimes, Mauriac écrit : « Il serait bien étonné s'il savait que ce qui m'attache à lui, c'est sa force apparente et sa faiblesse réelle... »

Juin 1954 : René Coty a remplacé Vincent Auriol. Pierre Mendès France devient président du Conseil au lendemain de la chute de Diên Biên Phu. Son programme d'action est nourri des idées de Servan-Schreiber et de Simon Nora. Léone Georges-Picot fait les couloirs de l'Assemblée pour recruter des ministres, dont, à l'Intérieur, François Mitterrand que PMF a découvert grâce à ses amis de *L'Express*. Les cabinets ministériels sont truffés de proches de Jean-Jacques – ainsi Nora, Jacques Duhamel et Giscard d'Estaing aux Finances, chez Edgar Faure.

Après le premier Conseil des ministres, racontent Sandrine Treiner et Alain Rustenholtz[1], tout le gouvernement ou presque vient déjeuner à *L'Express* : on ne saurait mieux illustrer les rapports singuliers entre l'exécutif et un journal.

Devant Mendès, une fois les ministres repartis, Jean-Jacques les traite tous de « cloches ». Si bien que Mauriac se tourne vers PMF :

« C'est un vrai carillon, Président, votre gouvernement ! »

JJSS se sent au pouvoir. La confusion des genres, impensable aujourd'hui, est totale, même

1. In *La Saga Servan-Schreiber*, *op. cit.*

si l'équipe du journal entend continuer à exercer sa fonction critique. La querelle de la Communauté européenne de défense divise alors la rédaction comme l'opinion. À l'instar de Mitterrand, Giroud y est plutôt favorable, mais ne s'engage guère ; Nora est contre ; Jean-Jacques se range à ses arguments et entreprend, sans succès, d'y rallier Mendès. PMF négocie à Genève la paix en Indochine. L'« affaire des fuites » déstabilise Mitterrand...

Malraux et Camus signent à leur tour dans *L'Express*. Le journal se porte bien. Surtout, il ne ressemble à aucun autre.

Florence Malraux, fille d'André et amie de Madeleine Chapsal, a reçu de JJSS un coup de fil comminatoire : « Venez servir la France, votre place est parmi nous ! » À vingt-trois ans, elle remplace Léone Georges-Picot et devient l'assistante de Françoise, dont elle partage le bureau.

« Drôle d'époque..., se souvient-elle. Nous faisions un journal militant. Nous voulions peser sur le cours des événements, et d'abord, surtout, lutter contre le pouvoir colonialiste. On était là pour sauver la France ! Jean-Jacques le répétait sans arrêt, et nous n'étions pas loin de le penser. J'étais la benjamine d'une vingtaine de volontaires, tous remarquables, jeunes, enthousiastes, qui s'étaient mis au service de la France. »

Jean Daniel renchérit : « Pour Jean-Jacques, réussir son journal relevait du patriotisme. Il avait le don de transformer tout ce qu'il entreprenait en acte guerrier. Sa sœur Brigitte, héroïne de la Résistance, se prenait pour Jeanne d'Arc et traitait tout au premier degré. Françoise se sentait en phase, on travaillait "pour la patrie". Moi qui avais vraiment fait la guerre, je les observais en souriant, ce qui agaçait Françoise. Elle représentait bien cette gauche investie de sa propre vertu. Elle justifiait par des souffrances familiales à peine esquissées une attitude faite de dureté (genre "je sais à quoi m'en tenir") et de candeur ("je n'en suis pas moins femme"). C'était aussi une femme debout, qui se voulait exemplaire de droiture physique et morale, grande bourgeoise, pétrie de bonne éducation et imbue de ses propres mérites. Elle reprenait en les amplifiant les leçons qu'aimait donner Jean-Jacques. Elle mélangeait avec ardeur et beaucoup d'endurance la réussite personnelle, la profession, l'engagement politique, la résistance et l'amour. »

L'amour occupe beaucoup de place dans l'histoire de *L'Express.* On a beau être terriblement sérieux, occupé à sauver la France, quand on a entre vingt et trente-cinq ans, les passions s'échauffent et le cœur bat.

Le couple Françoise-Jean-Jacques est à son zénith.

« Un superbe attelage plutôt qu'un couple ! corrige Danièle Heymann. L'un et l'autre exercent leur charisme – curieusement, les femmes sont plus sensibles à Françoise, et les hommes à Jean-Jacques... »

« Personne ne résistait à l'un ou à l'autre, ou aux deux à la fois. La passion de Françoise pour Jean-Jacques était visible, absolue, se souvient Florence Malraux. Une création commune, c'est aussi une manière d'aimer. Cela n'empêchait pas Jean-Jacques de regarder ailleurs. Françoise faisait semblant de n'en rien voir... »

Madeleine Chapsal, l'épouse de Jean-Jacques, observe le ballet avec amusement, et le commente avec la liberté de ton qui la caractérise : « Jean-Jacques ne se gênait pas : il tombait toutes les filles. Il couchait, mais ce n'était pas un amant. Il méritait l'expression employée à propos de John Kennedy : il ne savait pas qui était au bout de sa queue. C'était un curieux mélange de boulimie et d'austérité. Il faut coucher avec tout le monde, disait-il parfois, comme si c'était une autre façon d'établir son pouvoir. Françoise avait toutes les raisons d'être jalouse. Elle avait beau l'épier comme une tigresse, rien n'y faisait. Mais elle gardait le pouvoir des mots, des formules, conservant même à l'égard de JJSS sa faculté de juger, de critiquer, de condamner. »

Il y eut ainsi au journal beaucoup de mouvements amoureux. Léone a le coup de foudre pour le beau Simon Nora qui, pour elle, quittera sa femme, Marie-Pierre de Cossé-Brissac, très liée à l'épouse de Jean-Jacques et aux intellectuels de la rive gauche. Parmi ceux-ci, Madeleine Chapsal fera son choix, allant de l'un à l'autre, gracieuse, fantasque et vite fatiguée. Léone présente Jean Ferniot à Christiane Collange : « Vous ne m'aviez pas dit qu'il était si beau ! » s'écrie celle-ci devant l'intéressé, qui vient demander du travail à Pierre Viansson-Ponté. La pétulante rousse aux yeux verts est mariée depuis Sciences-Po à Jean-François qui a francisé son nom de Coblentz en « Coblence » pour faire plaisir aux beaux-parents, et travaille évidemment dans le groupe dont il est devenu le directeur financier. La passion l'emporte, Coblence s'en ira, Ferniot s'installera à *L'Express* avant de rejoindre *France-Soir*.

Christiane règne sur *Madame Express*, imaginée par Françoise pour attirer vers le journal d'autres annonceurs. Querelle en maternité ? Tout en affirmant du bout des lèvres sa reconnaissance envers Giroud qui lui a « beaucoup appris », Collange laisse entendre sa difficulté à travailler avec elle :

« Faire un féminin avec Giroud qui avait dirigé la rédaction d'*Elle*, c'était aussi formateur que difficile ! »

Danièle Heymann, amie de Christiane depuis leurs débuts communs au journal, défend l'une et l'autre en souriant : « Aux yeux de Françoise, toute en contrôle, en retenue, Christiane avait la féminité trop généreuse. Elle parlait fort, riait fort, elle n'arrêtait pas d'avoir des enfants, des amants... Elle était abondante. Ce n'était pas le genre de Françoise. »

Comme l'admet Christiane dans un rire un peu forcé, Giroud jugeait en outre qu'elle ne savait pas écrire.

Aujourd'hui encore, Collange – pseudonyme trouvé dans l'annuaire du téléphone – hésite à s'épancher. Entre elles, ce ne fut pas une histoire d'amour, ni d'amitié, ni même de sentiment :

« À *L'Express*, depuis le début, elle a été entourée de femmes et d'hommes en extase. Les filles étaient toutes fascinées par elle. Amoureuses, parfois ? Moi, moins que les autres... Peut-être n'avais-je pas le goût de l'inceste ! De plus, au tout début de *L'Express* j'étais enceinte de mon deuxième fils : mauvais départ ! Françoise ne supportait pas qu'au travail on ne soit pas au top, et surtout qu'on puisse faire passer ses problèmes familiaux avant le travail. Parfois, je lui apportais mon papier en fin de journée, j'avais envie de rentrer à cause de mes enfants ; si le papier ne lui convenait pas, ce qui était presque toujours le cas, je proposais de le reprendre le lendemain matin. "Non, ma petite fille, répliquait-elle, il faut choisir : soit on est journaliste, soit on est mère de famille..." Grrrrr... La rage ! Nous avions un autre problème, notre incompatibilité chronobiologique. Nous, les Servan-Schreiber, sommes tous des oiseaux du matin, tandis que Françoise était une couche-tard. J'avais beaucoup de mal à respecter ses horaires. Le moment où elle a été la plus gentille avec moi, c'est quand j'ai travaillé avec sa sœur. J'avais compris que c'était essentiel... Djénane n'était pas une vraie journaliste, mais elle était adorable, affectueuse, débordante, une pure Orientale, le contraire de Françoise. »

Car *L'Express* est aussi une affaire de famille – des deux familles. Giroud y a placé sa sœur aînée. « Elle est à ses pieds, aux ordres de Françoise qui, devant elle, fond de tendresse », se souvient Léone Georges-Picot. Leur mère vient fréquemment au journal : « C'était une femme magnifique d'intelligence, de chaleur, de présence aussi, précise Danièle Heymann ; elle s'intéressait à la politique et exerçait sur Françoise une influence considérable. Elle avait de l'humour et du courage. Jean-Jacques l'aimait beaucoup. Il dînait volontiers avec elles deux avenue Raphaël, où elles habitaient ensemble. »

« Le vrai, écrit Françoise dans *On ne peut pas être heureux tout le temps*[1], est que ma mère aimait J.-J. C'était d'ailleurs réciproque et, pour moi, cette entente était douce. Il faut dire qu'elle raffolait de politique, dont elle avait été nourrie par son père, son mari, son frère. C'était pour elle le “noble art”. »

1. *Op. cit.*

Françoise ira même jusqu'à affirmer que sa mère avait contribué à obtenir la paix en Indochine : elle avait convaincu Jean-Jacques, avant qu'il n'aille voir Mendès, de la nécessité d'allonger le délai proposé au Viêt-minh pour y parvenir.

Mais la créature qui, au journal, en impose le plus, c'est Denise, la mère de Jean-Jacques. « Personne ne pouvait ignorer l'amour fou, exclusif, que se portaient ces deux êtres, raconte Danièle Heymann. Denise appelait son fils aîné son "édition de luxe" ; ses autres enfants n'étaient que des livres de poche ! »

Les yeux perdus dans son souvenir, Madeleine Chapsal s'interroge encore sur cet amour filial si fort qu'il éclipsait tout autre lien entre Jean-Jacques et ses femmes :

« Rendez-vous compte, Denise a voulu mourir dans la chemise de nuit de coton blanc brodé qu'elle portait pour l'accouchement de Jean-Jacques ! C'est lui qui, à sa mort, me l'a écrit, précisant qu'il en avait informé ses propres fils. J'ai gardé la lettre ! » Et elle fouille dans son sac pour mieux me convaincre de la singularité de cette famille.

« Denise, on l'appelait Mamie, reprend Danièle Heymann. Émile, son mari, était un vieux journaliste épris de modernité, adorable, bon vivant, toujours prêt à arranger les choses. Elle, austère, cheveux tirés en chignon, conduisait elle-même sa

4L et arrivait toutes les semaines au journal depuis Veulettes, leur propriété de campagne, avec le plein de légumes et de provisions diverses. Elle apportait de quoi alimenter notre cantine... »

Les Servan-Schreiber sont partout : à la publicité, où s'affaire la cousine Marie-Claire qui va bientôt partager la vie de Pierre Mendès France ; à la gestion, où il y a encore le mari de Christiane ; à la rédaction, à laquelle collaborent Madeleine Chapsal, l'épouse, qui écrit sur les livres, la sœur aînée, Brigitte, qui fréquente beaucoup les milieux politiques, et Christiane, la cadette, promue à *Madame Express*. Après tout, le journal leur appartient.

« Les week-ends, raconte encore Danièle, on les passait à Veulettes où, comme par hasard, on cherchait à trouver des bicoques à la hauteur de nos petits moyens. Les Servan-Schreiber étaient gentils, un peu condescendants, ils nous traitaient comme des cousins pauvres, mais nous étions heureux : nous faisions partie de la tribu. »

La tribu s'étant agrandie, des tensions apparaissent. En 1955, Jean-Jacques se met en tête de passer au rythme quotidien pour mieux aider Mendès et le Front républicain à gagner les prochaines élections. À l'occasion, *L'Express* se sépare des *Échos*. Malgré un lancement très mondain au 91, avenue des Champs-Élysées, dans de nouveaux locaux, en présence de Gina Lollobrigida, de

Jacqueline Auriol, de Pierre Mendès France et de François Mitterrand, de Madeleine Renaud et de Jean-Louis Barrault, c'est la catastrophe : la diffusion s'écroule. Mendès échoue, Guy Mollet devient président du Conseil ; la situation s'aggrave en Algérie.

Courant 1956, *L'Express* revient au rythme hebdomadaire sans pour autant retourner dans l'orbite des *Échos*. Le parcours politique des deux cousins diverge : Jean-Claude se met au service du général de Gaulle, Jean-Jacques reste au côté de Mendès France qui, ministre d'État de Mollet, finit par démissionner. Pour mater l'insurrection algérienne, le gouvernement allonge la durée du service militaire, rappelle certaines classes d'âge et double le nombre d'appelés du contingent. Dans *L'Express*, Jean-Jacques signe un éditorial affirmant qu'« aucune raison politique, aucun argument moral ne peut justifier aujourd'hui le refus de servir ».

Quelques jours plus tard, Servan-Schreiber reçoit son ordre de mobilisation. Au journal, c'est la consternation. Tout le monde, sa mère en tête, était si sûr de son destin national ! Ne le voyait-on pas, après Mendès, diriger le pays ?

« Françoise, persuadée qu'il s'agit d'un complot, téléphone elle-même au ministre de la Défense, Bourgès-Maunoury, se souvient Jean Daniel. Elle lui dit : "C'est simple. S'il lui arrive quoi que ce soit, je viens vous tuer, moi." Elle me rapporte la conversation en tremblant. C'est la première fois où je l'ai trouvée émouvante. » Le directeur du *Nouvel Observateur* reste un moment silencieux et reprend : « Jean-Jacques nous réunit en conférence de rédaction et nous demande notre avis. Faut-il y aller ou pas ? Non, répond la moitié de l'assistance. Oui, lui dis-je, votre témoignage n'en sera que plus fort. Jean-Jacques se lève : "Je pars !" »

Jean-Jacques se tourne alors vers Françoise et déclare : « J'ai confiance en vous. »

Elle va devenir la Patronne.

À l'en croire, la transformation ne fut pas difficile :

« Jean-Jacques aurait pu désigner l'un ou l'autre pour le remplacer dans sa fonction proprement politique. Au lieu de quoi, il me dit avant de partir : "Allez-y... Et n'ayez pas peur !" raconte-t-elle dans *Leçons particulières*[1]. Alors j'y suis allée. Aurait-il eu la même attitude avec une femme moins liée à lui ? Je le crois. Et même, j'en suis sûre. En tout cas, quand je me suis retrouvée avec ma petite troupe, brillante équipe au demeurant, François Mauriac en tête, dans une conjoncture turbulente, j'ai ressenti le plus ancien de ma vieille obsession : il fallait être aussi bonne qu'un garçon. Ces hommes qui m'entouraient, auraient-ils été aussi coopératifs s'ils avaient pensé que j'étais sur

1. *Op. cit.*

un siège éjectable ? Je ne sais. Mais le fait est qu'ils l'ont été.

« J'avais une faille, cependant, du côté de la politique. Je cultivais avec elle les rapports que l'on entretient avec une langue étrangère quand on la comprend et qu'on ne se décide pas à la parler. Mais les événements se bousculaient. En quelques semaines, Nasser nationalisa le canal de Suez, les chars entrèrent à Budapest – ce fut Sartre, ému tout de même, qui en traita dans le journal –, l'expédition franco-britannique sur Suez fut déclenchée... Alors, après avoir pris des avis, j'ai saisi ma petite machine à écrire et j'ai tapé trois feuillets. Signés *L'Express*. J'avais sauté le pas. »

Tous ne souscrivent pas à cette version harmonieuse de la passation des pouvoirs.

« Françoise a toujours eu une capacité de reconstitution exceptionnelle, sourit Jean Daniel. Viansson, Grumbach et moi étions en charge de la partie politique du journal, et regroupés dans un même bureau. Une fois Jean-Jacques parti, elle a voulu dire son mot. Nous ne la considérions pas comme légitime, nous ne lui prêtions aucun jugement politique, aucune capacité d'évaluation de l'événement, elle n'était pas préparée à ce rôle. Parce que c'était une femme ?... Sans doute. De façon non concertée, nous lui avons manifesté une méfiance à la limite de la condescendance. Alors elle s'y est prise autrement, en traitant durement d'autres journalistes. Puis, subtilement, sous prétexte de nous offrir plus de confort et de responsabilités, elle a défait notre trio, nous proposant des bureaux séparés... Nous étions vaincus. Elle m'a demandé de lui faire chaque soir la leçon sur l'Algérie, et le matin Simon Nora lui donnait un cours d'économie. Elle s'est acharnée à combler ses lacunes, assimilant ce qu'elle apprenait avec une rapidité stupéfiante. J'étais tout aussi confondu par sa façon de prendre un article, de le triturer, de l'améliorer, par sa manière de travailler au marbre... C'était un vrai maître artisan. Au point que Camus, assistant avec moi au bouclage, s'exclama : "Quel spectacle, c'est un régal !"... »

François Mauriac prend la peine d'écrire à Jean-Jacques, lieutenant en Algérie : « Soyez sans inquiétude... Notre petite patronne se débrouille très bien[1]. »

Le 2 août 1957, seul avec *L'Humanité*, *L'Express* publie une lettre ouverte signée par la femme du journaliste communiste Henri Alleg : « Si mon mari est encore vivant... » Elle accuse l'armée française de tortures.

Signant l'une de ses premières « Lettres de L'Express », la codirectrice du journal écrit :

« Torturer est une intense satisfaction que s'accordent certains individus dans des situations données. Nous sommes dans une situation où

1. In *Arthur ou le bonheur de vivre*, *op. cit.*

quelques hommes peuvent en jouir pleinement au lieu d'être internés dans des hôpitaux psychiatriques. À vous de décider si vous acceptez d'identifier votre pays à ces hommes. »

Françoise Giroud a définitivement changé de ton et de registre.

6

La répudiée

En 1960, Françoise Giroud fait coup sur coup deux tentatives de suicide :

« “Dire que je ne saurai jamais comment s’est terminée la guerre d’Algérie !” C’est la dernière pensée qui m’a traversé l’esprit avant d’avaler de quoi tuer un cheval. C’était un soir d’été. J’avais décidé ce jour-là de me suicider. Peu importent les circonstances. On se suicide toujours pour les mêmes raisons. On n’en peut plus de vivre, c’est trop dur, trop lourd, on est enfermé dans une situation dont on ne voit pas l’issue, confronté avec une représentation de soi qui est insoutenable. C’était mon cas. Le désamour d’un homme m’avait cassée[1]. »

Servan-Schreiber est rentré d’Algérie fin décembre 1956 avec la croix de la Valeur militaire. Il a fait une belle guerre sans cesser de rêver politique. Le Parti radical lui refuse l’investiture pour

1. In *Arthur ou le bonheur de vivre, op. cit.*

une élection partielle à Paris ; dépité, il va se refaire une santé dans une clinique de Zurich d'où il revient végétarien convaincu. Selon son habitude, il essaie de persuader son monde d'adopter le même régime.

Pendant son absence, ses femmes n'ont cessé de s'inquiéter pour lui. Madeleine entretient le domicile conjugal, avenue Pierre-Ier-de-Serbie. Souvent Françoise l'invite à déjeuner au Fouquet's.

« Nous parlions de Jean-Jacques. Après tout, nous le partagions, même si je n'y ai jamais cru, à leur histoire d'amour, raconte aujourd'hui Madeleine Chapsal avec un emportement juvénile. Que je sache, il n'a jamais vécu avec elle, elle n'a jamais été vraiment sa compagne, c'est avec moi qu'il a continué de vivre, c'est moi qui organisais chez nous les dîners avec Mendès France, Giscard, Mauriac et autres princes du monde politique ! »

Elle soupire, se reprend et sourit, malicieuse, les cheveux ébouriffés, enveloppée de ces étoffes disparates qui, depuis sa jeunesse, lui confèrent du chien et de l'extravagance.

« Bon, je ne dirai rien de mal sur Françoise : elle a été une grande journaliste, une véritable éponge, aspirant l'air du temps et aussi les idées des autres. Elle se les appropriait dès qu'elle les trouvait bonnes ! Pour le journal et pour Jean-Jacques, elle a été utile, amusante, brillante. Moi, je n'ai jamais eu de bureau à *L'Express*, mais j'apportais à François Erval, qui s'occupait de la littérature, mes interviews d'écrivains... J'avais la réputation d'être une intellectuelle parce que mes amis s'intéressaient aux idées et aux livres plutôt qu'à la politique. Françoise m'a appris des choses sur l'écriture journalistique, l'attaque d'un papier, la chute... »

Tout à ses souvenirs, Madeleine poursuit, un brin provocante : « Je dois dire qu'elle m'a beaucoup fait la cour : j'étais une pièce dans le dispositif de Jean-Jacques... Je lui ai fait du charme aussi : je la trouvais très séduisante. Je crois que j'étais un peu amoureuse d'elle, et elle de moi... »

Dans son roman à clés, *La Maîtresse de mon mari*[1], Madeleine Chapsal ne dissimule rien des liens ambigus qui se tissent entre les deux femmes qu'elle met en scène. Aujourd'hui, quand l'auteur parle de ces années-là, le roman se prolonge et se corse :

« Nous nous serrions les coudes. Ensemble nous parlions volontiers des coucheries des uns et des autres, jamais des nôtres. “Notre” affaire était taboue. Les autres pouvaient en gloser, au journal, dans Paris ; nous restions indifférentes aux racontars. Nous aimions le même homme, nous étions les seules à savoir déchiffrer son écriture, les seules, avec sa mère, à nous en inquiéter autant... Inlassablement nous parlions de Jean-Jacques, de ce qu'il faisait, de ce qu'il aurait dû faire, de ses erreurs, de ses jugements. Quand je

1. *Op. cit.*

quittais Paris, elle m'écrivait à son sujet des lettres interminables. Je les ai gardées, certaines sont belles. Elle le critiquait volontiers, elle pouvait être dure, beaucoup plus que moi... Jusqu'à son dernier jour, elle ne résistait pas au plaisir de forger une formule, un jugement, tant pis si ça fait mal. "Elle campe sur la méchanceté", disait d'elle Edgar Faure. Ce n'est pas tout à fait ça... En fait, tout lui servait à briller. »

À la parution de *La Maîtresse de mon mari*, Françoise ne manqua pas de remercier Madeleine de lui avoir adressé l'ouvrage, puis la félicita du succès public rencontré.

1956. *L'Express* est prospère, il s'épaissit, s'ouvre à d'autres préoccupations, et d'abord aux mœurs. Dans un éditorial sur l'avortement, « Le drame inutile », qui va lui attirer les foudres de la droite, de l'Église et du Parti communiste, Giroud engage le journal dans la bataille pour le contrôle des naissances.

En 1957, lors d'un week-end à Veulettes avec les Nora, Jean-Jacques et elle ont l'idée d'une grande enquête sur la jeunesse, à l'image de celle que vient de réaliser un journal polonais. Méthode nouvelle, ils demandent à l'IFOP un sondage. Comme d'habitude, c'est Giroud qui trouve le titre : ce sera « La nouvelle vague ». Le succès est considérable, l'expression fait florès et servira désormais de sous-titre au magazine qui se veut plus que jamais celui de la jeunesse et d'une génération : la leur.

Pour dépouiller les nombreuses réponses, on fait appel à de jeunes volontaires. Un vieil ami de Jean-Jacques, qui fut son commandant en 1945 sur la base aérienne de Trèves, Louis de Fouquières, propose l'une de ses filles, Sabine. Elle a vingt ans. Elle est ravissante, elle a du bagou, elle est un peu braque.

Jean-Jacques en tombe amoureux.

Danièle Heymann s'en souvient comme si c'était hier : « Pour Françoise, c'était le début des chagrins d'amour. Évidemment, de sa bouche, jamais un mot, pas une confidence. Mais elle souffrait comme un chien. À chaque bruit de portière, elle se précipitait à la fenêtre pour vérifier si Jean-Jacques arrivait. »

Une secrétaire indiscrète et bavarde le confirmera : dès cinq heures de l'après-midi, fébrile, Françoise bombardait Servan-Schreiber de coups de téléphone pour savoir s'il allait passer la soirée avec elle, et inventait, au nom du journal, toutes sortes d'obligations communes.

Danièle Heymann reprend : « Un jour, elle m'impose un sujet d'enquête, que je trouve complètement flou, sur "les jeunes filles qui changent". Je rame, je perds du temps, je ne trouve pas d'angle, elle insiste : "Voyez donc cette jeune Sabine de Fouquières, on me dit qu'elle est remarquable." Le lendemain : "Alors, vous l'avez vue ?

Comment est-elle ?" En fait, elle n'avait trouvé que ce moyen pour comprendre ce qui lui arrivait. »

Madeleine Chapsal complète le récit :

« Sabine, fine mouche, avait trouvé le moyen d'aguicher Jean-Jacques : elle lui parlait de *L'Express* et en faisait la critique. Ce qui lui semblait bien, pas bien... Pour Françoise, je ne sais ce qui était le plus intolérable : qu'elle fasse du charme à Jean-Jacques ou qu'elle critique *son* journal. Moi, je me marrais : je n'avais jamais cherché à prendre ma revanche sur Françoise ; Sabine me l'apportait sur un plateau... »

Plus gravement, Jean-Louis, le cadet des enfants Servan-Schreiber, qui a treize ans de moins que Jean-Jacques, analyse le drame : « Jean-Jacques avait un désir d'enfants très fort, et rare chez un homme. Madeleine ne pouvait pas en avoir. Et voici que Françoise, qui a sept ans de plus que lui, fait une grossesse extra-utérine : Jean-Jacques, effondré, pleure au pied de son lit et commence une dépression. Sabine passait par là. Son père, le colonel de Fouquières, avait été son chef d'escadrille, sa grand-mère était une amie de Maman. Il l'a choisie comme mère de ses enfants. »

Denise adopte aussitôt la nouvelle élue : si c'est bon pour Jean-Jacques...

« Aux yeux de sa mère, sourit Madeleine Chapsal, la personne qui rendait son fils heureux avait tous les droits, recevait tous les hommages. Mais quand c'est fini, on jette ! »

Du jour au lendemain, la famille Servan-Schreiber regarde Françoise comme une intruse.

La liaison entre Jean-Jacques et Sabine devient de notoriété publique. Dans *France-Soir*, Carmen Tessier en fait état dans ses « Potins de la commère ».

Huit jours après la parution de l'enquête sur les jeunes filles, Jean-Jacques annonce ses fiançailles. Il a divorcé d'avec Madeleine sans fracas – « Nous avons pris le même avocat, dit celle-ci, et il n'a eu de cesse de trouver un appartement proche du mien. »

Giroud s'assomme de travail. Elle fait tourner la rédaction et rédige chaque semaine « La Lettre de *L'Express* ». L'époque est tumultueuse, le magazine impose le débat sur la torture. Elle trouve quelque réconfort auprès de Jacques de Bollardière, « ce Breton au visage kalmouk[1] », qui avait été le commandant de JJSS en Algérie et avait demandé à être relevé de son poste par solidarité avec le patron de *L'Express*, inculpé d'atteinte au moral de l'armée.

L'insurrection gronde en Algérie. La IVe République agonise. Dans son « Bloc-notes », François Mauriac en appelle au sursaut populaire et au général de Gaulle. Aux côtés de Jean-Jacques, Giroud assiste, le 19 mai 1958, au palais d'Orsay, à la conférence de presse de l'homme providentiel.

1. In *Arthur ou le bonheur de vivre*, *op. cit.*

Suivant JJSS et Mendès France contre Mauriac, elle s'engage aussitôt dans l'opposition au nouveau régime qui ne peut être, croient-ils, que l'otage des militaires et le champion de l'Algérie française.

« Si les Français cherchent un père, ils ne peuvent en espérer un meilleur, écrit Giroud dans son éditorial. Mais une nation qui abdiquerait entre les mains d'un homme, fût-il de Gaulle, le droit qu'elle a acquis dans le sang, et qu'elle n'a pas encore perdu, de vivre en république – et non en monarchie –, n'a plus qu'à se coucher pour attendre[1]. »

Publiant les plaidoyers de Mendès et de Sartre, *L'Express* fait campagne pour le non au référendum constitutionnel qui va donner naissance à la Ve République. Les esprits s'échauffent, les rumeurs courent, JJSS fait protéger l'immeuble. Plusieurs fois, au cours des mois suivants, le journal est saisi, et ses dirigeants menacés de mort par les extrémistes de l'Algérie française. Avec humour, Giroud décrit l'ivresse de faire ainsi partie d'un club très fermé de condamnés à mort.

En octobre 1959 éclate l'affaire de l'Observatoire qui compromet gravement l'une des personnalités les plus en vue de la gauche, vieil ami du journal et de ses fondateurs : François Mitterrand, ancien ministre de la Justice et de l'Intérieur de la IVe République. Alors que la plupart s'en

1. *In* Françoise Roth et Serge Siritzky, *Le Roman de « L'Express »*, *op. cit.*

détourne, Giroud signe, en gage de soutien, l'un de ses éditoriaux les plus virulents, qu'elle intitule « Les hyènes » :

« ... Êtes-vous lâches ? Non ? Alors quoi ? Alors les hyènes sont en train de gagner qui, de proche en proche, en sont arrivées à vous souffler à l'oreille "Laissez tomber Mitterrand", en vous tendant la cuvette où vous pourrez vous laver les mains... »

Dans ce combat comme en d'autres, elle se sent seule. JJSS a d'autres préoccupations.

« Un jour à *L'Express*, au printemps 1960, se souvient avec précision Danièle Heymann, Jean-Jacques convoque tout le monde. Nous restons debout. Il annonce : "Françoise va quitter le journal pour des raisons qui lui sont propres." Et il fond en larmes. Nous éclatons tous en pleurs. C'étaient les Adieux de Fontainebleau. » Et elle ajoute avec amertume : « C'est le seul départ jamais enregistré pour motif d'infécondité. »

Des lettres anonymes sont parvenues à Sabine et à Jean-Jacques. Des lettres de menaces, tapées à la machine sur du papier grossier, puis des lettres manuscrites, d'abord en majuscules, avant que l'écriture ne se lâche. Des lettres salaces, injurieuses, antisémites : « Juif S.S. [...] veut des enfants, comme s'il n'y avait pas assez de Juifs sur terre. Tu lui serviras à ça, puisque la Chapsal n'y arrive pas... Ton fiancé est plus amoureux que jamais de sa maîtresse. Pas de toi. L'autre. C'est la femme la plus bandante de Paris. Son fric, c'est elle qui l'aura... L'autre, il la paye mieux. C'est vrai qu'elle est plus bandante, sa belle maîtresse de velours noir... »

Jean-Jacques, inquiet, en parle à quelques intimes. Devant Madeleine, l'un d'eux, livide, est saisi d'un pressentiment : « C'est Françoise. »

Les lettres se multiplient. Le père de Sabine, les parents de Jean-Jacques en reçoivent à leur tour. Elles deviennent pornographiques, tournent au délire.

Jean-Jacques les rassemble, les compare avec des manuscrits de Françoise – notamment ce cri d'amour et de rage, daté d'avril 1960, où elle l'exhorte à leur rester fidèle, à elle et au journal, « après ces huit années de fusion où nous étions ensemble comme deux boules de feu », écrit-elle, faisant aussi allusion à une obscure querelle au sujet d'actions dans la société éditrice du journal.

Servan-Schreiber décide de faire expertiser l'ensemble par un graphologue – hors de France, pour plus de discrétion. Le lot est envoyé à l'expert Carels, 4, avenue Jeanne, à Bruxelles. Un premier rapport conclut à des ressemblances troublantes. Pour en avoir le cœur net, Jean-Jacques s'adresse ensuite à Raymond Trillat, expert, membre du Conseil national de graphologie, place de la Bastille, à Paris. Ses conclusions sont formelles :

« Les huit pièces soumises à expertise et comparaison présentent de nombreuses similitudes ne laissant aucun doute quant à la main qui a signé les documents et qui a signé Françoise. »

Madeleine Chapsal raconte :

« Jean-Jacques a convoqué chez lui le conseil d'administration de *L'Express*. Il y avait là Pierre Mendès France, Jean Riboud, l'industriel dont il était devenu proche, et Grumbach, le rédacteur en chef de l'époque. Il leur dit : "Je ne peux pas la garder au journal." Ils l'approuvent. Il demande alors à Françoise de venir chez lui : "Je sais que c'est vous. Vous devez quitter *L'Express*". »

Ce soir-là, Françoise Giroud rentre chez elle, avenue Raphaël, après avoir dîné avec le psychanalyste Jacques Lacan. Elle ne lui a rien dit. Elle veut mourir.

7

La ressuscitée

Devant le médecin qui la sortait du coma, Françoise, au bord de la mort, se serait écriée : « Ce n'est pas moi qui ai écrit les lettres ! » C'est ce qu'affirment aujourd'hui encore certains proches, peut-être transportés par leur imagination romanesque.

Jusque dans ses explosions, la passion peut nourrir toutes sortes de transports.

Sur les circonstances du drame, les témoignages convergent. La veille, au journal, Philippe Grumbach, le rédacteur en chef, a trouvé sur son bureau un petit mot manuscrit « strictement confidentiel » :

« Je pense que le mieux est de dire ici que j'ai dû partir de toute urgence... pour Rome, par exemple. Je vous rappellerai chez vous. Merci de votre amitié. Gardez-la à Jean-Jacques aussi. Il en aura bien besoin. Françoise[1]. »

1. *In* Françoise Roth et Serge Siritzky, *Le Roman de « L'Express », op. cit.*

Deux jours auparavant, ponctuelle comme à son habitude, elle a remis un papier élogieux sur le dernier film de Fellini, *La Dolce Vita*, Palme d'or à Cannes, qui faisait scandale.

Pris d'un pressentiment, Jean-Jacques appelle chez elle dans la nuit. Pas de réponse. Il envoie le médecin de famille, qui se fait ouvrir par la domestique et se souvient que dans la chambre de Françoise, fermée à clé, il y a une cloison de bois masquée par une armoire. Il l'enfonce et la trouve, quasi morte. Elle a avalé cinq tubes de Gardénal.

Commentaire de Françoise, bien des années plus tard : « Il aurait fallu beaucoup d'amour pour me laisser mourir. »

Remarque de Jean-Jacques sur le moment, rapportée par plusieurs témoins : « Quand on s'appelle Giroud, on ne se rate pas. »

Ces deux-là ont toujours eu le sens de la formule.

Françoise entame une pénible convalescence. D'abord seule, dans la maison d'Hélène Lazareff, dans le Midi. « Et j'ai écrit, naturellement. Un texte hurlant. Sauvage. Après j'ai eu conscience qu'il ne fallait pas publier cela, qu'il ne faut pas toujours rendre public ce que l'on écrit[1]. »

Puis sa sœur va lui tenir compagnie à Gambais, dans la maison de campagne que Françoise s'est récemment achetée près de Paris. « Elle ne voit

1. In *On ne peut pas être heureux tout le temps*, *op. cit.*

personne, raconte Florence Malraux. Après cette crise de folie, cette explosion inouïe de violence et dans un si grand malheur, elle avait besoin d'isolement. »

Cette violence, Françoise, à sa façon, la reconnaîtra quand elle décrira son mal de vivre : « Il se trouve que je suis quelqu'un dont la violence profonde n'apparaît jamais, sauf dans des circonstances rarissimes. Je suis calme, maîtrisée, sans trace de nervosité. Ce mal dont je parle, les signes n'en sont donc apparus à personne. La vie continuait. Moi seule savais que je n'en pouvais plus[1]. »

Quelques mois plus tard, Léone Nora l'accueille à Noirmoutier où sa famille passe des vacances. Simon, haut fonctionnaire à la CECA, au Luxembourg, a pris ses distances avec Jean-Jacques dont il critique l'agitation politique. « Nous avons vu arriver une pauvre créature. Ce n'était plus la Françoise rayonnante, puissante, la panthère de velours que nous avions connue... C'était une femme bouleversée, détruite », se souvient aujourd'hui Léone.

Giroud se remet à travailler. Pierre Lazareff lui a proposé de le rejoindre à *France-Soir*. « Coincée entre deux clans qui se disputaient le pouvoir, j'ai essayé d'y faire quelque chose d'utile. C'était difficile... D'ailleurs, j'allais encore vraiment mal...[2] »

1. *Ibid.*
2. *Ibid.*

Avant d'entreprendre une longue carrière à la télévision, France Roche fait alors partie, à *France-Soir*, des jeunes et talentueuses personnes dont Pierre Lazareff aime à s'entourer :

« J'avais croisé Françoise quand elle était encore à *Elle*. Elle passait dans le hall, majestueuse comme une frégate, et me regardait avec condescendance. Dans son regard méfiant, je pouvais lire une question muette : cette grande blonde couche-t-elle avec Pierre ? Elle ne comprenait pas, et Hélène Lazareff encore moins, pourquoi j'avais droit à personnaliser ma rubrique d'une photo, mignonne et frisée... Comme Carmen Tessier qui, elle, était Mme Lazareff numéro deux... »

Un demi-siècle plus tard, France en rit encore.

« Le temps passe. Françoise, grâce à *L'Express*, devient le personnage que l'on sait. Un jour, Pierre nous annonce son arrivée comme rédactrice en chef des spectacles. Cela paraissait incongru, tant elle avait une image plus politique. Je vois arriver une femme méconnaissable, aux mains tremblantes, manifestement sous tranquillisants. Elle avait perdu huit kilos. On l'aurait dite passée à la gégène... On entendait littéralement le halètement de la souffrance. Elle faisait pitié, ce qu'évidemment elle ne pouvait supporter... Arrive son anniversaire. Bêtement, je lui envoie un petit bouquet de fleurs. C'est à peine si elle m'en a remerciée. Elle refusait toute commisération. Pas question pour elle de courir le risque de la moindre confidence... »

À en croire les mauvaises langues, quand on lui demandait de ses nouvelles, Pierre Lazareff aurait eu ce méchant jeu de mots : « Elle revient lentement à *Elle.* »

Selon Madeleine Chapsal, Giroud, à sa manière, reprend pied : « Elle a entrepris de convaincre les Lazareff que Jean-Jacques s'était conduit de façon ignoble avec elle. Elle a commencé à reconstruire l'histoire. Djénane, sa sœur, est morte persuadée de sa version des faits, elle n'a jamais voulu revoir Jean-Jacques, qui pourtant l'aimait beaucoup. »

Tout juste un an plus tard, en mai 1961, Servan-Schreiber va demander à Giroud de revenir à *L'Express.*

« Vous vous rendez compte, un an après les lettres ! s'en émeut encore Madeleine. Je me souviens très bien, c'était deux jours avant la mort de Merleau-Ponty. Jean-Jacques traverse la rue – il habitait l'appartement d'en face – et me dit :

« – Je dois faire revenir Françoise.

« – Quoi ! Après ce qu'elle a fait !

« – Oui. Elle est la seule à pouvoir reprendre le journal en main.

« Sabine et moi étions sidérées et pas du tout contentes. Mais, ajoute Madeleine avec sa forme d'ingénuité, ni l'une ni l'autre nous ne pouvions la remplacer ! »

Au mot près, la version de Giroud, dans *On ne*

peut pas être heureux tout le temps, corrobore, en l'enjolivant, son propos :

« J.-J. avait toujours souhaité que je réintègre *L'Express*. Mais sa famille et ses amis poussaient des cris : après ce que je lui avais fait ! Mais lui savait ce que je pouvais encore faire : l'aider à transformer *L'Express* dont la formule était à bout de course. »

Que lui avait-elle donc fait ? Dans aucun de ses récits autobiographiques Françoise n'a émis la moindre allusion au terrible épisode des lettres anonymes.

« Peut-être, s'interroge à haute voix Madeleine Chapsal, férue depuis longtemps de psychanalyse, dans cette crise de psychonévrose Françoise a-t-elle été jusqu'à s'envoyer des lettres à elle-même... ? Elle était tout à fait capable d'avoir enfoui l'histoire et de l'avoir réinventée en se donnant le beau rôle... »

Dans son livre, Giroud commente ainsi la proposition de JJSS : « Ce n'était encore qu'un projet vague, mais le prétexte était bon. J'ai eu droit à l'un de ses grands numéros de charme auxquels peu de gens résistaient. J'ai accepté, bien sûr. »

Jean Daniel se souvient de cette volte-face : « Le journal ne tournait plus rond. J'ai dit publiquement à Jean-Jacques : on ne peut pas se passer d'elle. Elle est donc revenue en héroïne. Sous son masque, on guettait les signes du drame. Elle s'est

L'ENFANCE

D. R.

Salih Gourdji, son père, en 1918.

© *L'Express*.

Dans les bras d'Elda, sa mère, aux côtés de sa sœur aînée, 1917.

D. R.

Françoise à 16 ans.

D. R.

Script-girl de Marc Allégret.

D. R.

Avec Antoine de Saint-Exupéry.

D. R.

Tournage de *La Grande Illusion*, l'équipe technique réunie autour de Jean Renoir. 1937.

Rédactrice en chef de *Elle,* chroniqueuse du Tout-Paris pour *France-Dimanche.* 1950.

1948.

Soir de première avec Michèle Morgan,
Edwige Feuillère et Hélène Lazareff. 1950.

En charge du magazine.

Pierre et Hélène Lazareff,
maîtres du Tout-Paris
et saltimbanques.

Avec France Roche,
lauréates du prix Citron.
Février 1950.

Déjeuner
du Grand prix féminin
du cinéma. 1950.

La famille

D. R.

Djénane, dite Douce,
la sœur bien-aimée.

D. R.

Françoise, son fils et son chien.

D. R.

Françoise, sa fille et son chien.

La fondatrice de *L'Express*

© Pierre Boulat / Cosmos.

Françoise et Jean-Jacques aux débuts de *L'Express.*

© Lipnitzki-Viollet.

Françoise à la rédaction.

© Lipnitzki-Viollet.

Françoise au marbre.

Jean-Jacques, Mauriac et Françoise.

Avec Pierre Mendès France (debout) et François Mauriac (de dos, à g.) pour le premier anniversaire de *L'Express*. 1954.

Avec l'équipe dirigeante, dont Claude Imbert. 1968.

Hugues Néel, Marc Ullmann,
Jean-Jacques Faust, Philippe Grumbach,
Roger Thérond. 1973.

Jean-François Revel, Jean-Jacques et Françoise.

Françoise et Jean-Jacques le «couple royal»
pour les 20 ans de *L'Express.*

Caroline, la fille de Françoise, épouse Robert Hossein. Juin 1962.

Alex Grall, éditeur et professeur de bonheur.

La naïade qui aimait la mer.

Françoise rédige son éditorial. 1973.

À Lens, avec les mineurs en grève. 1963.

Françoise, François Mitterrand et Michèle Cotta. 1970.

Campagne présidentielle, 1974. À RTL, aux côtés de Paul Giannoli
et de Philippe Alexandre, Françoise va interroger VGE sur le prix d'un ticket de métro.

Avec Jacques Chirac, Premier ministre. 1974.

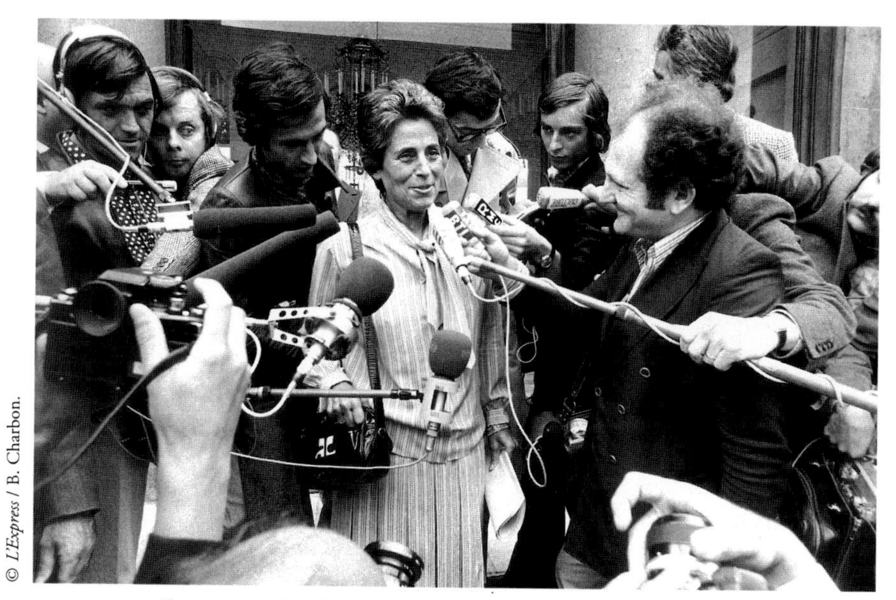

Changement de rôle : Françoise en reportage au sommet de l'État.
Sortie de son premier conseil des ministres, juillet 1974.

Puis, la routine.

Avec Raymond Barre, Premier ministre. 1976.

Simone Veil et Françoise Giroud
lors de la campagne des élections municipales. Janvier 1977.

Françoise, jambes repliées, secrétaire d'État à la Culture. 1976.

Françoise et Jean-Jacques, destins et regards croisés. Congrès du Parti radical. 1976.

La secrétaire d'État à la Culture
décore son vieux maître, Jean Renoir.

Le tournage du *Bon Plaisir*,
avec le réalisateur Francis Girod. 1984.

L'ICÔNE

© James Andanson / Corbis-Sygma.

© AFP.

François Mitterrand devenu Président
décore Françoise de la Légion d'honneur. 1983.

Une femme et un homme, Bernard-Henri Lévy.

Françoise, critique de télévision
et amateur de football.

Dernières sorties dans Paris.

16 janvier 2003, avec Florence Malraux
à l'Opéra-Comique.

remise au travail comme si de rien n'était... » Et il ajoute, pensif : « Solitude des femmes... »

Françoise revient. N'a-t-elle pas, à sa manière, regagné la partie ? Depuis le début de leur passion, elle est convaincue que Jean-Jacques ne peut se passer d'elle. Il vient encore une fois, publiquement, de lui en donner acte. À défaut de son corps, elle reste la maîtresse de son esprit. Il a beau faire des fils à une autre femme, elle peut revenir chez elle, au journal, la tête haute. Elle a quarante-cinq ans.

Les temps sont orageux et passionnés. Le général de Gaulle est au pouvoir, Michel Debré est Premier ministre. François Mauriac, devenu gaulliste, s'est disputé avec Jean-Jacques. *L'Express* est plus que jamais l'organe de l'opposition au régime et à la guerre d'Algérie. Les attentats se multiplient. Le putsch des généraux échoue. Des Parisiens meurent au métro Charonne. L'OAS s'attaque à la métropole. Le journal est en première ligne.

Jean-Jacques vient d'avoir un premier fils, David. Denise, sa mère – qui va elle-même choisir la nurse –, ses sœurs, ses épouses, Madeleine et bien sûr Sabine, toutes ses femmes sont folles de bonheur. Le nouveau père déborde comme jamais de projets, d'idées, d'intuitions et de prophéties.

Au journal, remplaçant Françoise pour l'éditorial de la page 2, Françoise Sagan, vingt-cinq ans, a tenu un seul numéro. Toute à ses succès – après le triomphe de *Bonjour tristesse*, elle vient de publier *Aimez-vous Brahms...* –, elle incarne cette Nouvelle Vague que *L'Express* a identifiée, mais, à l'exception de son amie Florence Malraux, elle juge l'équipe du journal assommante et prétentieuse.

Pour superviser Philippe Grumbach, Servan-Schreiber engage alors Françoise Verny, passée par *L'Écho de la mode* et *La Vie catholique*. Agrégée de philosophie, elle impressionne Jean-Jacques qui confie à l'un de ses adjoints : « Vous mettez votre main pour cacher la tête : eh bien, on dirait Françoise Giroud[1] ! » Erreur : en bagarre permanente avec Grumbach, Verny se révèle une catastrophe. Elle se rattrapera dans l'édition. La rédaction gronde, le journal patine.

En septembre 1961, au 24, rue Clément-Marot où habitent depuis toujours les parents Servan-Schreiber et, dans l'appartement contigu, le couple Ferniot-Collange, une bombe éclate sur le palier. Heureusement, pas de victimes.

Dans les décombres, la mère et la fille se disputent à grands cris : « C'est Jean-Jacques qui est visé ! affirme Denise, toute à son obsession maternelle vis-à-vis de son aîné.

1. *In* Françoise Roth et Serge Siritzky, *Le Roman de « L'Express »*, *op. cit.*

– Il n'habite même pas ici ! Non, c'est Ferniot ! » hurle Christiane, furieuse.

C'était bien le chef du service politique de *France-Soir* que l'OAS avait voulu atteindre.

Revenue à *L'Express*, Françoise reprend son monde en main.

« Comment une femme comme elle avait-elle pu se suicider pour ce petit homme ? s'interroge Michèle Cotta en entrant au journal en 1963. Quelques mois plus tard, j'avais compris. J.-J. avait une qualité rare, il faisait exister les autres, ceux en lesquels il avait reconnu les “élus”, utiles à son propre destin. Françoise était la première des élus : d'une journaliste d'*Elle* il avait fait la première femme directrice du premier magazine politique français. Elle en était consciente, et lui en savait gré. »

Giroud est à son tour visée par l'OAS : son appartement est plastiqué en plein après-midi. Avertie, elle y va, constate les dégâts et retourne au marbre sans tarder. C'est jour de bouclage...

« À l'époque, Françoise avait avec JJSS des rapports étonnants : elle était à la fois si proche et tellement libérée ! poursuit Michèle Cotta. Elle ne lui ménageait aucune critique, notamment sur l'écriture. Parfois, en fin de journée, nous allions toutes les deux prendre un verre au bar Alexandre, au coin de l'avenue George-V et des Champs-Élysées. Soudain, elle disait : “Il faut rentrer, j'ai très peur du titre de J.-J. Qu'est-ce qu'il va encore m'inventer !" Et elle avait raison : neuf fois sur dix, c'était mauvais, mais la dixième, c'était génial. »

Catherine Nay arrive au journal en 1967 : « En écoutant l'état-major, j'ai vite compris qu'au sommet il y avait un homme un peu dérangé avec un visage superbe et un zeste de génie, dont on se demandait chaque semaine avec une crainte mêlée d'embarras ce qu'il allait bien pouvoir inventer. Pour moi, la vraie patronne, c'était Françoise. JJSS avait l'art de poser les problèmes de façon trop abstraite et entretenait des idées fixes dont il pouvait aussi changer brutalement. Du genre : l'ordinateur va sauver l'Afrique. "Ah, comme c'est génial !" s'exclamait alors Françoise avec emphase. Aux déjeuners de la rédaction, il imposait d'infects plateaux-repas, essentiellement des carottes râpées et des fruits en compote servis dans des alvéoles de plastique. Il paraît que c'était déjà comme ça avant le déménagement du journal, rue de Berri. Une fois par mois, Jean-Jacques tenait une réunion prophétique sur l'avenir de *L'Express*. Au premier rang, il y avait tout un gynécée : sa mère, sublime, toute raide avec son chignon à la Colomba, et ses sœurs en extase, il y avait Françoise qui souriait toujours, les maîtresses, celles du moment et les ex, et Sabine, l'épouse, chargée de marmots. Françoise était exquise avec tout le monde, particulièrement avec Sabine. Derrière ses assauts de politesse, on sentait en elle une douleur rémanente et raisonnée. Un jour, J.-J. lui soumet un article que lui avait demandé *Le Monde*, intitulé “L’égoïsme sacré, par Jean-Jacques Servan-Schreiber”. Françoise le lui renvoie : c’était devenu “L’égoïsme sacré *de* JJSS” ! »

« Quand on les regardait côte à côte, on revoyait les amants mythiques d’hier, poursuit son amie Michèle Cotta. Jean-Jacques continuait de sauter toutes les filles qui passaient. Il n’était pas un amant exceptionnel, à ce qu’on disait. Moi, j’avais trop peur de Françoise pour essayer ! » Et Michèle de sourire en piquant un fard, ce qui est rare.

« Françoise lui pardonnait tout. Il la faisait rire aux éclats. Il avait cette façon à la fois naïve et cynique, expéditive, de juger les autres. Il était plein d’idées bizarres : il était convaincu que le caviar était bon pour le cerveau, et il en faisait manger à ses collaborateurs avant les séances de *brain-storming* – on parlait de plus en plus franglais. » Elle rit franchement, de son rire perlé. « Ils étaient quand même tous jetés ! Il fallait voir ces dîners chez lui, où Sabine, ahurie, entrait au milieu du repas, demandant si c’était fini... Et l’arche de Noé, à Veulettes, avec Daddy Émile qui pêchait les crevettes sur la plage pour notre déjeuner ! » Michèle soupire. « N’empêche, je n’ai plus jamais éprouvé un tel sentiment d’appartenance... »

Avec Françoise, la tribu avait retrouvé ses rites et rajeuni les initiés.

Mais les ambitions s'entrechoquent, les enthousiasmes et les désillusions aussi.

Ombrageux et colérique, Philippe Grumbach a difficilement supporté le retour de la cofondatrice du journal, auréolée du titre, qui paraît légitime à tous, de directrice et d'éditorialiste. À chaque occasion il nourrit les hostilités qui pimentent le comité de rédaction hebdomadaire. Tenant d'une formule plus grand public, moins étroitement politique, pour améliorer des ventes qui s'étiolent, Grumbach se heurte violemment à Giroud quand il recommande d'abandonner la référence constante à la presse écrite pour mieux réagir aux sujets traités par la radio et la télévision qui, désormais, souligne-t-il, touchent davantage de monde. « On ne pourra plus faire de journalisme écrit si on ne regarde pas la télé ! » lance-t-il un jour en comité de rédaction. Sans lui jeter un regard, Giroud réplique : « Les autres feront ce qu'ils voudront, mais vous ne me ferez jamais regarder la télé[1]. »

À la décharge de la future critique de télévision du *Nouvel Observateur*, il faut rappeler que l'ORTF de l'époque était plus un outil de propagande que d'information. Néanmoins, il avait raison.

---

1. *In* Françoise Roth et Serge Siritzky, *Le Roman de « L'Express »*, *op. cit.*

Furieux, Grumbach claque la porte. Sans grand soutien interne, il quitte *L'Express* , reprochant sa « trahison » à JJSS.

Le journal continue de perdre du terrain. Servan-Schreiber tente en vain, par l'intermédiaire d'Hervé Mille, de négocier avec Jean Prouvost pour s'adosser au groupe puissant qui publie, entre autres, *Paris-Match*. Quels que soient son obsession de la politique, son acharnement à défendre de mauvais scénarios pour battre de Gaulle, il sait que le journal, pour survivre, doit se transformer. La diffusion a diminué de moitié, une bonne partie de la presse d'opinion copie désormais son format et sa mise en pages.

Giroud, elle, n'est pas convaincue qu'il y a urgence, mais jamais elle ne se battra contre Jean-Jacques.

En 1964, nourri des études de Jean-Louis, le jeune frère de Jean-Jacques, rentré des États-Unis armé de synthèses sur la presse américaine, *L'Express* se transforme en *news-magazine* : ce ne sera plus jamais un journal de combat, mais un magazine d'information captant la publicité par tous ses pores, sur le modèle du *Time* américain. Mue réussie en termes de recettes et de diffusion, transformation douloureuse pour certains membres de l'équipe.

Françoise la justifie dans *Leçons particulières* : « Le temps d'un organe de combat étroitement politique était révolu [...]. Quelque chose allait donc mourir [...], ce journal en forme de flamme créé avec trois sous dans trois pièces. Il fallait l'accepter ou partir. J'ai accepté parce que ce changement de physionomie, ce grossissement subit, ces effectifs doublés, ce style nouveau à créer dans l'écriture, c'était un fameux pari à tenir [...]. L'opération "nouvelle formule" a réussi au-delà des prévisions. »

Il y aura eu pourtant bien du tangage, et les performances s'en ressentirent.

Ajoutant aux tumultes du temps, les Servan-Schreiber s'entre-déchirent. Argent, politique, rivalités entre les deux branches, au sein des fratries : la troisième génération des Schreiber, celle qui devait enraciner la famille dans la fortune et la gloire, perd le contrôle des *Échos* au profit des Beytout, propriétaires de laboratoires pharmaceutiques.

Jean-Jacques enchaîne les scénarios politiques. Il a rompu les ponts avec Mendès France qui, devenu veuf, a pourtant épousé sa cousine Marie-Claire. Contre de Gaulle, aux présidentielles de 1965, il lance l'opération « Monsieur X », convainquant difficilement Gaston Defferre d'en coiffer le chapeau. L'entreprise échoue lamentablement.

Fort de ses certitudes américaines, Jean-Louis Servan-Schreiber a rejoint à son tour l'équipe dirigeante de *L'Express*. Il a vingt-sept ans. Après avoir jeté sa gourme aux *Échos*, il entend moderniser le seul titre que contrôle encore la famille. Le regard qu'il porte sur Giroud reste distant :

« J'avais eu très peu de contacts avec Françoise. Nous avions une grande différence d'âge et elle ne s'intéressait pas du tout aux enfants. Quant à Jean-Jacques, il n'était pas pour moi un grand frère au sens affectif, mais quelqu'un avec qui j'avais envie de travailler. Il était clairement à la manœuvre. À mon arrivée, Françoise fait la gueule : elle s'est déjà tapé tous les membres de la famille, pas question du petit frère, et surtout pas à la rédaction ! J'accepte de m'occuper de la diffusion et des pages roses “Business”. Le journal va mal. La circulation baisse. Entre Françoise et moi, il y a comme une paroi de verre légèrement embuée : nous n'aurons jamais des rapports familiers ni confiants, mais ils seront toujours empreints de la plus grande courtoisie. Quand Jean-Jacques, élu député, part pour Nancy, il annonce qu'après avoir lancé *L'Expansion*, je deviens le directeur général de l'ensemble. Tête de Françoise ! Nous nous sommes mutuellement supportés jusqu'à ce que je décide de quitter le Groupe *Express*. »

À son tour, Jean-Louis va construire un empire de presse qui s'effondrera plus tard avec fracas. Toujours à l'affût des concepts porteurs, il connaîtra à nouveau le succès avec *Psychologies Magazine*, conçu et produit avec sa femme Perla.

Sirotant son thé, songeur, dans son bureau près des Champs-Élysées envahi de chiens de tout poil, Jean-Louis, qui a beaucoup œuvré à resserrer les liens au sein de la nombreuse tribu des Servan-Schreiber, repense à Giroud :

« J'étais admiratif de sa formidable capacité de travail – il lui arrivait de réécrire l'ensemble du journal –, de son pragmatisme aussi : à la différence de J.-J., elle n'était pas du tout idéologue. Toute en velours et totalement dure : c'était une séductrice impitoyable, capable de sabrer d'un mot. D'une certaine façon, elle ressemblait à Jean-Jacques : une discipline de fer ; même le plaisir devait faire partie d'un plan. Mais, à côté de lui, elle faisait figure de sage, et comme elle avait le goût du luxe, presque d'une sybarite... »

News-magazine lancé, grâce à Jacques Douce, à grand renfort de campagnes publicitaires, *L'Express* n'a plus grand-chose à voir avec le journal si longtemps porté par une équipe soudée.

François Mauriac, fierté et caution du journal, a cessé sa collaboration dès le référendum de 1961 : fini, les polémiques et les diatribes qui, à pleines pages, opposaient l'auteur du « Bloc-notes », meilleur champion du Général, à son plus brutal pourfendeur, un JJSS auquel le vieil écrivain ne trouvait plus aucun charme.

Talentueux, ombrageux, incontrôlable, Jean Cau, recommandé par Sartre, protégé par Grumbach, a claqué la porte à son tour avec violence, pour cause d'Algérie.

L'hémorragie continue : un premier groupe de vétérans du journal rejoint Jean Daniel qui, amer, part à la fin de 1963. Gravement blessé en Tunisie, en 1961, lors des incidents de Bizerte, immobilisé de longs mois en clinique, il avait reçu de Jean-Jacques et de ses amis du journal d'incessants témoignages d'affection. De tous, sauf de Giroud. Un jour, elle lui rend visite : « Je vois que tout Paris se presse à votre chevet, pourquoi pas moi[1] ? » Guéri, il peine à retrouver sa place au journal. « Tu es drôlement dur à caser ! » lui lance Georges Suffert, le nouveau complice politique de Jean-Jacques. Scoop mondial : Daniel réussit à interviewer le président Kennedy, puis Fidel Castro, qu'il voit le soir même de l'attentat de Dallas. *L'Express*, à son goût, n'accorde pas à son exploit assez de relief. « Jalousie..., sourit-il aujourd'hui, malicieux. Je crois que Françoise avait essayé le même coup, et n'avait pas réussi... » Sollicité par *Le Monde,* il ira avec Claude Perdriel, un industriel passionné de presse, transformer *France-Observateur* en *Nouvel Observateur.*

Quelques années plus tard, en 1971, c'est au tour de Claude Imbert, organisateur de la nouvelle formule, de partir, entraînant, un soir de bouclage, tous les rédacteurs en chef. Las des foucades de

1. Rapporté par Jean Daniel, conversation avec l'auteur.

JJSS, de sa façon d'utiliser le journal et sa caisse au seul profit de sa carrière politique, Imbert et ses amis vont fonder un magazine concurrent, *Le Point*. Ils ont l'appui de Simon Nora, devenu directeur général de Hachette, lui aussi excédé par le comportement d'un homme dont il fut longtemps si proche.

« Est-il fou, est-il génial ? S'agit-il d'un mystificateur qui ne peut voir un projecteur sans se précipiter dans sa lumière ? S'agit-il d'un tacticien hors-pair qui, à lui seul, peut briser l'équilibre politique de la majorité ? » Ainsi démarrait dans *L'Express*, en septembre 1970, un papier de Georges Suffert consacré à JJSS, propriétaire du journal, secrétaire général du Parti radical, député de Lorraine, qui, des bureaux de la rue de Berri, puisant comme à son habitude dans la trésorerie de la société, lançait sa campagne pour déloger de Bordeaux, à l'occasion d'une élection partielle, Jacques Chaban-Delmas, alors Premier ministre.

Au cœur de ces tumultes, se tenant à l'écart des luttes de clans qui ensanglantent dorénavant les couloirs de *L'Express*, Giroud ne dit mot. Quand il le faut, pourtant, elle paie de sa plume, donc de sa personne. Dans un éditorial intitulé « Jean-Jacques Servan-Schreiber et *L'Express* », elle écrit : « Jean-Jacques Servan-Schreiber savait que, leader d'un parti, il trouverait souvent *L'Express* "injuste", "inamical", "tiède", et serait tenté de tonner. Mais [...] il n'a pas permis que la part du capital qu'il détient et son prestige professionnel lui donnent un droit d'intervention dans la vie de *L'Express*[1]... »

Seule à incarner encore la légitimité du journal, elle va, à chaque péripétie, se ranger dans le camp de Servan-Schreiber.

Entre-temps, Christiane Collange propose à son frère de transformer *Madame Express* en magazine féminin à part entière. Cette idée n'intéresse pas Jean-Jacques ; pour s'en débarrasser, il vend le projet à Pierre Lazareff sans même en prévenir Christiane.

« Et moi, qu'est-ce que je deviens ? lance celle-ci à son frère.

– Je t'ai vendue avec », répond-il sans ciller.

Et Françoise d'ajouter, glaciale : « Ma petite Christiane, vous voulez un journal ? Allez donc le faire rue Réaumur. »

« En fait, commente aujourd'hui celle qui fera bientôt de ses expériences maternelles, conjugales et professionnelles des best-sellers à destination de femmes en mal d'identification, cette idée d'un féminin ne les tentait ni l'un ni l'autre ; je pense que mon insistance les énervait. Jean-Jacques ne s'intéressait qu'à la politique, et Françoise ne voulait surtout pas "retomber" dans une image trop féminine de la presse. »

On avait pris Jean-Jacques pour un patron de

---

1. *In* Françoise Roth et Serge Siritzky, *Le Roman de « L'Express »*, *op. cit.*

presse. Faux : il ne s'intéressait plus qu'à la politique.

Depuis que les États-Unis ont élu un jeune président de son âge, JJSS se rêve en John Kennedy à la française – en « Kennedillon », notera cruellement Mauriac, oublieux de ses émois passés. Fasciné par le récit du journaliste Theodore White sur les méthodes politiques qui ont propulsé son héros jusqu'à la Maison-Blanche[1], Jean-Jacques est obsédé par les similitudes qu'il discerne entre leurs destins : ne sont-ils pas l'un et l'autre jeunes, riches, beaux, fils de famille, diplômés de grandes écoles et décorés pour faits de guerre ? L'un est président des États-Unis, l'autre n'est que directeur de journal – et cette fonction lui paraît de plus en plus dérisoire au regard des ambitions politiques qui le consument.

D'un seul paragraphe, dans *On ne peut pas être heureux tout le temps*, Françoise résume le vibrionnement politique qui va s'emparer de JJSS :

« Avec les années, il a été beaucoup moins présent au journal, galopant entre le Parti radical et Nancy, allant défier Chaban à Bordeaux, ce qui relevait du pur dérèglement de l'esprit..., lâchant Mitterrand à cause du Programme commun, ministre de Chirac pendant une semaine, assez pour faire scandale au sujet des

1. Theodore White, *La Victoire de Kennedy ou comment on fait un président*, Robert Laffont, 1962.

essais atomiques, inventant l'UDF pour Giscard, complètement possédé par le combat politique pour lequel il ne lui manque que quelque chose de très ordinaire, le bon sens, alors qu'il a par ailleurs tant, tant de talent... »

Mendès France avait dit de Jean-Jacques : « Il est incontrôlable. » Et Giscard d'Estaing : « Il a une case en trop. »

« Souvent, raconte Françoise, on me demande : "Comment avez-vous fait pour travailler ensemble si longtemps lorsque votre vie privée s'est disloquée ?" Je ne sais pas. C'étaient deux choses différentes. Notre rupture, après dix ans, m'a fracassée. L'analyse qui s'ensuivit m'a profondément modifiée[1]. »

Françoise Giroud a rencontré Jacques Lacan. Il est alors le maître incontesté, extravagant, incandescent, de la psychanalyse française. Madeleine Chapsal les a présentés l'un à l'autre. Curieuse de ce territoire alors inconnu du plus grand nombre, elle avait eu l'idée d'interviewer Lacan – aussitôt, avec son flair et son sens inégalé du moment, Giroud avait décidé de monter le sujet en couverture.

« Lacan était ravi à l'idée d'avoir les honneurs de *L'Express* et de fréquenter de l'aussi beau monde, se rappelle Madeleine. Par curiosité presque mondaine, Françoise avait commencé une

1. In *Arthur ou le bonheur de vivre, op. cit.*

analyse avec lui. Après son suicide raté, elle s'y est vraiment mise. »

« Lacan, écrit Giroud dans *Leçons particulières.* Je lui dois ce que j'ai acquis de plus précieux, la liberté, cet espace de liberté intérieure qu'aménage, à son terme, une psychanalyse bien conduite... "La psychanalyse est un remède contre l'ignorance, elle est sans effet contre la connerie", disait Lacan. Je ne lui demandais que de guérir mon ignorance. Et, du même coup, peut-être, ma souffrance... Par l'association des mots, l'analyse induit le patient à une remise en cause généralisée de ses choix, de ses idéaux, de ses valeurs. Selon l'expression de Lacan, elle fait "vaciller les semblants". Lorsque, par le dévoilement de sa propre vérité, le patient devient lui-même, tout peut voler en éclats : mariage, métier, relations intimes, convictions philosophiques, tout... Il voit tout à coup qu'il avait tout faux, qu'il marchait jusque-là avec un pied gauche dans une chaussure droite. Rien d'aussi violent ne m'est arrivé. Seulement quelques réajustements... »

Des réajustements très maîtrisés par une personne soucieuse de ne jamais perdre contrôle – au contraire d'une Madeleine Chapsal qui libérera par la psychanalyse sa faculté créatrice et sa veine romancière, non sans quelques dégâts si l'on en croit Françoise : « Chez Madeleine, c'est simple, me dira-t-elle quarante ans plus tard avec l'économie de mots qui la caractérisait, la psychanalyse a fait sauter tous les boulons ! »

Chez Giroud, la thérapie va débusquer le traumatisme le plus ancien : « J'ai appris durement que quelqu'un vous marque au fer par le langage avant même votre naissance, vous assigne votre place, vous impose son désir, que vous faites vôtre... J'en avais fini avec mon père[1]. »

Ce père au nom duquel sa mère lui avait fait faire tant de chemin...

« Par chance, précise encore Giroud dans *Arthur ou le bonheur de vivre*, cette cure s'est déroulée sans que ma capacité de travail en ait été affectée. La nuit, je pleurais ; le jour, je faisais bonne figure. Et puis, lentement, le goût de vivre m'est revenu, timide et frais comme un matin de printemps. J'étais guérie de moi-même. »

Lacan, « yeux sombres étincelants, oreilles pointues », semblable, écrit-elle, « à un chat noir après un repas de souris », va aider Françoise à se reconstruire morceau par morceau.

Dans l'ouvrage collectif consacré au psychanalyste qui, plus de vingt ans après sa mort, continue de soulever passions et controverses[2], Giroud explique les raisons de sa gratitude :

« J'avais tenté de me suicider... Il était évident que j'allais renouveler cette tentative. Alors Lacan est intervenu... Ainsi ai-je franchi plus de quatre cents fois le seuil de la rue de Lille. Ainsi ai-je

1. In *Leçons particulières*, *op. cit.*
2. *Connaissez-vous Lacan ?*, Le Seuil, 1992.

attendu sous les plafonds bas, et enduré l'odeur de ses cigares tordus. Ainsi ai-je subi l'effroi du dévoilement de l'inconscient par son irruption dans ma propre parole... Ainsi ai-je acquis progressivement de grands espaces de liberté intérieure... Lacan avait délibérément entrepris de me sauver. » Elle précise : « Le prix, c'était à la tête du client. Il ne m'a jamais matraquée, peut-être par amitié. »

Elle le verra aussi hors analyse, car la journaliste n'est jamais loin : « C'était un grand esprit original, un découvreur de génie, quoi que veuillent bien en dire ceux qui, devant ses textes sibyllins, s'écrient : "C'est un farceur !" »

Elle raconte : « Après Mai 68, on attendait qu'il donnât l'un de ses célèbres séminaires et j'ai voulu, pour *L'Express*, en rapporter le contenu. On m'a dit : "C'est impossible." J'y suis allée, j'ai écouté, j'ai pris des notes, j'ai écrit, enfin, six feuillets que je suis allée lui montrer avant publication. J'avais traduit du chinois, je pouvais me tromper ! Il a lu et m'a dit en haussant les sourcils, superbe : "Vous voyez bien que je suis clair"[1] ! »

Dorénavant, inlassablement, dans la presse, à la télévision, à la radio, Françoise Giroud usera de son talent pour défendre et promouvoir la psychanalyse. En bonne pédagogue, utilisant toujours les mêmes images et les mêmes citations, elle expliquera volontiers comment elle a été ainsi « aidée à

1. *Ibid.*

ne plus rougir d'elle-même, à renoncer à la culpabilité, à mieux s'accepter, et même à rire[1] ».

Pour la faire rire et pour l'aimer, complétant la thérapie avec le meilleur des onguents, lui redonnant confiance en sa capacité de séduire et de conquérir un homme, et pas seulement ses journalistes, un jeune homme est entré dans la vie de Françoise. Georges Kiejman a vingt-neuf ans, elle en a quarante-six.

« Imaginez ce qu'était Giroud : un *tycoon*, une héroïne :... s'enflamme, quarante ans plus tard, à la fois juvénile et las, moustache frémissante et regard amer, le grand avocat qui fut aussi ministre de François Mitterrand. À une époque où les femmes étaient largement absentes, elle incarne avec Lazareff le pouvoir médiatique. La télévision n'existe pas. Les passions bouillonnent, et d'abord politiques. Elle est crainte, redoutée. La séduction même... »

À l'époque, Georges est un jeune avocat brillant, sans cause et sans argent.

Il rit d'un rire triste et reprend :

« À la fin de mon service militaire, je milite pour l'indépendance de l'Algérie et deviens, par hasard, le secrétaire du Front pour l'action et la coordination des intellectuels pour le rassemblement antifasciste... »

1. *À voix nue*, France-Culture, décembre 1996.

Il y a là Sartre, Beauvoir, Jean-Pierre Vernant, Claude Bourdet, Claude Lanzmann, Bertrand Poirot-Delpech, Christiane Rochefort, qui se querellent avec quelques intellectuels staliniens. Kiejman émerge, comme il dit, de son ghetto : sa mère fait les ménages et ne sait pas lire, son père a disparu.

« Après les accords d'Évian, l'occasion se présente d'organiser pour Henri Alleg, exilé pour avoir dénoncé la torture en Algérie, une petite réception. J'y convie les journalistes qui comptent : Hector de Galard, qui dirige *France-Observateur*, et bien sûr, sans y croire, Giroud. Elle vient. Je la revois, buste en avant, dans une robe transparente sous le soleil : une naïade, une déesse de la mer... »

Plus trace de cynisme, l'émotion est palpable :

« Elle était... comment dire ? Une jolie femme incomplète. »

La causticité reprend le dessus :

« Des yeux, des épaules, des seins superbes... Regard velouté, bouche sensuelle, un buste attirant dont elle autorise la découverte... Une très jolie femme assise. »

Satisfait du portrait, Kiejman poursuit :

« Saisi par ma propre audace, je lui demande de faire l'interview d'Alleg. "Je vais réfléchir", me répond-elle, distante, de sa voix de miel. Deux jours après, elle m'appelle : "D'accord. Mais je veux l'exclusivité absolue." Rendez-vous est pris dans l'appartement vieillot, un peu décrépi, qu'occupe mon ami, et alors associé, Léo Matarasso. Françoise fait l'interview elle-même : fantastique. Précise, légère, à peine quelques notes. Le lendemain, Paris est couvert d'affichettes : "Alleg parle." Quel choc ! L'homme qui n'avait pas parlé sous la torture ! Et il parle à qui ? À Françoise, évidemment ! »

Curieusement, Giroud garde un souvenir beaucoup plus mondain et moins militant de leur première rencontre :

« C'était au fameux cocktail des éditions Gallimard, point d'orgue de la saison à Paris. Georges était un jeune avocat très brillant, crevant la faim, qui vivait là un moment de consécration : l'entrée dans la vie parisienne. Moi, j'avais la quarantaine rayonnante et je dirigeais *L'Express*. Il est venu vers moi et m'a dit : "Vous ne devriez pas porter de robe transparente !" Nous sommes allés dîner et danser ensuite. »

Pour une fois, sa version n'est pas la plus jolie.

À en croire Georges, après l'interview d'Alleg, Giroud lui propose d'aller prendre un verre chez Alexandre, son bar favori, au coin de l'avenue George-V, près de *L'Express*. Dans la Mercedes grise décapotable qu'elle s'est offerte après sa tentative de suicide, elle le dépose chez lui, rue de l'Université. On est en juillet, dans l'air palpite une douce euphorie. Quelques jours plus tard, Georges suggère d'aller dîner au Cercle Rive gauche, l'endroit chic du moment, au coin de la rue du Sabot et de la rue du Dragon.

« Je me vois sous les traits de Woody Allen, raconte Kiejman avec son humour dépréciatif, je crois bon de faire étalage de mon savoir littéraire, et je lui raconte à ma façon, prémonitoire, *La Femme abandonnée* de Balzac. Elle rit... Elle saura faire usage de cette histoire dans un de ses romans », précise-t-il. Alors qu'elle en fait à peine mention dans ses ouvrages autobiographiques, *Mon très cher amour*[1] emprunte largement à leur rencontre.

Au cours du dîner, comme on le fait dans ces circonstances-là, ils se cherchent et se trouvent des amis communs – Dolorès Gracian et Mario Ruspoli qui tourne en Lozère un documentaire sur un hôpital psychiatrique. C'est aussi l'époque où on s'intéresse à la « nouvelle psychiatrie ». On pourrait aller les voir...

« Quelques jours après, je reçois d'elle, qui habitait boulevard des Invalides, gravé à son adresse, un petit carton : "Je boucle le 15 juillet. J'ai 90 CV sous le capot. Pourquoi ne pas y aller ?" »

Un matin, Françoise passe donc prendre Georges dans sa belle décapotable.

« Elle portait, je m'en souviens, un foulard marron noué autour de la tête. Tout d'abord, je me dis : qu'est-ce que je fais là, se souvient Georges.

1. *Mon très cher amour*, Grasset, 1994.

La route adoucit les sentiments. En Sologne, on se retrouve dans le fossé après un tête à queue – rien de grave, mais ça crée des liens. »

Ils déjeunent près de Montluçon, là où Kiejman, caché des Allemands, avait fait ses études. Ils arrivent à destination : châlet-hôtel Altitude 2000. Toute l'équipe de tournage les voit arriver. Ils prennent deux chambres.

« S'ensuit la scène de Julien Sorel sous le tilleul, déjà racontée par Stendhal », poursuit Georges avec une pudeur très littéraire.

Petits déjeuners, balades sur la montagne à vaches... Une grande complicité s'installe entre ces deux écorchés vifs. Ils se découvrent, par des itinéraires différents, atteints des mêmes blessures. Entre celle qui se voit comme une bourgeoise déchue, justifiée à reconquérir sa place et son rang, et le jeune homme brillant, au regard enfiévré d'ambition légitime, passé par toutes sortes de petits boulots pour sortir de la misère, la confiance vient.

« J'étais comme son petit frère incestueux, raconte Georges, attendri. Nous avions en commun une formidable envie de réussite – réalisée chez elle, pas encore chez moi. Mais, surtout, des blessures de même nature qu'il avait fallu surmonter, si possible avec élégance. Dans un cas comme dans l'autre, il n'y avait plus trace de nos apprentissages, les bâtis avaient disparu. Les épreuves, nous les avions surmontées. Cette société où l'on méprise les gens qui n'en sont pas déjà membres, il lui fallait bien nous accueillir. »

Françoise a la désagréable surprise d'apprendre que Georges n'est pas libre – mais ils ne font ni l'un ni l'autre marche arrière. Il s'installe dans son bureau. Ils partent en week-ends et vont à Gambais, à la campagne, chez elle. Ils se vouvoient, bien sûr.

« Je me vivais comme quelqu'un d'assez laid, raconte Kiejman, pris d'une bouffée de narcissisme dont il n'est pas dépourvu, mais j'étais grand, mince, drôle et sportif. Un bel animal pas sot, en quelque sorte. »

La vie trouve son rythme. Georges escorte Françoise à l'Opéra, aux premières de cinéma, la vie mondaine est intense et brillante, ils fréquentent la presse, le show-business, la politique – ce Tout-Paris que Giroud retrouve en position de force, et que les intellectuels ne peuvent plus lui reprocher de fréquenter.

Un cérémonial s'installe : au téléphone, s'inspirant de Balzac, Georges se présente à la secrétaire de Françoise comme « M. de Nueil ». Chez elle, boulevard des Invalides, la femme de ménage laisse un thermos près de la machine à écrire.

« Dès le matin, elle s'y mettait. Je l'ai toujours vue travailler – partout, en toutes circonstances. Une discipline de fer. Admirable ! »

Avec Georges, Françoise retrouve la douceur oubliée de la complicité amoureuse. Aucun homme depuis Jean-Jacques ne la lui avait offerte

– sauf peut-être Igor Markevitch, le chef de l'orchestre Lamoureux dont elle avait suivi, pour *France-Soir*, la tournée en Russie, et avec lequel on lui prêta une brève liaison.

Françoise Giroud et Georges Kiejman passeront près de deux ans à vivre ensemble à leur façon. « Des relations élégantes, jamais mesquines », dira Georges ; jusque dans la séparation, quand il la quittera pour une de leurs jeunes amies communes. « On m'avait annoncé une vengeance épouvantable, elle ne s'est jamais mal conduite envers moi. Jamais rien de bas, chez Françoise. »

« N'ayez pas de remords, écrit alors Giroud à celui qui va rester longtemps son avocat. Jouez bien avec votre nouveau train électrique ! »

L'image n'est sans doute pas très appropriée, mais le cœur y est.

Françoise aussi est prête pour de nouvelles aventures.

8

La ministre

« Au cours d'un déjeuner avec Georges Kiejman... nous épiloguions tous les deux, mélancoliques, sur la grisaille de la vie. Je dis bêtement : "Là où nous en sommes, qu'est-ce qui peut nous arriver d'excitant ? – Une grande histoire d'amour, dit Georges, toujours preneur. – Non merci, j'ai déjà donné ! » Quelques semaines après, J.-J. déboule chez moi, tard dans la soirée : "Giscard voudrait vous voir. Il veut vous confier un ministère"[1]. »

Au début des années 70, Giroud est lasse de *L'Express*. La rédaction a gonflé, tout comme la pagination – « un journal gros et gras, flanqué d'énarques, qu'il était question de mettre en Bourse, ce qui me hérissait[2]. » La diffusion dépasse les 600 000 exemplaires. Les recettes publicitaires sont considérables. Selon la tradition familiale,

1. In *On ne peut pas être heureux tout le temps, op. cit.*
2. In *Arthur ou le bonheur de vivre, op. cit.*

Jean-Jacques confond allégrement cassette professionnelle et frais personnels. La hiérarchie fait de même. Les clans s'entre-déchirent. « L'atmosphère au journal devient irrespirable », en vient-elle à confier à des proches, ce qui lui ressemble peu.

JJSS a imposé à Françoise le retour à la direction de Philippe Grumbach, brillant et colérique, dont elle n'apprécie ni le style dictatorial à l'égard de leurs subordonnés, ni le suivisme vis-à-vis de Jean-Jacques. À l'intérieur comme à l'extérieur du journal, ne lui sert-il pas de porte-parole politique, sinon de porte-plume ? Leur obsession : la dénonciation de l'« État UDR » – le parti gaulliste – et le pouvoir faussement débonnaire de Georges Pompidou. Tous les coups sont bons, d'autant plus qu'ils font vendre.

Giroud incarne, contre vents et marées, la continuité du journal, mais l'effort lui pèse, alourdi par les embardées de Servan-Schreiber. Depuis l'énorme succès du *Défi américain*[1], écrit en collaboration étroite avec Michel Albert, Jean-Jacques croit plus que jamais à son destin national. Il enrage de ne trouver jamais attelage à son gré : Mendès France s'est effacé avec 68 ; Defferre n'a pas pris son envol ; Poher, qu'il soutient contre Pompidou, est battu. Chantre du réformisme, élu député de Nancy lors d'une élection partielle en 1970, défait par Chaban-Delmas, Premier ministre et maire de Bordeaux, après une brève et folle

1. Denoël, 1967.

tentative d'implantation locale, président du petit Parti radical, il songe, en 1974, à se présenter lui-même à l'élection présidentielle, mais un sondage commandé par son frère Jean-Louis l'en décourage. Il refuse l'union avec le Parti communiste recherchée par son vieil ami François Mitterrand, avec lequel il s'est fâché.

Alors que la rédaction de *L'Express* penche largement à gauche, JJSS se prononce pour Valéry Giscard d'Estaing, ministre des Finances du gouvernement sortant, qu'il traitait pourtant quelques mois plus tôt de « chef de la droite » et d'« homme le plus néfaste de la politique française ».

Consternation à *L'Express* où l'on n'arrive plus à suivre ce patron-girouette. Observant les consignes de neutralité que JJSS a négociées avec la rédaction, Giroud signe un papier non pas dans son propre journal, mais dans *Le Provençal*, de leur commun ami Gaston Defferre, pour encourager à voter Mitterrand.

Avant le premier tour, fidèle aux obsessions de JJSS, elle a pourfendu l'UDR et son candidat, Jacques Chaban-Delmas, dont la campagne se révèle désastreuse. « On ne tire pas sur une ambulance », écrit-elle avec cruauté dans *L'Express*, contribuant ainsi à mettre à terre l'ancien Premier ministre.

Dans *Leçons particulières* et dans *On ne peut pas être heureux tout le temps*, Giroud préfère raconter un autre épisode de la campagne présidentielle de 1974 : « RTL organise une émission où Giscard fait face à cinq ou six journalistes, dont je suis. Les questions fusent. Il est excellent. Je lui demande s'il connaît le prix d'un ticket de métro. Il ne connaît pas. Là, la superbe mécanique a comme un raté. Je l'ai mis une seconde dans l'embarras. Une émission analogue a lieu le lendemain avec François Mitterrand. Je lui demande s'il connaît le budget de la Sécurité sociale. Il hésite. J'écris le chiffre sous ses yeux. »

L'intervieweuse n'est pas impartiale.

La question du ticket de métro entrera dans les annales du journalisme français : « Le classique de la bonne question posée à la bonne personne dans une circonstance donnée. On me le resservira vingt fois », note Françoise avec satisfaction.

En mai 1974, d'une courte majorité, Valéry Giscard d'Estaing est élu président de la République. Il a quarante-huit ans. Pour Premier ministre, il choisit Jacques Chirac, le patron de l'UDR, qui lui a fourni l'appoint nécessaire de l'ancienne majorité. Jean-Jacques Servan-Schreiber est récompensé par un ministère des Réformes – c'est le thème qui, depuis des années, lui tient à cœur. Il y tiendra une semaine avant d'être démissionné pour avoir dénoncé les essais nucléaires français dans le Pacifique. Chirac qualifiera JJSS de « Turlupin de la politique » – c'est encore pire que « Kennedillon ».

Le Président élu appelle Françoise : « Je sais que vous n'avez pas voté pour moi, mais venez me voir. »

« Ce matin-là, dans la haute bibliothèque de son hôtel particulier, écrit Giroud dans *Leçons particulières*, Giscard se montre éblouissant. Il porte désormais le halo magique du pouvoir. Il résume son projet politique : réformes, réformes, réformes. Surtout, son discours sur les femmes est, au sens propre du terme, inouï dans la bouche d'un homme politique... Il est le premier, sinon le seul, à avoir compris que "les femmes", ce n'est pas un sujet de gaudriole à la fin des banquets politiques, mais une force désordonnée, irrésistible, qui est en train d'émerger et de faire craquer la société. » « Avec son intelligence lumineuse, précise-t-elle dans *Arthur ou le bonheur de vivre*, Giscard avait compris que ce mouvement n'était pas un remous à la surface des choses, simple séquelle de Mai 68, mais une lame de fond. Il s'agissait de la canaliser et de mettre en œuvre l'esprit de réforme qu'il entendait insuffler à l'ensemble de la société française. »

La proposition est sans doute moins inattendue que Giroud n'aime à le raconter. Sur instruction de Giscard, JJSS figure en cinquième position dans le gouvernement Chirac, et le Président ne fait pas mystère de son souhait de le voir gauchir un peu. Proche de Servan-Schreiber, femme, grande journaliste, connue pour son ouverture d'esprit, Françoise ne s'impose-t-elle pas ?

En quittant le jeune Président, Giroud, à l'en croire, se demande ce qu'en penseront ses amis. « Réponse : il y a dix ans que je ne me préoccupe plus de ce qu'on pense de moi. C'est ma liberté. Il faut seulement que j'en use bien. »

Comme si France Gourdji, la fille de Salih et Elda qui aimaient si passionnément la France, pouvait refuser de servir la République...

Françoise Giroud devient secrétaire d'État à la Condition féminine dans le gouvernement Chirac. Elle a cinquante-sept ans. En France et ailleurs, c'est une première : dans aucun gouvernement il n'y avait encore eu de ministère consacré aux femmes.

Chignon strict ramassé sur la nuque, toujours combative, l'œil noir aux aguets, le sourire séducteur et cruel, prête à bondir pour une formule, Marie-France Garaud, qui ces temps-ci trompe ses regrets politiques au Parlement européen, se souvient de l'entrée de la journaliste dans le premier gouvernement Chirac :

« Entre Françoise Giroud et moi, les relations avaient mal commencé. Elle dirigeait *L'Express*, j'étais à l'Élysée auprès de Georges Pompidou. Nous apprenons un jour que dans les pages publicitaires de son journal, un encart utilisait l'image du Président... »

Il s'agissait d'un cliché montrant Pompidou, cigarette à la bouche, au volant d'un hors-bord au large de Saint-Tropez. Le publicitaire débutant qui signait ainsi son premier coup d'éclat au bénéfice des moteurs Mercury s'appelait Jacques Séguéla.

« Nous demandons à la directrice de *L'Express* de supprimer la page, pour le principe. Elle refuse. Place donc aux avocats, un samedi, dans l'urgence : Floriot contre Kiejman. Elle a dû céder. Elle n'aimait pas cela. »

Garaud parle en connaissance de cause.

Quelque temps plus tard, installée à Matignon auprès de Jacques Chirac – « J'y avais un bureau à titre amical ! » précise-t-elle aujourd'hui –, Marie-France Garaud reçoit Françoise Giroud, qui lui a demandé rendez-vous. Pendant des années, l'éminence grise de la droite pompidolienne avait été la bête noire de *L'Express*.

« À peine nommée, elle me rend donc visite, visiblement ravie et fort courtoise : "C'est vous qui devriez être à ma place !" s'écrie-t-elle. Je lui avoue avoir décliné l'honneur. Elle s'en étonne, je lui réponds par une pirouette. En fait, nous étions quelques-uns à être en deuil de Pompidou. Et puis, je n'ai jamais eu envie d'être ministre. Elle a quand même pris soin de vérifier mes dires auprès de Valéry Giscard d'Estaing – elle me l'a elle-même confirmé ! »

Les deux panthères se font du charme, se jaugent et s'apprécient.

« J'aime les femmes qui se construisent, reprend aujourd'hui celle qui, aux côtés de Pierre Juillet, avait vécu les beaux jours et les heures sombres de la présidence Pompidou. J'avais une certaine estime pour Françoise, pour son talent d'écriture... Je l'ai aussitôt mise en garde : votre ministère n'existe pas, ce n'est qu'un alibi, en tout cas pour Chirac. Évidemment, elle ne m'a pas crue... », ajoute-t-elle avec son rire de gorge. « Elle n'avait pas vu que Simone Veil, ministre des Affaires sociales et de la Famille, avait d'emblée, dans le gouvernement et auprès de l'opinion, un poids sans commune mesure avec le sien. Pour une journaliste aussi redoutée, elle était finalement naïve... Elle était si heureuse d'entrer dans un lieu où elle imaginait trouver le pouvoir ! »

Non sans admiration, Françoise confiera à des membres de son cabinet : « À côté d'elle, j'ai l'impression d'être une midinette ! »

Les amis de Françoise sont contents pour elle.

« Bravo ! s'écrie Georges Kiejman. Passer chez Giscard n'a rien de dégradant. »

« Formidable ! » lui lance Michèle Cotta en apprenant la nouvelle. « Ce n'était pas choquant du tout, se rappelle-t-elle. Elle a voté Mitterrand, et alors ? Giscard, c'était la modernité. Et Jean-Jacques était là aussi, au titre du Parti radical. C'est ça, la politique » souligne-t-elle, experte.

D'autres, moins bien disposés, ricanent ou grincent des dents. On en veut davantage à Giscard, dont on ne comprend pas le calcul, plutôt qu'à la journaliste dont le talent et l'intelligence restent incontestés. Le seul ami véritable qui se fâche, c'est Gaston Defferre, le maire socialiste de

Marseille. « De fait, reconnaît Giroud, il ne m'a jamais pardonné. Il faut dire qu'il avait une tête de cochon... Une amitié ancienne et pudique nous avait liés pendant des années. J'avais de l'estime pour son caractère. Son image publique, brouillée, ne rend pas justice à ce grand seigneur de province habillé à Londres, protestant, ombrageux, intègre, courageux de toutes les manières, dissimulant sous des façons de matamore une réelle modestie politique[1]. »

Journaliste vedette à Europe 1 après plusieurs années passées à *L'Express*, Ivan Levaï va interviewer Giroud au lendemain de sa nomination. Elle occupe encore son bureau de la rue de Berri.

« Je découvre son antre pour la première fois. J'entre, impressionné, et je la vois, telle Mme Récamier, allongée comme une panthère sur un divan, pieds nus, chaussures à terre. Belle. Elle me tend la main et me lance d'un air las : "Que voulez-vous savoir ?" Respectueux mais déterminé, je lui demande : "Pourquoi ministre ?" Elle se redresse : "Ivan, je ne sais pas ce qui va arriver. Mais quel magnifique reportage ! Je vais siéger au Conseil des ministres ! – Vous savez ce que vous allez faire ? – Non. Mais de toute façon, j'écrirai et je raconterai." »

La journaliste est partie en reportage à l'intérieur de l'État.

1. In *Leçons particulières*, *op. cit.*

« Ce fut un moment bien intéressant dans ma vie. D'abord apprendre. Apprendre comment fonctionne l'État, ce qui est aussi compliqué que la Cité interdite en Chine. Apprendre le vocabulaire, le code de conduite, toutes ces subtilités... Apprendre[1]. »

Yves Sabouret va la guider. Inspecteur des Finances, ancien des cabinets Fontanet et Messmer, ce haut fonctionnaire délié, qui connaît son monde, accepte, intrigué, de diriger un temps le cabinet avant de rejoindre l'état-major de Jean-Luc Lagardère :

« Elle était séduisante, et très intimidante. Elle n'encourageait pas la familiarité, c'est le moins que l'on puisse dire... Pourtant elle n'avait aucune arrogance ; au contraire, elle faisait montre d'une grande modestie – l'antithèse du comportement politique ordinaire ! » sourit aujourd'hui le patron des NMPP, la société coopérative de distribution de la presse parisienne. « Françoise était très méthodique et faisait beaucoup de choses par elle-même, à commencer par ses discours. Nous occupions l'hôtel de Castries, et sur l'immense bureau Louis XV, somptueux, trônait sa vieille Remington. Assise pieds nus, jambes recroquevillées sous elle, elle tapait elle-même à la machine. Tête des huissiers à chaîne dorée ! Bizarrement, elle n'avait aucune aisance en public. Les discours

---

1. In *Arthur ou le bonheur de vivre*, *op. cit.*

la paralysaient, elle les lisait et n'improvisait jamais. Elle n'avait aucune idée du fonctionnement de l'État. À ce sujet, elle était innocente, et faisait grande confiance aux membres du cabinet. »

Parmi ceux-ci, plus de femmes que d'hommes, toutes jeunes. Françoise, fine mouche, a choisi quelques beaux noms et de jolies personnes : Sylvie Pierre-Brossolette – un grand-père héros de la Résistance, un père secrétaire général de l'Élysée aux côtés de Giscard ; ou Martine Boivin-Champaux, petite-fille de Paul Valéry. Toutes, elles tombent sous le charme.

« De sa voix douce, elle jouait merveilleusement de sa séduction, se souvient Sylvie Pierre-Brossolette, devenue journaliste à son tour et captivée pour toujours. Elle était belle – "*Still very sexy !*" s'était un jour exclamé Kissinger, ce qui ne lui avait pas déplu. Mais, surtout, elle fascinait par sa manière très personnelle de traiter à la fois les gens et les événements : son style était direct, on allait vite à l'essentiel, l'humour se mêlant toujours à son esprit de sérieux. Venus d'horizons très différents, les membres du cabinet étaient sous le charme. Françoise ne posait jamais aucune question personnelle, mais aimait s'informer des rumeurs de la ville. En toutes circonstances, elle gardait son contrôle. Je ne l'ai vue baisser sa garde que devant Jean-Jacques Servan-Schreiber. Avec lui, elle fondait. Je me rappelle une visite chez lui à Nancy où elle a passé la soirée pelotonnée à ses pieds. Elle nous avait confié un jour en réunion de cabinet : "On n'aime jamais qu'un homme dans sa vie..." » Songeuse, Sylvie marque une pause et reprend, admirative : « On ne s'ennuyait jamais avec Françoise : elle appliquait les méthodes du journalisme à son nouveau métier. Ses communications en Conseil des ministres étaient écrites par elle comme un article, proscrivant le charabia administratif. Elle a révolutionné un genre terriblement aride, réussissant ainsi à se faire écouter, le mercredi matin, salon Murat. »

« L'observation du jeu du pouvoir et de ses acteurs l'a énormément amusée, confirme Yves Sabouret. Mais elle n'était pas politique. »

Françoise est fascinée par Giscard qui, il faut le reconnaître, représente à son plus haut niveau d'intelligence l'espèce dominante. Elle n'en fait pas partie. Et on le lui fait sentir.

« Les hommes politiques la craignaient, elle échappait à leurs critères, explique Sabouret. Ils ne savaient comment la manier. »

Après avoir bataillé pour ne pas la prendre dans son gouvernement et restreindre son mandat à une simple délégation, Jacques Chirac, résigné, ne s'en occupe pas.

Comme Marie-France Garaud l'avait prédit, les rapports avec Simone Veil deviennent immédiatement exécrables. « Elles se portaient une détestation vigilante et une jalousie réciproque, analyse Sabouret. La gloire de Simone agaçait Françoise, et le charme de Françoise agressait Simone. »

Avec la franchise qu'elle affiche volontiers, surtout à l'égard de ceux qu'elle n'aime pas, Simone Veil est plus directe :

« Françoise Giroud était avant tout journaliste, et vivait dans un milieu intellectuel très parisien. Avant que nous appartenions au même gouvernement, elle avait plutôt tendance à me snober : je lui paraissais sans doute tout à fait inintéressante, sans aucune idée personnelle. »

Une trentaine d'années plus tard, les yeux pervenche de Simone en lancent encore des flammes :

« Ma popularité soudaine, acquise à l'occasion de la loi sur l'IVG, l'agaçait et lui paraissait injustifiée. Par ailleurs, comme secrétaire d'État à la Condition féminine, elle ne disposait que d'une administration et d'un budget très réduits, sans grandes possibilités pour prendre des initiatives concrètes. Ministre à part entière dans les domaines de la Santé et de l'Action sociale, je lui ai proposé d'en prendre une conjointement, par exemple dans le domaine des crèches. Aussitôt paraît dans *L'Express* un écho m'accusant d'en faire une opération de communication ! »

Simone et son mari Antoine sont des vieux amis des Servan-Schreiber, côté Christiane Collange : à Sciences-Po, ils étaient condisciples de son premier mari, Jean-François Coblence.

« Dans les années 50, nous avons été invités un week-end à Veulettes, chez les parents, Émile et Denise Servan-Schreiber. Outre leur extrême gentillesse, leur mode de vie nous paraissait somptueux par rapport au nôtre, qui était très modeste. Sous la IVe République, dans les milieux politiques et de la fonction publique que nous fréquentions, comme d'ailleurs pour la plupart des Français, l'argent n'avait pas l'importance qu'il a prise par la suite. Les souvenirs des difficultés de la guerre et de ses privations étaient encore très proches. Bien sûr, nous lisions assidûment *L'Express*, dont nous approuvions les positions. J'ai toujours admiré le talent de plume, brillant, incisif, stimulant, de Françoise Giroud. Mais, en 1974, après l'échec de Chaban-Delmas aux présidentielles, j'ai été très choquée qu'elle conclue l'éditorial qu'elle lui avait consacré par cette formule terrible : "On ne tire pas sur une ambulance." C'était une méchanceté qui me paraissait gratuite et inutile ».

Les relations entre les deux figures de proue du gouvernement prirent aussi une tournure plus personnelle, et, pour ainsi dire, plus féminine :

« Françoise ministre revenait à *L'Express*, se souvient Catherine Nay, et elle nous disait à propos de Simone : "Comment peut-on s'habiller aussi mal ! Aux cérémonies du 11 novembre, Simone avait un manteau de fourrure. On aurait dit un ours polaire." »

« En fait, j'étais mince, élégante. Elle était grosse. Et elle ne le supportait pas. » Telle est l'explication qu'à la fin de sa vie, de sa petite voix posée, Françoise, onze ans de plus que sa rivale, livrait de leurs mauvais rapports... Simone, elle, demeure plus policée.

Pour les femmes et pour Giscard, Simone Veil marquera l'histoire ; pas Françoise. Elle est exclue de la préparation du projet de loi sur l'interruption volontaire de grossesse, mis au point entre les Affaires sociales et la Chancellerie. Elle ne joue aucun rôle dans le dossier, et Simone exige qu'elle soit absente de l'Assemblée le jour et la nuit où, avec courage et dans les larmes, elle arrachera leur vote aux députés.

« Françoise Giroud concevait la réforme de l'avortement comme la reconnaissance d'un droit, exercé à la demande, sans aucune formalité ni condition particulière, explique aujourd'hui Simone Veil. Présentée ainsi devant la commission compétente de l'Assemblée nationale, la réforme de la loi risquait de capoter faute d'obtenir suffisamment de voix de droite pour voter le texte. »

Désormais membre du Conseil constitutionnel, la plus haute juridiction de l'État, Simone marque une pause et reprend :

« Giscard la voyait beaucoup. Il la trouvait brillante, l'incarnation de cette modernité dont il voulait marquer son septennat. Il était très sensible à son intelligence, à son charme. Elle aimait plaire et avait un charisme exceptionnel. »

Dans ses livres, Françoise fera à peine allusion à Simone, sauf pour laisser entendre que Giscard lui avait demandé son propre avis sur l'aptitude de cette dernière à faire légaliser l'avortement[1].

« Pour exister au gouvernement, constatera plus tard Giroud qui apparemment n'en avait pas idée, il faut soit représenter une force – celle du ou des partis au pouvoir –, soit appartenir à l'écurie personnelle du président de la République. Les malheureux qui se trouvent entre ces deux situations vont, mélancoliques et solitaires, remâchant l'idée qu'ils se faisaient d'un gouvernement... Petit mouton noir sans troupe, je serais tombée dans une trappe si le Président ne m'avait donné un appui constant et ostensible. Grâce à quoi, les fonctions qu'il m'a confiées ont eu un sens[2]. »

Quel sens ? Françoise fait de son mieux, cherche ses marques, s'attaque aux discriminations dans le Code du travail, établit un plan de cent mesures à prendre sur cinq ans pour améliorer les équivalences entre hommes et femmes. « C'est bien, lui dit Giscard, vous avez une approche conceptuelle de la politique. » Elle s'efforce en vain de faire accepter le congé parental pour les pères. « Idée aberrante ! » lancent ses collègues masculins.

En fait, elle reste suspecte aux yeux de ses pairs : elle est journaliste, et c'est une star. Il suffit de lire la presse américaine lors de son

1. In *Leçons particulières*, *op. cit.*
2. *Ibid.*

premier voyage ministériel à New York : du *New York Times* au *Washington Post*, on la traite d'« héroïne », de « pionnière », on fait même état de faits d'armes pendant la guerre et de tortures par la Gestapo – Giroud raconte là-bas à plusieurs reprises qu'elle a eu des vertèbres cassées, une version qu'on n'entendra pas en France.

Elle devient rapidement la personnalité la plus populaire du gouvernement, note l'IFOP en octobre 1974, surtout auprès des femmes et des cadres supérieurs. Seuls les communistes restent méfiants.

« Au gouvernement, elle s'est en fait amusée comme une folle, se souvient Danièle Heymann. Elle avait besoin de garder le contact avec sa troupe, alors elle nous faisait venir sous les lambris de son bureau ministériel, nous, ses filles de *L'Express*, et elle nous racontait sa fonction. "Je continue mon travail de journaliste", nous répétait-elle, espiègle. »

Jacques Chirac – que Françoise a surnommé « le Ventilateur », tant, selon elle, il brassait de l'air – démissionne de Matignon. « Le seul mot de "réforme" lui donnait de l'urticaire, note-t-elle dans *Leçons particulières*. Lui qui avait trahi Chaban-Delmas pour faire élire Giscard, voilà qu'il s'était retrouvé à la gauche de Chaban ! Il éructait. »

Giscard le remplace par Raymond Barre, professeur d'économie, ancien commissaire à

Bruxelles. Ils s'entendront fort bien, et longtemps – « Peu d'hommes sont plus estimables », écrira-t-elle. Le député-maire de Lyon quittera volontairement la vie politique à l'été 2002. Quelques mois plus tôt, lors d'une cérémonie à la Sorbonne, il est reçu à l'Académie des sciences morales et politiques. Dans son dernier *Journal*, Giroud écrit à la date du 21 mars 2002 : « Discours, congratulations. Je fends une foule pour m'approcher de lui et l'embrasse sur les deux joues. Ceux qui l'entourent me regardent, ahuris. Il est très content. C'est un homme que je respecte profondément[1]. »

Quand Raymond Barre, nouveau Premier ministre, offre à Françoise de prendre le portefeuille de la Culture, la proposition paraît irrésistible à l'intéressée : « Un vrai ministère, des services, la liberté d'action pour autant qu'un ministre en dispose, un budget..., confie-t-elle dans *Arthur ou le bonheur de vivre* », embellissant la situation puisqu'il ne s'agit alors que d'un secrétariat d'État.

Malraux, sur qui elle avait écrit jadis quelques articles déplaisants, lui fait dire par l'intermédiaire de sa fille Florence : « Trouvez un truc. » Lui avait fait blanchir les monuments de Paris.

Le calendrier engagé par la présidence précédente est tel qu'il revient à Françoise Giroud, le 30 janvier 1977, d'accueillir en grande pompe le

1. In *Demain, déjà : journal, 2002-2003*, Fayard, 2003.

chef de l'État qui inaugure le Centre Pompidou, accompagné de toutes sortes de têtes couronnées et titrées. Ne sachant quelle formule protocolaire adopter, Giroud fait sensation en commençant son discours : « Nobles dames et seigneurs ! » Le pire reste à venir. Elle raconte : « Giscard avait horreur de ce qu'il voyait. Barre était partagé, il n'aimait pas le lieu, mais il aime la peinture contemporaine[1]. » Arrivé devant un Dubuffet, « Giscard me dit, l'air navré : "Je parie que vous aimez ça, vous ! – Oui", répondis-je timidement. Alors on entendit la voix claire de Raymond Barre ajouter : "Moi aussi !" L'honneur était sauf. La visite se termina dans les rires[2]. »

Que fera-t-elle de plus à la Culture ? « J'y suis restée trop peu pour y avoir laissé mon empreinte : moins d'un an... Le temps de procéder à quelques nominations judicieuses, de faire voter une loi sur l'architecture, une loi-programme sur les musées, que m'a accordée Raymond Barre : je n'ai pas pu aller plus loin[3]. »

Succédant à Michel Guy, esthète charmant et brillant, très introduit dans les milieux artistiques, Françoise est à la peine, notamment auprès des gens de théâtre. Elle retrouve avec plus de facilité, à Cannes ou ailleurs, le monde du cinéma, et elle

1. In *Arthur ou le bonheur de vivre*, *op. cit.*
2. In *On ne peut pas plaire à tout le monde*, *op. cit.*
3. *Ibid.*

a l'intense satisfaction d'aller à Los Angeles décorer le maître dont, un temps, elle fut naguère la scripte : Jean Renoir.

Depuis le tournage de *La Grande Illusion*, elle l'appelle « monsieur ». Aujourd'hui, elle est ministre de la République, elle va lui remettre la Légion d'honneur. Il a plus de quatre-vingts ans, il est très fatigué, immobile dans une petite voiture. Elle s'agenouille pour lui dire à l'oreille la formule de circonstance, et se souvient de ses dix-huit ans : « Je le regardais [alors] travailler comme si, à force d'attention, j'allais incorporer son savoir. L'art qu'il avait de diriger, c'est-à-dire d'utiliser les hommes et les femmes, d'en tirer le meilleur, et, ce faisant, de les rendre heureux. Si, plus tard, j'ai su donner parfois à quelques-uns du plaisir à travailler, à “s'arracher”, si j'ai pu transmettre une certaine manière de gouverner, c'est à Jean Renoir que je le dois[1]. »

Avec une emphase à laquelle elle cède rarement, Giroud ajoute : « La cérémonie [à Los Angeles] était jolie... parce que la vie se retirait de Jean Renoir, et que j'en tenais le flambeau avant que mon tour vienne de le passer[2]. »

Pour brocarder volontiers leur culte chez autrui et feindre, par élégance, de s'en moquer, Giroud ne méprise pas pour autant les honneurs.

1. In *Leçons particulières, op. cit.*
2. *Ibid.*

« Les escortes, les motards, les nuits dans les préfectures avec tout le personnel au garde-à-vous, et même les courtisans, quoi qu'elle en dît, elle ne détestait pas ça, note Catherine Nay qui connaît bien ces milieux. En fait, elle a beaucoup aimé le pouvoir. »

« Son profil de médaille, elle se l'est fait au propre comme au figuré ! » s'exclame Geneviève Dormann.

Humour aigre, montée de bile rapide, détestation automatique de tout ce qui ressemble à un « intellectuel de gauche », plume acide au service de journaux qui, à son goût, ne sont jamais assez convenablement à droite, l'ancienne pensionnaire des Dames de la Légion d'honneur a du talent et surtout de la hargne :

« Tout ce qui touche aux Servan-Schreiber m'est toujours sorti par les trous de nez, déclare-t-elle tout à trac. Giroud, je n'ai jamais eu affaire à elle professionnellement, je l'ai croisée dans le monde, comme on dit, et notamment chez Rossignol, l'éditeur[1], qui recevait beaucoup. Je me souviens, elle arrivait et faisait son numéro, courant derrière Kiejman, habillée comme une fille de vingt ans et traversant le salon à quatre pattes... C'était d'un ridicule ! À la Condition féminine – déjà, quelle honte d'accepter une telle dénomination ! –, première conférence de presse : elle recommande aux femmes de ne pas surcharger les

1. Successivement chez Denoël, Hachette, Calmann-Lévy.

clayettes des frigos ! Ridicule ! Bon, venons-en à la médaille... »

Dans sa cuisine, Dormann allume une cigarette de plus et boit une lampée d'eau à défaut d'autre chose.

« Nous allions, elle et moi, chez le même coiffeur : Carita. Giroud est à la Culture. Moi, j'étais assez copine avec Rosy Carita qui m'annonce un jour : "Elle m'a offert sa médaille ! – Sa médaille, quelle médaille ?" Giroud s'était fait tirer le portrait en bronze par la Monnaie : d'un côté son profil, de l'autre une machine à écrire barrée d'une rose et assortie d'une phrase ridicule. Attendez, vous allez voir... »

Ravie de son effet, Dormann va fouiller dans son bureau et en rapporte, triomphale, une médaille de cuivre datée de 1976, sculptée par une certaine Isabel de Selva, sur laquelle on peut lire : « Où que je sois, je continuerai à lutter pour ceux qui veulent corriger au moyen de leurs rêves la part intolérable de la réalité. »

Si c'est du Giroud, on l'a connue mieux inspirée.

Vérification faite auprès de la Monnaie de Paris, Malraux avait eu une médaille de ce genre pour faits de guerre – mais aucun de ses successeurs rue de Valois n'y avait automatiquement droit. S'il en existe une à l'effigie de Giroud, c'est bien qu'elle l'a commandée – à moins qu'une association quelconque n'ait voulu ainsi lui rendre hommage ? On n'en trouve pas trace.

On lit pourtant dans *Leçons particulières* :« ... Cette enflure de la tête, cette dilatation du moi, cette hypertrophie de l'ego, si promptes à affecter quiconque dispose d'un poste ministériel parce que tout concourt à lui faire perdre le sens des réalités, je n'ai pas connu. Les femmes y sont moins exposées, c'est un fait. Elles ne décollent jamais complètement de la vie, peut-être parce que la vie se charge de coller à elles, avec son cortège de trivialités domestiques. Mais que c'est donc malsain, un ministère... ! »

À la rattacher au concret, à la vie, à lui faire prendre le temps d'en goûter enfin les saveurs, un homme s'applique et s'entête. Il s'appelle Alex Grall. Il est éditeur et non des moindres. Il a dirigé plusieurs maisons · Calmann-Lévy, Denoël, Hachette Littératures, puis les éditions Fayard. Il n'est pas beau, il est charmant. Sourcils en broussaille, mèche joyeuse, lippe gourmande, l'œil émerveillé, Alex a une qualité que Françoise a rarement pratiquée : il est gai. Il aime passionnément les femmes, les cigares, le vin, la peinture et le football. Et les livres, bien sûr.

Ils vont passer vingt ans ensemble et côte à côte, dans deux appartements distincts, boulevard de Latour-Maubourg. Ils auront une petite maison à Antibes, dans la vieille ville, tout près du vieux marché, où ils viendront goûter la lumière, les expositions et les mondanités du Midi. Ils visiteront Jean-Louis Praet à la Fondation Maeght, ils goûteront à l'hospitalité d'Hélène et de Michel David-Weill à *Sous-le-Vent*, leur spectaculaire propriété du Cap d'Antibes.

Françoise, prévenue, rétive, couturée, corsetée, manifestera à l'égard de son compagnon un amour croissant – jusqu'à prendre conscience, à la mort d'Alex, qui sera atroce, qu'elle aura, grâce à lui, connu cet état qui lui paraissait interdit et qu'on appelle, simplement, le bonheur.

Ils se rencontrent en 1966 chez Philippe Rossignol, avec qui il travaille alors chez Denoël. Elle a cinquante ans, lui cinquante-trois. C'est Georges Kiejman qui les a présentés :

« Alex était parfait en prince consort... JJSS prenait soin de le traiter avec beaucoup de considération : grâce à Françoise, c'est Alex qui avait publié son *Défi américain.* »

« Adorable pour elle, mais assez conformiste, juge Michèle Cotta, fraîchement mariée à un autre éditeur, Claude Tchou. Mais il a aidé Françoise à trouver plus de sérénité. »

« Alex était l'anti-Jean-Jacques, souligne Catherine Nay. Pour Servan-Schreiber, le summum de la gastronomie, c'était le croque-monsieur. Alex, lui, adorait la bouffe et le foot, il sentait le cigare et grommelait sans arrêt : "Françoise, tu travailles trop !" Je me souviens qu'un jour, il déjeunait seul chez Lipp et se plaignait de ne plus la voir. On était en juillet et il me lâcha : “Je ne sais pas si nous prendrons des vacances, et pourtant c’est bon de faire l’amour tout nu au soleil, n’est-ce pas ?” »

« Alex l’adorait, Françoise le rudoyait un peu, comme s’il contrevenait à certains des critères de bienséance et de réussite sociale qu’elle s’était assignés. Mais il lui enseignait le plaisir des choses ordinaires », note Yves Sabouret.

À Françoise, Alex Grall aura appris le tutoiement.

Dans *On ne peut pas être heureux tout le temps*, elle fait de lui un beau portrait, tendre et grave : « Quand je l’ai connu, il n’était plus un jeune homme, il émergeait d’un deuil cruel – une jeune femme emportée par la maladie, laissant trois enfants –, et il ne m’intéressait pas du tout, en dépit d’une évidente séduction [...]. Ce qui m’a plu chez lui la première fois que je l’ai observé un peu attentivement, ç’a été sa démarche. Grand, bien vêtu, il avait une élégance naturelle de seigneur. Moi, je n’ai jamais su marcher, alors cela me fascine. Néanmoins, je n’étais pas disposée à aliéner si vite ma liberté à un homme [...]. J’en finissais avec Lacan, j’étais devenue une autre personne dont j’avais fait lentement la connaissance [...]. J’ai confié à Alex, puisqu’il était demandeur, la tâche de faire du bonheur avec moi [...]. J’y ai mis pour ma part tout le soin que je pouvais, mais le mérite lui revient [...]. Il avait le don. »

Un père facteur à Douarnenez, handicapé à vie, une mère professeur de piano, instituteur à Nîmes, boursier aux États-Unis où il enseigna avant-guerre, rentré en 1939 pour s'engager, la défaite, l'Amérique à nouveau, puis l'édition... « Quand il évoquait le passé, ce qu'il faisait souvent, car il aimait sa vie, ajoute joliment Françoise dans *On ne peut pas être heureux tout le temps*, il y avait toujours une femme dont on aurait dit qu'il avait encore le goût des lèvres sur les siennes. »

Alex aimait et les dames et la vie.

« Avec lui, note Danièle Heymann qui, après *L'Express*, entretiendra sans relâche ses liens d'amitié avec Françoise, il y avait une intimité sans fard, comme dans un couple, enfin. Alex était indulgent, il détestait se compliquer la vie, il lui a appris à aimer davantage les gens. »

Giroud ne renâcle pas à afficher leurs liens. Colette Modiano, femme du monde et fine observatrice, se souvient d'un dîner à l'ambassade de Grande-Bretagne, chez Nicco Henderson qui en avait fait l'un des endroits les plus gais de Paris :

« Giroud ne me regardait pas plus qu'autrefois, lorsque nous nous croisions rue Réaumur, elle à *Elle* et moi à *France-Soir*. Je traduisais les propos d'un convive anglais, un poète. Elle, qui ne parle aucune langue étrangère, lance, vacharde, de sa petite voix stridente : “Mme M. cherche à nous épater...” Avec Alex Grall, elle se tenait comme une adolescente, vautrée contre lui sur le canapé, l’embrassant sur les lèvres. “Elle veut montrer qu’elle est une *beloved woman*, une femme aimée”, me souffla notre hôte, amusé. »

Après la mort d’Alex, Giroud notera dans son *Journal d’une Parisienne*, à la date du 13 juillet 1993 :

« Retrouvé ma petite maison de village[1]... La présence d’A. l’imprègne encore tout entière... En procédant à des rangements, je tombe sur une centaine de pages écrites de sa main. Le début de cette *Histoire d’un Français* que je l’avais poussé à écrire dans les derniers mois de sa vie. Français, il l’était jusqu’à la moelle, Français comme les étrangers imaginent les Français, léger, séducteur, intrépide, jouisseur, aimant les arts... »

Pour France Gourdji, la fille de Saleh et d’Edna, il ne saurait y avoir plus beau compliment.

En mars 1977, élections municipales à Paris. C’est la première fois depuis plus de cent ans que la capitale va élire son maire. Giscard demande à Françoise, membre de son gouvernement, de choisir une circonscription pour en devenir conseiller. Jean-Jacques Servan-Schreiber l’y pousse, pour servir les intérêts du Parti radical qu’il préside. Hésitante, Giroud choisit le XVe arrondissement de Paris où elle réside, boulevard Pasteur.

1. À Antibes.

La bagarre Giscard-Chirac s'organise : le Président pousse son ami Michel d'Ornano à prendre la tête de la liste légitimiste des Républicains indépendants. Dans l'ombre, comme à son habitude, Marie-France Garaud prépare le combat de celui qui est encore son poulain, Jacques Chirac :

« La bataille de Paris en 1977, c'était en fait celle du parti du Président, conduit par d'Ornano, l'ami fidèle, contre le RPR créé depuis un an à peine. Il fallait que Chirac soit à la tête de ses troupes. Après quelques hésitations, il s'y décida. »

Dans le XVe arrondissement de Paris, Françoise Giroud a pour principale adversaire Nicole de Hautecloque, gaulliste historique, ralliée à Chirac.

Journaliste vedette au service politique de *L'Express* – dont l'ours mentionne encore Giroud en tant que « directrice en congé » –, Albert du Roy est chargé de préparer une couverture sur ces municipales à Paris. Son papier rédigé et envoyé à la rédaction en chef, il découvre le lendemain, stupéfait, trois séries de corrections : celles du directeur de la rédaction, Philippe Grumbach, celles de JJSS... et celles de Françoise Giroud !

« Les corrections de F.G. étaient plus mesquines que scandaleuses, raconte-t-il aujourd'hui. C'était le principe de lui soumettre l'article et son acceptation de le relire, qui étaient choquants. Elle ne s'était intéressée qu'aux feuillets concernant son arrondissement. Elle y avait rajouté quelques amabilités à l'égard de sa rivale, qu'elle voulait ménager au nom de la solidarité féminine, et pris soin d'accoler son prénom à son nom pour souligner sa proximité avec le journal. Plus choquant encore : ce numéro de *L'Express* fit l'objet d'un tirage supplémentaire de 75 000 exemplaires, distribués dans les boîtes aux lettres du XVe. D'où un communiqué syndical s'indignant de cette utilisation du journal à des fins purement électorales, et lettre manuscrite de ma part à Françoise. »

La candidate ne prit pas la peine de répondre au rédacteur de son ancien journal.

Émoustillée, comme si elle retrouvait l'odeur de la poudre, Marie-France Garaud campe le climat : « Giroud fait une bonne campagne, médiatiquement efficace, jusqu'à la dernière semaine. Puis, par légèreté sans doute, elle a commis une faute stupide qu'elle n'a jamais pardonnée ni à elle-même ni aux autres, précisément parce que c'était stupide. Quelques jours avant le scrutin, des affichettes fleurissent sur les murs du XVe publiant sa profession de foi et ses états de service, dont la médaille de la Résistance. Colère de Nicole de Hautecloque, tête de liste RPR : "Mais elle n'a pas la médaille !" Colère surtout de Marie-Madeleine Fourcade, grande et authentique résistante. Compagnon de la Libération, personne n'a jamais pu la freiner, même pas les SS ! Alors, nos appels à la prudence avant un scrutin... Elle dénonce l'usurpation avec véhémence sur les radios. Françoise Giroud se défend – mal – à la télévision. En fait, c'est sa sœur qui était médaillée de la Résistance. »

Chez Elkabbach, Giroud, parfaite dans un petit pull-over noir, a brandi une carte rose pour preuve de ses affirmations. « Ce doit être son permis de conduire ! » aurait ricané Fourcade.

Le scandale éclate. Le 9 mars, à quatre jours du premier tour, un groupe d'anciens résistants porte plainte contre la secrétaire d'État pour « usurpation de titre ». Son nom, affirment-ils, ne figure pas dans l'annuaire des médaillés de la Résistance, et il n'y a trace d'aucun décret lui attribuant cette distinction[1]. En revanche, précisent-ils, « sa sœur, Mme Djénane Gourdji, ancienne déportée, est bien médaillée de la Résistance en vertu d'un décret du 22 septembre 1945 ».

Dans la même édition, *Le Monde* publie cette notice biographique sur Djénane : « Morte en 1969, journaliste à *Elle* sous le nom de Djénane Chappat, elle fut l'une des premières Françaises engagées dans la Résistance. Elle fut arrêtée en 1943 par la Gestapo et déportée à Ravensbrück, puis à Flossenburg. Elle était chevalier de la Légion

1. *Le Monde*, 11 mars 1977.

d'honneur, titulaire de la Croix de guerre et de la médaille de la Résistance. »

L'après-midi, Françoise Giroud riposte par un communiqué :

« Agent de liaison, arrêtée par la Gestapo en mars 1944 et incarcérée à Fresnes, j'ai reçu, en septembre 1945, la médaille de la Résistance en même temps que ma sœur, rentrée de déportation. Comment des hommes et des femmes qui se réclament du général de Gaulle peuvent-ils en arriver à me contester le droit d'en faire mention ? Puisque justice il y a, elle appréciera. »

Lors d'un meeting au pied du Sacré-Cœur, auquel elle participe, Michel d'Ornano lui exprime son soutien : « Voici l'une des deux femmes les plus célèbres de France[1]... Ces attaques sont un outrage à la dignité de la femme française. »

Le Président Giscard d'Estaing s'émeut : « La bassesse me surprend toujours. C'est sans doute pourquoi on me considère souvent comme un naïf. »

François Mitterrand parle d'« un procédé électoral de bas étage » et demande aux socialistes de ne pas s'y associer.

En colère contre *Le Monde* – « Vous avez publié le texte de la plainte avant que je n'en aie eu connaissance », s'offusque l'ancienne journaliste –, Giroud fait état du soutien de plusieurs personnalités qui invoquent le désordre des registres

1. Avec Simone Veil.

de l'époque. Quelques semaines plus tard, dans *L'Express*, elle exhumera une lettre adressée à sa mère, où un représentant du ministère de l'Intérieur d'alors, à la signature illisible, l'informe que ses deux filles ont été décorées. Reçue en tête à tête par le président de la République, elle réaffirme son bon droit.

Dans *L'Aurore* du 10 mars 1977, Dominique Jamet, fielleux, écrit : « Nul n'ignore qu'il y a plus d'anciens résistants depuis la guerre qu'il n'y en avait pendant l'Occupation. Mais les faux résistants, eux, ne se laissent pas prendre sans attestations. Françoise Giroud a-t-elle eu tort de croire que son passé lui tenait lieu de sauf-conduit ? »

Plus drôle, Michel Jobert, ancien ministre de Pompidou, remarque avec esprit : « Des décorations, à condition de se comporter normalement dans la vie, on en a. Alors, portons-les le moins possible. Moralité : ne mettez pas vos décorations sur les affiches électorales. »

Françoise est mortifiée. Sur le trottoir de son immeuble, elle découvre, tracé en grosses lettres blanches : « Giroud en prison ! » Elle demande à Giscard de la laisser partir. Influencé par JJSS, affirme Sylvie Pierre-Brossolette, le président refuse.

Au premier tour de l'élection, Nicole de Hautecloque devance de plus de six mille voix la candidate giscardienne qui se retire avant le second tour.

« Nous avons gagné la mairie de Paris de

justesse, à moins de mille voix sur les quatre arrondissements du centre », se souvient, experte, Marie-France Garaud.

Les deux femmes ne se sont jamais revues.

Giroud n'a plus que le pouvoir des mots. Dans *L'Express,* quelques semaines plus tard, elle écrit : « La Résistance a eu ses héros et ses martyrs. Nul n'ignore qu'elle a eu ensuite ses commerçants. Je ne savais pas que ceux-ci tenaient encore boutique. »

Dans aucun de ses livres autobiographiques elle ne s'expliquera sur l'affaire de la médaille. Tout au plus glissera-t-elle dans *La Comédie du pouvoir*[1] : « Si j'avais, seule, perdu la bataille, je garderais l'éternel remords d'avoir négligé, après la guerre, de vérifier au *Journal Officiel* si la décoration dont ma famille avait été informée qu'elle m'était décernée en même temps qu'à ma sœur faisait bien l'objet d'un décret, ce dont je ne me suis jamais souciée. [...] Exhumée par un journaliste de quelque annuaire où cette décoration figurait depuis un quart de siècle, saisie au vol par un colistier zélé, plus expérimenté que moi en matière électorale, pour en faire mention sur la paperasserie officielle, elle a servi, faute de décret, à suspendre prématurément une carrière ministérielle qui mettait en transes tout un petit monde.

1. Fayard, 1977.

J'ai connu de plus grands malheurs, et les mœurs politiques ont fait de plus illustres blessés. »

Le sens de la formule ne suffit pas à cautériser la blessure.

Contrairement à ses engagements, le président de la République ne reconduit pas Françoise Giroud dans le gouvernement que Raymond Barre remanie. Michel d'Ornano, vaincu dans la bataille de Paris, lui succède à la Culture qui devient – vexation supplémentaire ! – un ministère plein.

« Ce fut une période horrible, se souvient Sylvie Pierre-Brossolette, alors membre de son cabinet. Françoise avait été entraînée malgré elle dans cette aventure du XVe... Elle avait, de bonne foi, cité la médaille... Ma grand-mère Gilberte, veuve du héros de la Résistance, une socialiste qui n'avait pas apprécié la participation de Giroud à un gouvernement de droite, la défendit. Elle affirmait qu'à la Libération le plus grand désordre régnait dans les dossiers, et que des gens avaient reçu la distinction sans être correctement répertoriés. Je fus effarée de la férocité des attaques contre Françoise. Elle vécut un vrai calvaire et se retrouva abandonnée, déshonorée aux yeux de beaucoup, battue aux élections et congédiée du gouvernement. »

Bien qu'ayant peu de goût pour l'archivage, Giroud conservera précieusement tous les témoignages qui, à l'époque, lui furent favorables.

Le 4 avril 1977, faisant état de son départ, *Le Monde* publie, le bilan, plutôt maigre, de l'action du ministre sortant : des déclarations alarmistes sur le coût de Beaubourg, l'interdiction d'un film pornographique, *Exhibition 2*, un projet de loi sur l'architecture pour « améliorer la qualité des constructions ».

Vingt-cinq ans plus tard, à la télévision, dans l'émission que Michel Drucker consacrera à Françoise en juin 2001[1], Valéry Giscard d'Estaing sera à son égard élogieux et flou : il dira avoir été frappé « par sa personnalité forte et son intelligence très opérationnelle ». Pourtant, dans ses Mémoires, pas un seul mot pour Giroud :

« Pendant mon septennat, le gouvernement a compté plusieurs femmes chargées de responsabilités importantes. [...] Trois d'entre elles y ont laissé une marque particulière. [...]. Christiane Scrivener a été un excellent secrétaire d'État à la Consommation. [...] Simone Veil a atteint la notoriété à la suite du débat parlementaire sur l'interruption volontaire de grossesse. [...] Alice Saunier-Seïté avait créé autour d'elle, parmi les ministres, une sorte d'aura affectueuse[2]. » De cette dernière il évoquera aussi le galbe des jambes.

En privé, il se montrera plutôt sévère à l'égard de Giroud, insinuant qu'elle n'avait pas été un bon

1. *Vivement dimanche*, sur France 2.
2. Valéry Giscard d'Estaing, *Le Pouvoir et la Vie*, Compagnie 12, t. 1, 1988.

ministre. À la Culture surtout, elle n'aurait pas pris la mesure de sa tâche, et n'aurait pas su contrôler son administration. Elle s'en serait rendu compte, en aurait conçu de l'aigreur et du ressentiment.

Encouragée par Alex Grall, Françoise Giroud a tenu son engagement : le long reportage qu'elle s'était promis d'effectuer à l'occasion de son passage au gouvernement, elle le publie en 1977 – chez Fayard, bien sûr – sous un titre édifiant : *La Comédie du pouvoir.* Elle y raconte avec brio les grands et les petits travers de la Cour. Giscard lui en voudra à jamais.

« Son conseiller le plus proche m'a dit : "Le Président n'aime pas votre livre." J'en ai été attristée et aussi étonnée. Il y était traité sans révérence, mais avec une sympathie manifeste, et le livre en question ne contenait, cela va de soi, aucune révélation, aucun petit ou grand secret concernant des personnes [...]. En réfléchissant, j'ai compris mon crime aux yeux de Giscard : il se nomme *désacralisation.* Il n'était pas prémédité, mais je l'assume : j'ai contribué à la désacralisation du pouvoir d'État[1]. »

Tout naturellement, Françoise revient au journalisme : « J'aimais cet emploi précaire, cette espèce d'extra que je faisais. Ma sécurité, c'était

1. In *On ne peut pas être heureux tout le temps, op. cit.*

L'Express, où je pouvais retourner à tout moment[1]. »

Elle fait rapatrier ses archives personnelles du ministère au bureau qu'elle a conservé rue de Berri. Trois semaines plus tard, elle doit faire ses cartons : dans le plus grand secret, Jean-Jacques Servan-Schreiber a vendu le journal à Jimmy Goldsmith, un financier franco-britannique très à droite, que lui a amené Philippe Grumbach.

« Je n'ai jamais compris les raisons profondes de son geste. Une folie ! s'indigne Giroud dans *Arthur ou le bonheur de vivre*. C'est la seule chose que je ne lui aie jamais pardonnée. »

C'est dire.

« Jean-Jacques ne l'avait pas prévenue, se souvient son frère Jean-Louis. Elle a été atteinte dans sa chair. Pourtant, elle était encore ministre ! » s'exclame-t-il avec une certaine ingénuité.

La vente de *L'Express* a été signée au moment des municipales. Raymond Aron, éditorialiste en place, refuse de partager avec Giroud. Grumbach, tout à sa rancune, renâcle à l'idée de son retour. Goldsmith la prend en grippe. Françoise, qui a casé au journal Sylvie Pierre-Brossolette, conseille à Michèle Cotta, qui veut s'en aller, de profiter de la clause de conscience ouverte aux salariés. Ses indemnités à elle, c'est Georges Kiejman qui les

1. In *Leçons particulières*, *op. cit.*

négocie ; il découvre ainsi que la cofondatrice de *L'Express* n'en est pas actionnaire.

Pour la première fois de sa vie, elle se retrouve seule chez elle, sans emploi.

La procédure judiciaire engagée par les anciens résistants dans l'affaire de la médaille suit son cours.

En janvier 1979, la plainte est classée sans suite. Le procureur de la République s'en explique dans une lettre à Marie-Madeleine Fourcade qui avait conduit l'attaque : « Après les investigations très complètes du magistrat enquêteur, qui a procédé à l'audition de nombreux témoins proposés de part et d'autre sans qu'il en résulte des certitudes, mon parquet, constatant que les éléments d'une poursuite pénale n'étaient pas réunis en l'espèce, puisqu'il n'apparaissait pas que Mme Giroud avait agi de mauvaise foi, a pris, dans cette procédure, une décision de classement[1]. »

Journaliste, historien, spécialiste de l'histoire de la Résistance, Henri Amouroux maintient aujourd'hui que, dans cet épisode, « Françoise Giroud avait bien triché sur l'honneur et sur la mémoire. Se pensant à l'abri, elle avait commis une tromperie délibérée et s'était ensuite enlisée dans le mensonge ».

1. *Le Monde*, 26 janvier 1979.

Françoise Giroud ne laisse jamais rien traîner. Plusieurs années plus tard, en 1981, c'est à un résistant irréprochable qu'elle demandera de lui remettre la Légion d'honneur : André Dewavrin, *alias* le Colonel Passy, ancien chef des services secrets à Londres.

Elle fera un très joli discours.

9

La mère

Le plus grand malheur de Françoise s'appelle Alain.

C'est son fils.

Cet enfant, elle n'en voulait pas, et il le sait. Quoi qu'il fasse, quoi qu'elle dise, il lui rappelle la honte, la tache indélébile à ses yeux d'avoir été fille-mère.

« C'était en juillet 1940... Au regard de la débâcle, de l'Armistice, de l'effondrement du pays, l'événement était insignifiant... [Mais] j'avais mal partout. Dans mon corps où se développait un corps étranger qui me faisait horreur. Dans ma tête où je maudissais ma légèreté, moi qui m'étais crue invulnérable. Dans mon orgueil : ainsi j'allais être fille-mère, comme on disait alors ; je serais montrée du doigt... J'ai tout tenté, les pires trucs de bonne femme, les aiguilles à tricoter, l'eau savonneuse et le reste – en vain. Et quand ce pauvre petit têtard violet surgit entre mes jambes, je l'ai haï, tout bonnement haï... Alain le savait d'intuition certaine et ne m'a jamais pardonné ce rejet primitif. Nous avons passé ensuite vingt-cinq années à nous meurtrir l'un l'autre[1]. »

Françoise a vingt-quatre ans. Elle fait son chemin dans le monde du cinéma, et les mœurs sont rudes. Du producteur au technicien de plateau, il n'y a que des hommes. Pour être retenue sur un tournage, faire partie d'une équipe, pour tenir un clap ou faire un bout d'essai, la méthode est simple et cruelle : il faut coucher.

« Un milieu infect. Pourri par le droit de cuissage, décrit Giroud dans *Leçons particulières*. Les régisseurs traitaient les figurantes comme du cheptel, choisissant le matin celles qui passeraient dans leur lit... Les metteurs en scène... il y en avait de décents, bien sûr. Mais il y avait aussi celui auquel toutes les candidates à un rôle important devaient d'abord montrer ce qu'elles savaient faire dans une autre spécialité. Pendant qu'elles opéraient, dans son bureau, il ne fermait même pas la porte, heureux que quelqu'un puisse les voir, là, à genoux, humiliées jusqu'à l'os. »

Les anecdotes sont nombreuses : tel producteur qui la renvoie d'un tournage parce qu'elle n'a pas voulu partir avec lui en week-end ; tel autre – Julien Duvivier – qui, surpris en pleine gâterie, l'exclut du studio tandis que la dame hurle : « Petite salope, tu me le paieras ! »

1. In *Arthur ou le bonheur de vivre*, *op. cit.*

France Roche connaît depuis longtemps la faune du cinéma. Elle se passionne aujourd'hui pour l'histoire de cette génération de producteurs, venus de Russie et d'Allemagne entre les deux guerres, qui firent étape à Paris avant de fabriquer Hollywood :

« Parmi eux il y avait un personnage redoutable, Joseph Lucassevitch. Arrivé d'Allemagne au début des années 30, il était très malin, très retors et extrêmement laid. Mêlé à beaucoup de productions de l'époque, il comprit avant les autres que le pouvoir était de l'autre côté de l'Atlantique. »

Lucassevitch finance en particulier plusieurs films de Marcel L'Herbier qui, dans ses Mémoires[1], parle du « malin Lucassevitch devenu (vers 1935) vice-roi occulte du clan colonisateur » – autrement dit de Hollywood.

Dans *Ma vie à belles dents*[2], Marcel Carné le décrit ainsi : « Il était grand, fort, tout en rondeurs et de surcroît complètement chauve. Son visage joufflu avec un nez minuscule évoquait celui d'un nouveau-né, sa silhouette éléphantesque annonçait celle d'Orson Welles. Producteur de films de l'autre côté du Rhin, mais israélite, Joseph Lucassevitch avait fui l'Allemagne à la montée de la vague nazie. Réfugié en France, il avait remercié notre pays en produisant deux ou trois films cocardiers sur la marine nationale... »

1. Marcel L'Herbier, *La Tête qui tourne*, Belfond, 1979.
2. Marcel Carné, *Ma Vie à belles dents*, L'Archipel, 1996.

À son tour, sans le nommer, Françoise décrit « un porc, roulant en Packard et construisant une fortune en rachetant à bas prix les films en cours de tournage qui se trouvaient en difficultés financières[1]. »

Quel a été le rôle de Lucassevitch dans la carrière de la jeune Françoise Giroud ?

France Roche fait aujourd'hui état des confidences qui lui venaient, après la guerre, d'Anatole Eliacheff, l'ancien mari de Françoise :

« À l'entendre, Tolia avait imposé la jeune femme dans les productions auxquelles il prenait part et lui avait fait écrire ses premiers scénarios. Après leur rupture, à l'époque des grandes coproductions franco-italiennes, il jouait l'intermédiaire entre Paris et Cinecittà, à Rome. Il me faisait un peu la cour. Il avait dû être pas mal de sa personne, il boitait un peu, mais, à mes yeux, il avait passé l'âge. Moi, j'avais vingt-quatre ou vingt-cinq ans, Lazareff m'avait confié le cinéma à *France-Soir*, j'avais droit aux déjeuners du dimanche à Louveciennes quand il fallait parler anglais à un producteur américain et montrer mon décolleté... Bref, Tolia me faisait du charme, et il me racontait aussi pas mal de choses – entre autres, que Françoise avait été, toute jeune, la maîtresse de ce producteur très cruel et très laid... »

---

1. In *Leçons particulières*, *op. cit.*

Lucassevitch est-il pour autant, comme le prétend France Roche, le père de son fils ?

Alain, né en 1941 à Clermont-Ferrand, sera déclaré sous le nom de Danis, Alain-Pierre. Sur maints tournages où a travaillé Françoise, on remarque le nom de Pierre Danis, directeur de production – et aussi celui d'Andrée Danis, chef monteuse réputée, sa femme. La société Jason, où travaille Danis, produit notamment, en 1942, *La Promesse à l'inconnu*, sur un scénario de Giroud. Le couple a trois enfants, dont un fils résistant qui sera fusillé par les Allemands en 1944.

Françoise ne fait nulle part allusion au père de son fils, sauf en quelques lignes dans *On ne peut pas être heureux tout le temps* :

« Ce père avait une situation relativement importante qu'il avait réintégrée après la guerre, il s'était marié, il avait trois enfants, où était le devoir ? »

Alain, qui poursuit des études chaotiques, exige à l'adolescence de connaître son nom. Françoise le lui révèle. « J'ai su que [le père] s'était bien conduit, et puis j'ai été tenue complètement à l'écart de leur relation qui est devenue, pour le peu que j'en ai su, étroite. »

« Le vrai père d'Alain était un homme connu, très fortuné, marié avec trois enfants. Je crois qu'il avait fait carrière dans le pétrole », raconte Georges Ortiz. Cousin germain d'Albina du Boisrouvray, Ortiz, le plus proche ami d'Alain jusqu'à sa disparition, était un petit-fils de Simon Patino, le roi des mines d'étain boliviennes, collectionneur d'antiquités, pilote de rallye, riche et plutôt désœuvré.

« Alain était un garçon exceptionnel d'intelligence et d'humanité. Un écorché vif. Sa mère ne l'aimait pas, il le savait, et pourtant il ne supportait pas la moindre critique à son sujet. Son père naturel, il l'appelait "mon tuteur". Cet homme l'entretenait fort bien – 700 000 anciens francs par mois quand Alain était étudiant –, mais il ne l'avait pas reconnu, ni légalement ni socialement. Il ne pouvait appeler personne "papa". Le nom qu'il portait pour l'état-civil était celui d'un ancien amant de sa mère. Un amant mort, vous vous rendez compte ? »

Disparu au milieu des années 90, le père naturel d'Alain-Pierre Danis, président de société pétrolière, bibliophile averti, n'aurait pas révélé à sa famille l'existence de cet autre fils.

« Eliacheff était très meurtri d'avoir été plaqué par Giroud, reprend France Roche. "Après tout ce que j'ai fait pour elle...", me disait-il avec son fort accent russe, en levant les yeux au ciel... Être fille-mère, à l'époque, était socialement scandaleux : en l'épousant, Tolia avait en quelque sorte effacé la tache, gommé la honte, réhabilité la mère et l'enfant. Et elle, elle l'avait quitté ! Quand il m'a raconté l'histoire, Françoise était déjà un personnage important, rédactrice en chef de *L'Express*... Et il ajoutait, malheureux et masochiste : "Décidément, pour qu'une femme couche avec moi, il faut qu'elle ait un défaut caché..." »

« On ne peut pas imaginer aujourd'hui où [l'état de fille-mère] vous plaçait dans la société : un peu au-dessous de putain. Ça peut rendre très méchant », a écrit Giroud dans *On ne peut pas être heureux tout le temps*.

Très méchant, et très anxieux de reconstruire sa vie.

Au lendemain de la guerre, Françoise épouse Anatole et désire de toutes ses forces un autre enfant. Il naîtra en 1947 et s'appellera Caroline. Elle est ravissante et, comme l'écrit joliment la mère, « bien ourlée ».

Pour autant, Giroud ne va pas pouponner. Trop absorbée par son travail, écrivant pour *Elle* mais aussi pour *France-Dimanche* et à l'occasion pour *France-Soir*, trop concernée par l'argent à gagner, trop passionnément acharnée à réussir, bientôt aspirée par Jean-Jacques Servan-Schreiber et *L'Express*, Françoise, une fois pour toutes, confie la charge de ses enfants à sa mère. Et tout le monde y trouve son compte.

« Françoise ne s'est jamais occupée de ses enfants, raconte Danièle Heymann. C'est leur grand-mère qui les a élevés – ils l'adoraient. Françoise était depuis l'enfance l'homme de la famille, et sa mère, en quelque sorte, en était la femme. Elle lui a permis de faire sa carrière. »

La part féminine de cette famille particulière, la chaleur du foyer, c'est la mère de Françoise qui s'en charge.

Dès la naissance d'Alain, pendant la guerre, Françoise l'avait déposé à Nice où s'était réfugiée Elda, et était remontée seule à Paris. Une fois mariée, elle installe son petit monde et leur chien avenue Raphaël, dans le bel appartement que s'est procuré son mari. Il n'y habitera pas longtemps : Eliacheff va passer trois ans en prison, et, quelques mois après sa libération, le couple se séparera.

« On avait affaire à un extraordinaire trio de femmes, sourit Danièle Heymann. Il y avait Françoise, occupée à conquérir le pouvoir, la gloire et l'argent. Il y avait sa mère, splendide, lumineuse, généreuse, à qui tout le monde venait confier ses peines et ses espoirs. Et il y avait Djénane, sa sœur, adorable de gaieté et de gentillesse, auréolée du prestige de ses faits de guerre, flanquée de son second mari qu'elle avait connu dans la Résistance, un homme très doux dont elle n'avait pu avoir d'enfant. »

Elles vivent quasiment ensemble, comme autrefois, mais la pauvre « roulotte » d'avant-guerre est devenue un endroit de confort, de plaisir et de luxe, un salon où se croisent volontiers ceux qui comptent dans Paris.

La mère de Françoise a « ses jours » : le mardi pour la famille, le mercredi pour les hommes politiques qui viennent la consulter tant son rayonnement est grand. À ses petits-enfants Elda ne dit pas un mot de sa vie, ni de l'histoire de leur famille. Elle ne transmet rien. Elle ne parle jamais de sujets intimes. Sa fille est à bonne école.

Elda Gourdji disparaît en 1959, peu avant que Françoise ne tente de se tuer : « J'avais perdu mes deux jambes en même temps », écrira-t-elle.

Dix ans plus tard, Djénane meurt à son tour.

« Douce, si belle avec ses cheveux d'encre, si courageuse, si gaie... Elle a disparu prématurément, usée, et le jour où elle est morte, mon enfance s'est envolée. Ainsi, il n'y aurait plus personne pour me dire : "Tu es bête... Tu es bête comme tout !"... Je n'aurais plus personne pour parler de ce dont on ne parle à personne. Tous mes souvenirs allaient être veufs... Nous nous disions en plaisantant : "Quand nous serons vieilles, nous serons de vieilles dames indignes... Nous boirons du whisky et nous serons débarrassées des hommes... Ce sera le paradis !" Elle ne m'a pas attendue. Je lui en veux énormément. C'est l'unique fois où elle m'a fait défaut[1]. »

Alain, le fils de Françoise, a six ans à la naissance de sa sœur. De santé fragile, instable, grognon, il devient de plus en plus difficile.

« C'était un enfant insupportable, intelligent et

1. In *Arthur ou le bonheur de vivre, op. cit.*

attendrissant, se souvient Léone Nora. Sans doute en manque d'amour. Françoise ne l'avait pas souhaité, tout était difficile entre eux. »

« Il lui pourrissait la vie, résume Michèle Cotta. Très possessif. »

Études irrégulières, fugues, renvoi de différents établissements scolaires – le parcours d'Alain est aussi heurté que celui de Caroline paraît linéaire. Bonne élève, petite fille poupée, habillée avec recherche comme l'enfant que Françoise aurait voulu être, elle va naturellement suivre le cours des passions maternelles.

« Caroline était très souvent en vacances à Veulettes avec mes enfants, raconte Christiane Collange, la sœur de Jean-Jacques. Elle n'avait que quelques années de plus que mes fils aînés. C'était une petite fille intelligente, entièrement élevée par sa grand-mère. D'ailleurs, le fait que sa mère ait toujours été là pour élever ses enfants a permis à Françoise de vivre sa vie sans avoir à se préoccuper des soucis habituels des mères de famille. Elle m'a dit un jour : "La grande différence entre les hommes et les femmes, c'est que les hommes ont des femmes et que les femmes n'en ont pas..." La mère de Françoise était sa "femme au foyer". »

L'hiver, ce sont les vacances à Megève, dans le chalet de la famille Servan-Schreiber. Une photo montre ainsi la petite fille sur la terrasse du *Nanouk* en 1956, aînée d'un groupe de petits-cousins membres du clan[1]. Leurs parents sont rarement là ; Françoise, jamais. C'est un univers de nurses. Caroline fera son apprentissage des rapports humains à travers les domestiques.

« Nous avions de bonnes relations, sourit Jean-Louis Servan-Schreiber, qui n'a que dix ans de plus qu'elle. Tantôt elle manifeste à mon égard de grands accès de tendresse en mémoire de ce passé commun, tantôt une grande indifférence – héréditaire, en quelque sorte. Elle a comme sa mère, cette formidable faculté de faire sentir aux gens qu'ils sont hors champ... Il faut reconnaître qu'elle en a bavé... »

« Caroline n'a jamais été une enfant, remarque Florence Malraux. Elle était très mûre pour son âge, à douze ans elle donnait l'impression d'avoir déjà tout vu, tout compris. »

Elle en a presque treize quand sa mère tente de se suicider.

« C'est Gaston Defferre et sa femme de l'époque qui l'ont recueillie à ce moment-là, précise Edmonde Charles-Roux. Elle a passé trois mois avec eux, le temps que sa mère reprenne pied. »

Gaston Defferre sera le témoin de mariage de Caroline lorsqu'elle épousera le metteur en scène et comédien Robert Hossein.

Elle a alors quinze ans à peine.

1. *In* Alain Rustenholz et Sandrine Treiner, *La Saga Servan-Schreiber*, *op. cit.*

Alain passe beaucoup de temps dans la maison de campagne de Françoise, à Gambais, où il occupe une annexe du bâtiment principal, et sera consterné quand elle la mettra en vente.

« Il ressemblait à sa mère, se souvient Madeleine Chapsal. Regard velouté, mêmes petites pattes courtes. Il était adorable et compliqué. Lui était fou d'elle, elle le subissait avec amour et exaspération. Elle était fière de ses succès mondains, inquiète de sa fragilité. Il la renvoyait sans cesse à l'humiliation de sa jeunesse. Il suivait une psychanalyse avec Lacan. Je m'entendais bien avec lui, nous avions des affinités. Il commençait à s'en sortir, à son tour il voulait devenir psychanalyste. »

« Alain était déjà un homme, mais il se conduisait comme un petit garçon admis à la table des grandes personnes, très effacé, obnubilé par sa mère, hésitant à parler, à s'affirmer », se souvient France Roche.

« C'était un garçon adorable, compliqué, toujours en état d'exaltation, raconte Albina du Boisrouvray, cousine germaine de Georges Ortiz. Françoise ne supportait pas Georges, elle le trouvait brouillon et déplorait son influence sur Alain. À l'époque, ils traînaient en bande à Saint-Germain-des-Prés... On le disait amoureux d'Eva Marie Saint, une actrice. Il était toujours obsédé par sa mère, mais il allait mieux. Il savait qu'il ne serait jamais l'homme de la famille. Passionné de psychanalyse, il était tombé sous la coupe de Lacan, qui l'a beaucoup torturé... »

« Lacan l'aimait beaucoup, il voulait en faire son successeur ! s'insurge Georges Ortiz. Alain voulait tellement lui faire plaisir qu'il fallait sans cesse que je passe en fraude, de Genève, des coffrets de cigares pour les lui offrir. »

Avec retard mais détermination, Alain a entrepris des études de médecine – en même temps que Caroline qui, elle, passe sans problème tous ses examens.

Écartées du clan Servan-Schreiber, Françoise et sa progéniture découvrent les enfants Grall. En 1966, quand Alex rencontre Françoise, il est veuf avec trois enfants. L'été suivant, ils vont passer des vacances tous ensemble au Club Méditerranée de Caprera, en Sardaigne.

« Je n'ai jamais pris part aux problèmes qu'Alex rencontrait avec ses enfants – avoue Françoise dans *On ne peut pas être heureux tout le temps*. – ... [des enfants par ailleurs] affectueux, sensibles, bons élèves, très attachants. Mais il y avait entre [Alex et moi] une sorte de pacte non dit : nous partagions les émotions, les douceurs, les agréments que nous donnait la vie ; le reste devait demeurer le fardeau de chacun... C'est pourquoi nous étions heureux l'un de l'autre. »

À la mort d'Alex, Françoise maintiendra une relation affectueuse avec l'aîné, Sébastien, devenu réalisateur de films, et prendra l'habitude de déjeuner avec lui deux ou trois fois par an.

Plus surprenant, Giroud va nouer quelques liens avec les fils de Jean-Jacques Servan-Schreiber – ces quatre garçons que, tout à son obsession américaine, JJSS a littéralement enlevés à Sabine, leur mère, pour les emmener à Pittsburgh. Il s'y est installé après la débâcle de sa carrière politique en France et l'aventure avortée du Centre informatique que lui avait confié Gaston Defferre au début des années Mitterrand.

C'est avec Franklin, le troisième fils, né en 1964, que Françoise a le plus d'affinités. Rentré en France comme ses frères, spécialiste d'Internet, il se souvient de moments heureux :

« J'ai toujours aimé les femmes de mon père. Toujours : Madeleine, Françoise, Maman, bien sûr, Antoinette, tant d'autres, et les secrétaires... Papa avait plein de femmes autour de lui. Mes frères et moi nous sommes toujours sentis aimés, et nous avions des relations ouvertes avec elles, même si cela ne faisait pas forcément plaisir à notre mère. Pour moi, Françoise a toujours fait partie du paysage. »

Pourquoi ce lien avec lui plutôt qu'avec ses autres frères ? « Peut-être parce que, tout jeune, je faisais davantage attention aux autres ! » sourit Franklin en sirotant son Coca Light. Pensif, il reprend : « Françoise n'aimait pas facilement. Elle était difficile d'accès, aigrie, peut-être, derrière son magnifique sourire. Elle ne se laissait jamais aller. Mes plus beaux souvenirs avec elle, c'était à Antibes, dans sa petite maison près des remparts. La première fois, je devais avoir seize ou dix-sept ans, mon père m'y avait envoyé pour lui apporter un paquet. Alex Grall était là, je suis resté trois jours, puis je suis revenu plusieurs fois. Elle me montrait des photos de Dior et de Chanel, elle adorait la mode. J'étais devenu à *Elle* l'assistant de Régis Pagniez, le directeur artistique, et nous avions des intérêts communs. Je me souviens, elle écrivait le matin dans une cabane au fond du jardin, on entendait le bruit de sa machine à écrire ; elle portait des T-shirts aux manches retroussées. Elle était élégante, intelligente et féminine à la fois... »

Parlaient-ils de Jean-Jacques ?

« Non, contrairement à Madeleine ou aux autres, très peu. Mon père, lui, me posait toujours des questions sur elle, avec beaucoup de douceur. Avec Françoise on parlait journalisme, écriture, livres... Mais, une fois rentrés à Paris, elle reprenait ses distances. C'était la plus distante des femmes de mon père. »

Françoise n'aimait pas les enfants mais s'intéressait aux jeunes gens – histoire de comprendre l'air du temps. Et puis, Franklin était le fils de Jean-Jacques.

Madeleine Chapsal, de son côté, entretient des

relations étroites avec les quatre fils Servan-Schreiber ; elle aurait même l'intention, dit-elle, de les désigner parmi ses héritiers.

En mars 1972, le fils de Françoise, Alain-Pierre Danis, qui est bon skieur, suggère à son ami Georges Ortiz de le rejoindre à Val-d'Isère. « C'est moi qui lui avais fait découvrir les joies du hors-piste, se lamente ce dernier trente ans plus tard. Je ne pouvais le retrouver que le soir, je devais déjeuner ce jour-là à Genève avec ma mère dont c'était l'anniversaire. Dans l'après-midi, alors que je faisais route vers la montagne, j'ai été pris d'une horrible sensation de malheur. Alain était parti seul, en T-shirt, par grand soleil. Le brouillard s'est levé, il s'est perdu, il a suivi des pylônes, pas les bons. Je l'ai cherché pendant trois jours et trois nuits avec les pisteurs de la station. En vain. On l'a retrouvé plusieurs semaines plus tard, debout dans un trou, asphyxié. Je ne peux m'empêcher de penser qu'inconsciemment sa fin ressemblait à un suicide. »

Alain avait vingt-neuf ans.

Dans *Arthur ou le bonheur de vivre*, Françoise écrit : « C'était un excellent skieur. Cette histoire n'était pas vraie, ne pouvait pas être vraie. *Alain, mon petit garçon, c'est une blague, hein ? Une méchante blague que tu me fais, une de plus, pour te rendre intéressant, pour me déchirer le cœur... Mais qu'est-ce que j'ai fait pour que tu me punisses depuis vingt-cinq ans d'être ta mère ?* »

« Quand on a appris la disparition d'Alain et l'arrêt des recherches en montagne, Françoise était au journal. Elle était là, elle travaillait. C'était jour de bouclage. » Danièle Heymann en est encore tout émue. « Devant elle, je craque et je me mets à pleurer. Françoise me pointe du doigt : “Travaillez, Danièle, travaillez.” Et elle, la main ferme, avec son gros stylo noir, continue de corriger un papier. Même à ce moment-là, elle n'autorisait aucun rapport affectif : pas question de la toucher, de l'embrasser, de l'étreindre, pas question... Je ne l'ai vue pleurer que deux fois : à l'enterrement de sa mère, et à la mort d'Alex. »

Yves Sabouret, qui dirigera quatre ans plus tard son cabinet ministériel, se souvient d'une invitation à dîner chez Giroud, prévue pour le lendemain de la disparition de son fils. Il téléphone à *L'Express* : « Évidemment, le dîner est annulé ? »

Quelques minutes plus tard, la secrétaire rappelle :

« Mme Giroud maintient son invitation, elle demande simplement que personne ne lui en parle. »

Tenir, dit-elle, comme sa mère le lui a appris. Ne pas ouvrir de brèche à autrui. En aucune circonstance.

« Quand Thierry est mort, je me suis souvenue de Françoise, murmure Michèle Cotta dont le fils, atteint d'une maladie incurable, a disparu à peu près au même âge. L'idée de me laisser aller me répugne. C'est elle qui a raison. Il ne faut pas être trop intime avec les gens, il faut garder une frontière. »

« Je ne voulais pas le croire. Je me suis accrochée à un espoir insensé pendant deux mois. Deux mois ! Après quoi, avec le printemps, la neige a rendu son corps intact... Enterrer son enfant, c'est une expérience inhumaine... De toutes les épreuves de ma vie qui en a été fertile, c'est celle dont j'ai émergé avec le plus de peine, mâchant et remâchant ma culpabilité[1]. »

Albina du Boisrouvray, devenue au fil des années l'une des plus proches amies de Françoise, a vécu et surmonté l'indicible douleur de perdre son fils unique, François-Xavier, âgé de vingt-quatre ans, dans un accident d'hélicoptère.

« François est mort le même jour qu'Alex Grall. Alex le matin, François le soir. Je n'ai pu appeler Françoise que deux jours plus tard. “Tu sais, lui ai-je dit, ils sont morts le même jour...” En pleurant, elle m'a répondu : “Alex est mort, mais il a eu une longue et belle vie... Pas petit François, pas petit François...” C'est la première fois que je l'entendais pleurer... Au fil des années, parfois

1. In *Arthur ou le bonheur de vivre, op. cit.*

nous nous parlions de cette douleur... Elle disait : “Tu verras, c’est atroce, ça dure des années, puis on arrive à retrouver le cours des choses...” Elle ne nommait jamais son fils, jamais. »

Au nom de François-Xavier, Albina du Boisrouvray a créé une association humanitaire très active qui soigne et protège les enfants orphelins dans plusieurs régions du monde.

Caroline, la fille de Françoise, va devenir une psychiatre réputée, spécialisée dans le traitement des nourrissons et des enfants. Elle va aussi travailler à la DDASS pour les enfants nés sous X.

La pratique de la psychanalyse sera sa manière à elle de tenter de « sortir de ce magma », ainsi qu’elle l’a confié parfois.

Françoise a considéré dès sa naissance que Caroline était un chef-d’œuvre. Mais elle ne lui a jamais rien dit qui pût l’aider, l’influencer, empêcher quelque bêtise ou faciliter quelque décision. Pas plus que sa grand-mère, elle ne lui a rien transmis de leur histoire. Chez ces femmes-là, on ne pleure pas, on ne dit pas ce que l’on ressent, seulement ce que l’on pense.

Alors, à quinze ans, Caroline est partie et elle n’est jamais revenue.

« J’ai connu Caroline quand je tournais en Italie *Madame Sans-Gêne* avec Sophia Loren, se souvient Robert Hossein qui, à soixante-dix ans passés, conserve son allure de loup, ses emportements et la folie du théâtre.

« J'aimais beaucoup Eliacheff, le père, qui me dit : "Je te confie ma fille, elle a quatorze ans, elle vient en vacances, cela l'amusera de suivre le tournage. Bon. J'avais divorcé de Marina Vlady depuis deux ans, j'avais dépassé la trentaine. J'étais avec mes amis Sophia Loren et Carlo Ponti, le producteur, je les admirais beaucoup tous les deux, on tournait. Bon. Caroline était une enfant merveilleuse, intelligente, on s'est liés, bon, elle a voulu vivre avec moi, elle n'avait pas encore passé son bac. On est rentrés à Paris, et là, je disais à mes amis : "C'est l'heure ! Il faut que j'aille chercher ma femme à l'école." »

Qu'en dit Giroud ?

« Une femme remarquable, pas du tout conformiste. On habitait à côté, boulevard des Invalides. Elle me dit : "La seule chose que je vous demande, c'est d'épouser Caroline, car elle est mineure." »

Caroline tombe enceinte.

« Elle attend un enfant, continue Hossein, elle veut le garder. Elle voulait déjà devenir psychiatre. Et quand Caroline veut quelque chose... Tête de sa mère ! Bon, je l'épouse. Caroline est une femme exceptionnelle, intelligente, tolérante, très intériorisée, jamais sûre de rien, toujours en train de peser le pour et le contre... Une jeune fille que j'aurais mieux fait d'adopter, avec dans le regard une nostalgie et une tristesse indéfinissables... Hélas, c'était très compliqué. On n'avait pas les mêmes horaires : je rentrais du théâtre le soir tard, elle dormait, elle partait le matin de très bonne heure à ses cours. Cela ne pouvait durer ainsi. On divorce. »

Qu'en pense Françoise ?

« Elle m'a simplement dit : “Bon, maintenant vous devez divorcer.” »

Georges Kiejman, avocat, est chargé de la procédure.

« Un jour, à *L'Express*, se souvient Michèle Cotta, je croise Hossein dans l'ascenseur, plus mort que vif. Il avait rendez-vous avec Françoise. Et il me dit, affolé : “Divorcer d'une femme, c'est dur, mais de deux !” »

« Françoise n'a jamais été mesquine, reprend Hossein. Elle m'a alerté sur le paiement régulier de la pension. Bon, normal. Elle n'a jamais moralisé. On est restés amis, elle a toujours fait de bonnes critiques de mes pièces. »

Françoise a toujours été très fière de Caroline, et l'a souvent proclamé. N'a-t-elle pas brillamment réussi ses études de médecine, le métier qu'elle-même briguait pour venger sa mère ? Mais le jugement chez Giroud, fût-ce à l'égard de sa propre fille, l'emportera toujours sur le sentiment.

Un épisode récent, aux dires de plusieurs proches, a particulièrement blessé Caroline. À la sortie de *Merci pour le chocolat*, le film de Chabrol dont celle-ci a écrit le scénario, Françoise va à la projection et laisse entendre que ce n'est pas bon. « Je n'aurais jamais accordé l'avance sur recettes ! » lance celle qui présida un moment l'organisme chargé de soutenir les productions françaises. Sa fille en est légitimement meurtrie.

Si Françoise a entretenu avec elle des rapports à la fois étroits et compliqués, affirment plusieurs de leurs intimes, c'est parce qu'elles avaient en commun une forme de violence que Caroline a su canaliser autrement que sa mère. En construisant une vraie famille, par exemple, ce dont Françoise avait toujours été incapable. Quelle que fût son affection pour ses petits-fils, elle ne se comportait pas à leur égard en grand-mère traditionnelle. Elle n'avait aucun sens de la famille : ce qui l'émoustillait, c'étaient les gens intéressants. S'ils étaient de la famille, tant mieux.

« Françoise avait pour sa fille une véritable admiration. Elle l'a toujours trouvée très belle et très intelligente, affirme Sylvie Pierre-Brossolette. Quand Françoise était ministre, Caroline assistait à nos réunions de cabinet et donnait son avis dans les domaines qu'elle connaissait, particulièrement la santé. Françoise l'écoutait toujours avec attention... Caroline est très contrôlée : je n'ai jamais surpris chez elle une remarque critique au sujet de sa mère. Quand elle n'était pas d'accord, comme pour la campagne de 1977, elle prenait seulement ses distances, sans commentaires. »

« Elles se ressemblent, affirme Florence Malraux. Elles sont toutes les deux belles, intelligentes, travailleuses, ambitieuses. La vraie différence, c'est que Françoise a tout conquis toute seule, à force de volonté et de travail. Réussir comme elle, à cette époque, quand on était une femme, on n'imagine plus aujourd'hui ce que cela représente. »

À l'automne 1999, Caroline est décorée de la Légion d'honneur par le ministre de la Santé. Dans son discours de remerciement, se tournant un moment vers sa mère, elle commet cet extraordinaire lapsus :

« Et je rends hommage à Françoise Lacan... »

Interloquée, l'assistance éclate de rire. Dans un même élan, elle a associé sa mère, Jacques Lacan, avec qui elle avait fait une longue analyse, et Françoise Dolto, son maître à penser.

C'est en lisant le dernier ouvrage autobiographique de sa mère (*On ne peut pas être heureux tout le temps*) que Caroline apprend les circonstances de l'incarcération de son père. Jusque-là, elle n'en connaissait ni la durée ni le calendrier. Elle comprend qu'elle était dans le ventre de sa mère quand celle-ci se rendait à la prison de Loos. Pour une psychiatre et une psychanalyste, ce ne saurait constituer un mince détail.

« Caroline m'en veut beaucoup, elle n'était pas au courant, me dit un jour Françoise de sa petite voix que l'âge rendait plus pointue. C'est assez bête, je n'ai jamais pensé à lui en parler ! » Elle sourit, chez elle une forme d'esquive. « Il faut dire que je n'ai aucun goût pour la confidence. Et

Caroline ne pose pas de questions. Entre nous, c'est ainsi. » Et elle sourit plus encore, comme pour affirmer que c'était là, entre elles, une sorte d'acquis supérieur.

Caroline m'a longuement parlé de sa mère, mais n'a pas souhaité que ses propos soient ici reproduits. Je respecte sa volonté.

En 2001, Caroline Eliacheff, en collaboration avec une autre psychiatre, Nathalie Heinich, publie un livre à succès intitulé *Mères-filles : une relation à trois*[1]. Selon la thèse centrale de l'ouvrage, illustrée par des personnages de cinéma et de roman, il est impossible pour une fille d'avoir des rapports avec sa propre mère s'il n'y a pas médiation.

Lors d'une émission, à la télévision, interrogée sur la catégorie dans laquelle elle rangeait sa propre mère, Caroline répondit avec un rire sans joie : « Dans la catégorie mère star, bien sûr ! »

« C'était dit sans acrimonie, elle s'était préparée à ce qu'on l'interpelle ainsi, sourit Sylvie Pierre-Brossolette, qui assistait à l'enregistrement. Mais, en coulisses, elle s'est indignée que le journaliste ait osé personnaliser la question. »

En la félicitant pour son dernier ouvrage, Françoise enverra ce message à Caroline : « Je tombe sur cette phrase superbe d'Éluard dont tu pourrais

1. Aux éditions Albin Michel.

avoir usage au scandale général : *“Il faut battre sa mère pendant qu’elle est jeune !”* »

Elles en avaient ri toutes deux.

Il est vrai que Caroline ne lui disait jamais « Maman ». Elle l’appellait « Françoise », comme ses petits-fils.

Caroline a quatre fils.

Son premier enfant, Nicolas, fils de Robert Hossein, sera baptisé dans la religion catholique, selon le vœu de la maman. Son père ne s’en occupera pas – s’inquiétant à l’occasion de ce que lui en dit le parrain, Frédéric Dard, qui accueille le garçon, pensionnaire en Suisse, pour quelques week-ends.

Dans un livre de Mémoires[1], l’homme de théâtre écrit à propos de Nicolas et de ses deux autres fils aînés : « J’ai vécu [avec eux] sur le mode du père absent, du père pigeon voyageur, ou fantôme, comme on voudra... Igor, Pierre, Nicolas : j’ai loupé votre enfance. on s’est expliqué. Vous m’en avez voulu, et j’espère que vous avez compris que si je vous ai privé, je me suis aussi, et peut-être surtout, privé moi-même, et terriblement appauvri. »

« Nicolas..., s’attendrit-il aujourd’hui. Un garçon sensible et très doué. Il a voulu faire du théâtre. Sans rien me demander, il s’est présenté au Conservatoire, il a été reçu. Peter Brook l’a

1. Robert Hossein, *Nomade sans tribu*, Fayard, 1981.

engagé pour jouer dans *Tchin-Tchin*, avec Mastroianni. Un vrai talent ! Et puis il a tout laissé tomber. »

Regrets et remords – dans son petit bureau du théâtre Marigny où il prépare son *Napoléon*, Hossein se prend la tête entre les mains. Au mur, les photos des dizaines de comédiens retenus pour sa prochaine distribution.

« Il a tout lâché. C'est con ! Un talent ! Mais bon... Il a été interpellé par autre chose et je respecte ses choix. »

Passionnément, Nicolas va partir à la recherche de ses racines. Juif il est, juif il se veut, juif il vivra.

C'est Marin Karmitz, le mari de Caroline, père de ses deux derniers fils, qui a éveillé Nicolas au judaïsme.

Né en Roumanie, que dut fuir sa famille en y laissant sa fortune, ancien militant gauchiste, Marin est devenu l'une des grandes figures du cinéma français et européen, producteur, distributeur, exploitant – éditeur de films, aime-t-il à dire.

Dans son livre de Mémoires[1], il parle peu de sa belle-mère, mais lui sait gré de lui avoir fait rencontrer, au festival de Cannes, « l'homme qui m'avait donné l'ambition de faire un certain type de cinéma, Roberto Rossellini ».

1. Marin Karmitz, *Bande à part*, Grasset, 1994.

Sur Caroline, devenue à son tour, tout en poursuivant ses activités médicales, scénariste de Claude Chabrol dont son mari est le producteur attitré, Karmitz raconte avec sobriété : « Ma vie a changé quand j'ai rencontré Caroline et ses deux fils, en 1975. Elle était psychanalyste. Je me méfiais beaucoup de la psychanalyse. D'ailleurs, je n'y connaissais rien. Elle me prenait pour un paranoïaque actif, obsédé par les flics... Mon premier cadeau, les *Œuvres complètes* de Mao Tsé-toung dans leur édition chinoise, ne l'a pas rassurée, ni vraiment séduite. Depuis, les choses se sont arrangées. »

Sur ses engagements, il précise : « Dans mes activités politiques et autres, je n'ai pas supporté que l'on m'impose d'être conciliant. [...] J'ai abordé le judaïsme par son aspect contestataire, pas par son aspect religieux. »

Karmitz est à l'origine de la création à Paris d'une école et d'un centre de recherches sur le Talmud.

« Quand Nicolas avait seize ans, raconte-t-il aujourd'hui, je l'ai emmené avec moi vivre l'un des moments les plus importants du judaïsme, les fêtes de Pessah, où l'on raconte et revit la sortie d'Égypte. C'est un moment presque théâtral, assorti la nuit durant de récits et de commentaires... Nous étions chez Henri Atlan, l'homme qui m'a formé et initié au judaïsme vécu comme une étude, une quête plutôt qu'une religion... »

Henri Atlan, professeur émérite de biophysique aux universités de Paris et de Jérusalem, est l'un des grands théoriciens contemporains de la biologie et des champs qui s'y rattachent, de la cybernétique à la génétique et aux sciences de l'information. Il est aussi un remarquable connaisseur et praticien du Talmud.

« Lors des fêtes de Pessah, reprend Karmitz, les plus jeunes ont le droit de demander un cadeau. Certains réclament un jeu électronique. Nicolas, lui, a demandé à Henri la permission de venir lui parler. Puis il a suivi les cours de Rav Gronstein à Nice. Il a été formé au judaïsme vivant, exigeant, non sectaire. »

Un jour, Nicolas va voir sa grand-mère. Il exige de savoir : est-il juif ou pas ? Et de quelle manière ?

« Nicolas a été très violent, m'a raconté Françoise sans se départir de son sourire poli. Selon qu'il était ou non fils et petit-fils de femmes juives, les modalités de sa conversion au judaïsme n'étaient pas les mêmes. Je ne lui en ai pas voulu un instant. »

Il n'empêche : son premier petit-fils a replongé France Gourdji dans une histoire qu'elle avait volontairement interrompue. Pour avoir enfoui ses racines au plus profond, tu sa judéité sa vie durant, l'avoir oubliée, reniée ou niée avec la plus grande sincérité, Françoise Giroud, à soixante-dix ans passés, ne peut fuir la question.

Michèle Cotta se souvient : « Moi, elle me disait il y a vingt ans : “Je ne suis pas juive, je suis turque !” Comme beaucoup de gens de sa génération, elle ne revendiquait pas d’appartenance. »

« Ma propre mère était juive, raconte Florence Malraux, et j’ai toujours eu la fierté, pendant la guerre, d’être née du bon côté. Je n’ai jamais pensé que Françoise était juive. À vrai dire, nous avions trop de travail pour en parler... et notre obsession, à l’époque, c’était l’Algérie. »

Jean Daniel le confirme : « Aux débuts de *L’Express*, et tout au long de notre aventure, ce n’était pas une préoccupation de l’époque. Notre affaire à nous, c’était l’Algérie. Là était le critère déterminant, pas la question juive ; après les camps, tout le monde voulait l’effacer. La grande préoccupation de Françoise, en ces temps-là, c’était de faire oublier qu’elle était turque. »

« Je suis une gitane ! » s’exclamait Giroud avec coquetterie quand on la complimentait sur son teint basané.

« Dans cette génération, affirme Colette Modiano, on gommait sa judéité d’abord par crainte, et, dans certains cas comme celui de Giroud, par arrivisme social. Il ne faut pas oublier que l’époque était très antisémite. Moi-même, après la guerre à laquelle ma famille et moi avions eu la chance de survivre, je ne supportais pas d’entendre parler des Juifs ni de me faire traiter de Juive. Quand j’ai épousé un grand bourgeois bien catho, je me suis sentie délivrée ! Dans les milieux chics auxquels Françoise voulait désespérément appartenir, il valait mieux agir ainsi. Servan-Schreiber, lui, c'était différent : il était de la troisième génération, l'assimilation était faite. Giroud n'avait pas le temps d'attendre trois générations ! »

« Sans m'être posé la question de façon explicite, j'ai toujours pensé qu'elle était d'origine juive, déclare Simone Veil. Sans doute à cause du milieu dans lequel elle vivait, et de sa forme d'intelligence, très libre, pour ne pas dire contestataire. Je n'ai jamais compris, au demeurant, pourquoi elle s'en défendait ! » lance la grande figure de la communauté juive française.

Pénétré de l'histoire de sa propre famille et singulièrement du destin de sa mère, Marin Karmitz comprend et explique parfaitement l'attitude de Françoise Giroud :

« Il faut se mettre à la place des femmes de cette génération, issues de la culture juive de la Méditerranée orientale. Si on voulait faire quelque chose de sa vie, échapper à l'enfermement du ghetto, au sens propre et au sens figuré, refuser les mariages arrangés et les vocations sacrifiées, il fallait à tout prix nier cette réalité juive. C'est ce que fit la mère de Françoise. »

Comme la mère de Marin Karmitz, Elda avait été élevée chez les sœurs de Sion – un ordre créé pour évangéliser les Juifs. C'est elle qui avait choisi de projeter ses filles dans un autre monde rêvé, celui de l'assimilation à la France. C'est elle qui s'était convertie au catholicisme et avait refusé, contre les convenances, malgré la pauvreté, de se plier à la famille, qui l'aurait sans doute remariée à quelque riche Juif de circonstance.

Dans le bureau-bibliothèque qu'il partage avec Caroline, entouré d'un Dubuffet et de quelques objets d'art moderne, Marin serre les poings, compact comme un lutteur, et poursuit :

« Là-dessus surviennent la guerre, la Shoah, l'horreur. Cette mémoire-là, pour la génération qui survit, surtout quand elle est issue de l'immigration et qu'elle veut farouchement s'intégrer à la société française, pas question de la transmettre. Ma mère n'a rien raconté de sa vie à mes enfants. Rien ! Françoise n'en transmettra rien non plus. Elle n'appartenait pas à cette mémoire-là, elle se situait délibérément en dehors. Pour elle, le judaïsme était une religion, et elle niait la religion. Toute forme de croyance lui était intolérable. Elle était ancrée dans la laïcité et la République : telles étaient pour elle les vraies valeurs. Ce qu'il lui semblait important de transmettre, c'étaient ses connaissances, certaines règles de vie qu'elle s'était forgées : le courage, le refus de la rumeur, le respect d'autrui, la volonté de ne pas gêner au risque de paraître indifférent. »

Caroline a été baptisée, elle a fait sa première communion et, pendant ses vacances chez les

Servan-Schreiber, elle allait chaque dimanche à la messe. Son père, Anatole Eliacheff, avait gardé le silence sur ses origines, tout autant que Françoise. Lui non plus ne lui a jamais rien dit ni sur ses racines, ni sur son histoire. Rentré de Rome à Paris, malade, aigri, il ne voyait jamais sa fille. Sur son lit de mort, Caroline aurait découvert ses tantes récitant le *Kaddish*, la prière juive des morts.

« Françoise se considérait comme catholique », affirme Alix de Saint-André, la plus jeune recrue du cercle qui entoura Giroud dans les dernières années de sa vie. Journaliste, écrivain, l'air d'un troubadour qui jouerait au bouffon, elle enchantait Françoise par son esprit burlesque, son royalisme tendance Bourbon, et sa connaissance approfondie de la religion catholique.

« Elle m'a dit que sa mère était une Juive sépharade qui s'était convertie à l'âge de quatorze ans, et lui avait fait jurer, quand elle le lui avait révélé, de ne jamais en parler. Françoise avait donc été élevée dans le catholicisme et l'ignorance de ses origines. Elle a fait la même chose avec ses enfants. Au mariage religieux des Decaux, où nous avons été témoins ensemble, elle se signait très consciencieusement. Elle n'était pas du tout croyante ; ça participait plutôt de son côté bien élevé et patriote. La France, c'était les cathédrales et la Révolution. Françoise était une catholique mécréante et anticléricale : typiquement française ! »

« Le jour du mariage de Nicolas, nous étions tous invités chez les Karmitz, se souvient Claude Alphandery, l'un des plus vieux amis de Françoise, résistant, communiste, banquier, toujours actif dans le combat pour la réinsertion. Dans la belle-famille, tous les hommes portaient kippas et chapeaux. Françoise fait son entrée. Fidèle à l'orthodoxie, un rabbin garde son couvre-chef et refuse de lui serrer la main. La voix tremblante de colère, Françoise déclare : "Ici, nous sommes en République. Il faut respecter les règles de politesse de mon pays !" Le rabbin ne s'est pas exécuté pour autant. »

Le fils aîné de Caroline, résolu d'effacer jusqu'au nom de son père, entreprit auprès du Conseil d'État une procédure pour changer de patronyme. Il s'appelle désormais Eliacheff, comme sa mère. Nicolas a aujourd'hui huit enfants, il enseigne à son tour le Talmud.

Lors d'une de nos dernières conversations, Françoise m'a confié à son propos : « Il a dû venir m'en parler cinquante fois, il m'a tuée avec sa religion ! Je lui ai seulement dit : "Tu penses ce que tu veux, mais ne me parle pas de la religion juive ! Le Talmud, c'est très amusant une fois de temps en temps, mais ce n'est pas une vie... Et puis, on n'a pas tant d'enfants quand on peut n'en faire que deux... Tout cela me choque profondément. Tu as besoin d'argent, tu as des ennuis, tu viens me voir, d'accord. Mais ne me demande pas mon approbation !" »

« Françoise était persuadée que l'antisémitisme n'allait pas disparaître de sitôt, raconte Alix de Saint-André. Comme toute sa génération, elle en avait vu les terribles ravages. Pour elle, le fait de naître juifs faisait courir à ses arrière-petits-enfants un risque atroce et absurde. Elle ne croyait ni à Dieu ni à Diable, mais elle croyait au Mal : elle l'avait rencontré. »

Les deux derniers petits-fils de Françoise, feront leur bar-mitzvah. Dans son *Journal*, Françoise raconte à propos de son dernier petit-fils, qui avait parfaitement maîtrisé l'épreuve, son émotion et sa fierté : « Ce garçon est de mon sang... », écrit-elle. Ses sentiments restent cependant mitigés.

« Comme beaucoup de Juifs qui ne le sont plus, Françoise, par moments, éprouvait un véritable malaise, sourit Alain Minc, financier et écrivain, qui se range volontiers dans la même catégorie. Je me souviens qu'à la synagogue, pendant la cérémonie, Françoise m'avait glissé : "Vous êtes le seul que tout ce cirque doit énerver autant que moi." »

Quand, dans son *Journal*[1], Minc fera allusion à leurs conversations en les qualifiant de « discussions entre mauvais Juifs », Giroud lui en fera reproche. « Elle n'a pas aimé. Dans sa relation au

---

1. Alain Minc, *Le Fracas du monde : journal de l'année 2001*, Le Seuil, 2002.

judaïsme, il y avait décidément un point obscur et douloureux. »

J'ai pu l'interroger à ce sujet à l'automne 2001 :

« Je me dis que si demain on persécutait à nouveau les Juifs, bien entendu je me déclarerais juive. Mais je n'y peux rien : je ne me sens pas du tout juive. Pas du tout... Marin [Karmitz] a essayé en vain de m'intéresser aux bar-mitzvahs de mes petits-fils. Je veux dire que ma culture est profondément catholique. Ce n'est pas une question de religion, mais l'Église, le signe de croix font partie de ma culture d'enfant. Personne ne peut changer cela, personne ne peut faire que je me sente juive. Cela m'est totalement étranger. »

Je lui ai demandé si on lui en avait fait reproche.

« Non, personne. Jacques Attali veut absolument me persuader que je me trompe et que je suis le prototype de la femme juive ! Il était là, l'autre jour, et plaidait la cause avec une telle conviction que je lui ai répondu : "Écoutez, si ça vous fait plaisir, Jacques, absolument d'accord ! Seulement, excusez-moi, mais ce n'est pas du tout le cas. La culture juive m'est étrangère, la mentalité juive m'est étrangère, l'angoisse juive m'est étrangère, c'est tout à fait loin de moi..." »

Bernard-Henri Lévy renchérit : « Françoise n'y connaissait pas grand-chose. Le problème de l'identité juive ne la concernait que de loin. Quand on lui en parlait, elle écoutait mais réagissait presque comme une *goy*, sourit l'écrivain-philosophe qu'elle considérait comme son plus proche et séduisant complice. Si elle s'en est emparée, à sa façon, c'est comme pour honorer un rendez-vous. »

Pour Noël 1997, Franz-Olivier Giesbert, alors patron du *Figaro*, avait demandé à des écrivains connus de rédiger la vie d'un saint. « Les académiciens s'étaient déjà jetés sur les célébrités auréolées, et Françoise restait perplexe. L'hagiographie n'était pas vraiment son rayon ! s'exclame Alix de Saint-André. Je lui ai parlé de sainte Françoise romaine. D'abord c'était sa sainte patronne – l'argument ne la touchait pas beaucoup –, ensuite c'était celle des automobilistes, parce qu'elle avait eu un ange gardien lumineux qui lui servait de lampe de chevet pour lire la nuit – ça commençait à lui plaire ! Je lui ai envoyé de la documentation, sans trop y croire. J'avais tort : un jour, j'ai lu son portrait de sainte Françoise dans *Le Figaro*. Toutes ses mésaventures angéliques y figuraient. Sans aucune ironie ! »

En janvier 2003 paraît dans le magazine *Actualité des religions* un entretien sur la vie et la foi, le dernier sans doute qu'elle ait accordé. Giroud, sans détour cette fois, précise :

« Ma mère était juive, mais elle s'est convertie, pour une raison que j'ignore, au catholicisme. C'est la religion dans laquelle j'ai été élevée. [...]

Mais le fait est que j'ai du mal – tout en le respectant – à comprendre qu'on soit croyant après... disons, pour simplifier, Auschwitz. J'ai été longtemps révoltée par cette consolation qu'on offrait aux gens, celle d'une vie après la vie. Aujourd'hui, je suis devenue plus raisonnable, et je crois que la plupart en ont besoin. Mais je continue d'être hérissée par les gens très religieux. Cette espèce d'aveuglement sur le monde[1]... »

À en croire ses familiers, les derniers temps de sa vie, elle accumulait à son chevet les livres sur la religion et le mystère de Dieu.

Françoise ne laissait jamais rien traîner.

---

1. *Actualité des religions*, janvier 2003.

10

L'écrivain

Le tout dernier ouvrage de fiction signé par Françoise Giroud à l'âge de quatre-vingt-six ans traite des Juifs et du problème de l'identité.

Il s'agit d'une histoire d'adoption, de rejet et d'exploration de la judéité, tantôt subie, tantôt revendiquée. Le titre : *Les Taches du léopard*[1]. Françoise a toujours eu le sens des titres.

De cet ultime ouvrage – un roman et non un essai, encore moins une interrogation autobiographique –, elle avait confié, l'air mutin, à Bernard-Henri Lévy, avant de lui en envoyer les bonnes feuilles, qu'« il ne plairait pas aux Juifs ».

Dédié à la mémoire d'Alex Grall, le roman mélange, en les travestissant, toutes sortes d'histoires et de personnages familiers de ce qui fut leur univers commun : la peinture, les marchands d'art, l'histoire d'un fils d'Alex qui n'était pas le sien...

1. Fayard, 2003.

On y trouve aussi des éléments plus contemporains, des tests ADN, la France qui s'ennuie et n'a plus le goût du travail, l'essor de la Chine et le monde qui va mal. Mais l'argument central est bien la décision d'une femme de déclarer sous X un enfant illégitime pour lui éviter d'être juif, comme elle.

> « – Je ne t'ai jamais renié, jamais ! Tu ne sais pas de quoi tu parles ! Je t'ai sauvé d'une malédiction, voilà la vérité ! Comment t'appelles-tu ?
>
> « – Denis Sérignac.
>
> « – Avec ce nom-là et ces yeux-là, tu as la vie devant toi, Denis. Si tu portes le mien, tu hériteras un fardeau de larmes, la fin d'un certain bonheur, d'une certaine insouciance, d'une joie de vivre...
>
> Je n'y comprenais rien, j'ai hurlé :
>
> « Pourquoi, mais pourquoi ?
>
> « – Parce que je suis juive, et qu'en conséquence, si j'avais un fils, il le serait aussi. C'est pourquoi, il y a vingt ans, je n'ai pas voulu de toi. Je n'ai pas voulu mettre un enfant juif au monde, tu comprends ? On n'a pas le droit[1] ! »

Denis, le héros qui se découvre juif et en explore les complexités, finira assassiné par un antisémite allemand, mais aura choisi d'être

1. *Ibid.*

enterré selon le rituel catholique dans le caveau de ses parents adoptifs.

L'écriture a toujours été pour Giroud la meilleure façon de s'accommoder de la vie, de la comprendre, de la traduire, de l'embellir ou même, à l'occasion, de la travestir. Elle aura été sa meilleure compagne, sa discipline aussi : Françoise ne craignait rien tant que les ravages de l'âge et l'anéantissement de son savoir-faire.

Écrivain mais d'abord journaliste, elle avait le bonheur des mots. De tous ceux qu'elle a pu connaître, depuis son premier scénario jusqu'à son dernier roman, celui-là ne l'a jamais abandonnée. Les mots, elle les aura goûtés, maniés, triturés jusqu'à son dernier jour.

D'où tenait-elle cette forme de grâce ?

« J'ai toujours gardé le sentiment troublant de n'y être pour rien : "Ça" écrit et j'ignore où "ça loge", confie-t-elle dans *On ne peut pas être heureux tout le temps.* J'aime les mots comme d'autres aiment les bijoux. J'en voudrais toujours plus, des ronds, des carrés, des longs, des poignées de toutes les couleurs pour pouvoir y plonger la main et y trouver LE mot dont je cherche la musique, la chair, le sens exact... »

L'écriture, disait-elle volontiers, ne s'apprend ni ne s'enseigne, elle se travaille... Inutile d'avoir du talent à la cinquième ligne si le lecteur vous a lâché à la quatrième, répétait-elle sans relâche aux journalistes de *L'Express.* Ou encore : « Soyez rapide, apprenez à connaître votre distance. »

À Martine de Rabaudy, qui l'interroge dans *Profession journaliste*[1], Giroud précise : « Comme pour le piano, on a le don ou on ne l'a pas. Si on l'a, il faut travailler dur... Il faut écrire avec l'oreille, comme le faisait Flaubert, pour éviter les assonances et les hiatus... La longueur est une caractéristique très personnelle, presque biologique. Spontanément, j'écris court... Pour un journaliste, c'est un atout. Pour un écrivain, nullement... »

Mais elle ajoute : « Ce dont j'ai bénéficié, c'est d'une formation de scénariste du temps où le cinéma racontait des histoires. Du rythme, pas de longueurs ni de digressions, une narration tendue où tout doit faire avancer l'action[2]... »

Françoise Giroud est journaliste et scénariste avant d'être écrivain. Sa singularité, son genre d'excellence, consiste à capter au plus vif l'air du temps, et à lui donner sens.

« Françoise écrit comme elle parle : piquant. Les formules lui viennent avec une grâce aragonienne ! s'exclame, admiratif, Bernard-Henri Lévy. Elle est brillante dans le bref. Elle écrit court et vite, elle travaille peu ses textes. Il n'y a rien de laborieux chez elle. Et quel coup de patte ! »

---

1. Françoise Giroud, *Profession journaliste : conversations avec Martine de Rabaudy*, Hachette Littératures, 2001.
2. In *On ne peut pas être heureux tout le temps, op. cit.*

Coup de patte, et coups de griffes. Au printemps 2002, en pleine campagne présidentielle, elle signe, à quatre-vingt-six ans, dans *Le Nouvel Observateur*, un portrait étincelant du candidat Jacques Chirac, « Chirac ou le dernier galop du cheval noir ». Le regard reste aussi acéré que la mémoire, et le sang perle à chaque paragraphe :

« ... Il y a quelque chose chez lui qui demande constamment réassurance, quelque chose d'indéfinissable où réside probablement une partie de la séduction qu'il exerce sur l'électorat féminin. Un petit garçon a peur dans le noir, et appelle. Jacques Chirac aime la vie, mais ce n'est pas un homme gai. Des ondes d'angoisse le traversent. Alors il mange. Bouffer, baiser... Le beau cheval noir sait encore se cabrer. Le ventre pointe sous le veston croisé, le cheveu devient rare, le sourire, mécanique, mais, à soixante-neuf ans, il est encore vif comme un scorpion quand il s'agit de piquer... »

Giroud n'a pas perdu la main. Elle ne se l'autoriserait pas. Elle sait depuis longtemps ce dont elle est capable.

Ce talent particulier à croquer son contemporain, elle le déploie depuis qu'à *France-Dimanche*, dès 1947, elle brossait chaque semaine le portrait d'une personnalité du Tout-Paris. Le genre n'existait pas à l'époque dans la presse française.

« J'en avais découvert le modèle dans *The New*

Yorker sous la plume souveraine de Janet Flanner », raconte-t-elle dans sa préface à *Portraits sans retouches*[1].

Comme elle ne lit pas couramment l'anglais, sans doute eut-elle vent de la célèbre journaliste américaine, et peut-être la croisa-t-elle dans la folle ambiance du Paris de l'après-guerre où sa consœur menait grand train. Correspondante de guerre, revenue en France à la Libération, Flanner, *alias* Genêt, dans le milieu brillant et alcoolisé des Américains à jamais amoureux de l'Europe, tranchait par son talent, son mauvais caractère et l'étalage de son homosexualité. Elle avait décidé une fois pour toutes de s'installer au Ritz et elle y écrivit jusqu'à sa mort, au début des années 70, des chroniques mordantes et des portraits magistraux arrosés de beaucoup de champagne.

Giroud s'en inspira et choisit de traiter ainsi, semaine après semaine, les acteurs, les écrivains et les quelques hommes politiques qui brillaient alors à Paris.

Cinquante ans plus tard, elle en restait suffisamment satisfaite pour les republier en recueil sous un titre non dénué de coquetterie : *Portraits sans retouches*. Achard, Anouilh, Brasseur, Dior, Fernandel, Prévert, Piaf – admirable : « Elle n'a pas le goût du malheur, c'est le malheur qui a du goût pour elle[2]... », la farandole des gloires de

1. Gallimard, 2001.
2. *Ibid.*

l'après-guerre brille à nouveau grâce à son savoir-faire.

Bien sûr, l'époque n'était pas à la dérision, comme aujourd'hui, et la célébrité demandait plus de sédimentation qu'un instant de télévision. De la part d'une jeune journaliste peu connue, le compliment sinon la complaisance étaient de mise, la griffe malvenue. Pourtant, par son art de la formule, sa maîtrise de la phrase courte, son sens du rythme et de l'anecdote, c'est dans cet exercice du portrait que Giroud se forgea rapidement une signature.

Attardons-nous à l'évocation, datée de 1949, d'un jeune homme de trente-deux ans, « le plus jeune ministre de France depuis l'Empire », François Mitterrand. « J'en tire quelque fierté, écrira Giroud plus de cinquante ans plus tard[1]. Je l'avais vraiment chopé, comme on dit. »

Jugeons-en :

« Ah ! Ce n'est pas un rêveur. Tout en lui est net. La pensée, la poignée de main, le regard brun... C'est un homme dessiné à l'encre de Chine, d'un trait large et ferme... Il sait admirablement attendre... Son ambition est immense et ne se nourrira pas de merles là où il y a des grives, mais elle est à peu près pure de basse vanité et se situe très haut dans l'échelle des exigences humaines[2]. »

---

1. In *On ne peut pas être heureux tout le temps*, *op. cit.*
2. In *Portraits sans retouches*, *op. cit.*

François Mitterrand fit partie pendant des années des hommes politiques qui gravitèrent dans l'orbite de *L'Express*. Des parties de basket imposées par JJSS dans la salle des Champs-Élysées jusqu'à l'affaire de l'Observatoire où Giroud fut l'un des rares à prendre sa défense, l'intimité aura été étroite, pour se distendre en 1974 lorsque Servan-Schreiber refusera de cautionner l'Union de la gauche.

Françoise Giroud et François Mitterrand eurent-ils jadis une liaison, durant ces années de l'après-guerre où l'un comme l'autre, ardents et opaques, entreprenaient de conquérir Paris ? Giroud fait allusion à leurs rencontres chez les Lazareff, à Villennes, lors des fameux déjeuners du dimanche :

« J'eus l'occasion de voir là à plusieurs reprises un homme que j'avais rencontré d'autre part et qui me fit impression », écrit-elle dans *Arthur ou le bonheur de vivre*, publié en 1997, soit un an après la mort de l'ancien Président. S'ensuit son meilleur croquis de Mitterrand, où elle reprend quelques-unes de ses expressions anciennes :

« Beau, avec l'air d'être dessiné à l'encre de Chine sur du papier blanc, vêtu de mauvais costumes mal coupés, sa conversation était éblouissante, révélant en quelques phrases un esprit à la fois analytique et synthétique. Sa culture historique semblait sans fond. Ce qu'il laissait paraître de son ambition était exigeant. C'était un oiseau de feu. C'était François Mitterrand dans ses trente ans[1]. »

« Je connaissais Mitterrand depuis très longtemps – depuis 1945, 1946, tout de suite après la guerre, m'a-t-elle un jour raconté. Un soir, Jean-Jacques me dit : "Il faudrait voir Mitterrand." Nous l'avons invité à dîner, en même temps que Guy Mollet qui dirigeait la SFIO. Mitterrand rentrait d'une tournée dans les fédérations socialistes de province et s'exclama : "Vous savez, votre article de *L'Express* – il s'agissait de l'éditorial –, tout le monde le lit, on le lit... !" Je lui réponds : "Ça a l'air de vous étonner beaucoup." Mitterrand : "Qu'est-ce que vous voulez, une femme, moi je n'avais jamais vu ça !" »

Cinquante ans plus tard, Françoise en riait encore, enchantée, et citait cette formule qu'elle avait ciselée à son propos : « Fidèle en amitié comme personne, infidèle en amour comme tout le monde. »

La Rose au poing[2], le livre plaidoyer de Mitterrand publié en 1973, s'ouvre sur un dîner chez elle : « Un soir de mars 1972, chez Françoise Giroud qui fêtait un anniversaire, le petit cercle des invités entama au café le sujet à la mode... » Il s'agit déjà du projet de programme commun de gouvernement avec les communistes.

---

1. In *Arthur ou le bonheur de vivre*, *op. cit.*
2. François Mitterrand, *La Rose au poing*, Flammarion, 1973.

Michèle Cotta, qui connaît la politique jusque dans ses dessous, en reste persuadée : « Françoise et Mitterrand ont sûrement eu une liaison entre 1947 et 1958. Lui n'en a jamais rien dit : sur ces affaires-là, il était la discrétion même – sourit celle qui, proche alors de Claude Estier, collabora en 1965 à la campagne du candidat socialiste, avec lequel elle noua des liens étroits. Françoise n'en a rien dit non plus, sauf par raccroc, mine de rien, à sa façon... »

Et de faire état de cette conversation au cours de laquelle une ancienne collaboratrice de Giroud racontait à qui voulait l'entendre, au tout début des années 80, sa propre liaison avec Mitterrand : « Vous savez, ma petite, lui susurra Françoise, ce qui est original avec Mitterrand, c'est de dire non ! »

« Giroud a été sa maîtresse dans les années 50, j'en suis sûr, affirme Pierre Bénichou, directeur délégué du *Nouvel Observateur*, dont l'oncle, Georges Dayan, fut jusqu'à sa mort l'ami intime de Mitterrand. S'il lui a ensuite manifesté de la distance, sinon de l'hostilité, c'est parce qu'il ne leur avait jamais pardonné, à elle et à toute la bande de *L'Express*, leur mendésisme impénitent. Mendès lui avait manqué au moment de l'affaire des fuites, quand lui, Mitterrand, était son ministre de l'Intérieur ; il lui avait menti en 68, en allant à Charléty ; et Servan-Schreiber avait voulu faire de Defferre le candidat de la gauche !

Mitterrand détestait l'entourage de Mendès : "Tous des mondains !" disait-il. À ses yeux, Giroud faisait partie de cette génération qui n'avait rien compris : ni l'Algérie, ni de Gaulle en 58, ni la nécessité de l'Union de la gauche avec les communistes. Et puis, il n'aimait pas vraiment les journalistes. »

Bernard-Henri Lévy confirme la grande méfiance dont témoignait le défunt Président envers celle qui le connaissait depuis si longtemps : « Mitterrand ne l'aimait pas, alors qu'elle était sans doute convaincue du contraire. Trop intelligente, trop jugeante, la dent trop dure... Françoise lui faisait peur : elle avait été le témoin de tant de choses, notamment dans ce Tout-Paris qu'elle avait portraituré à l'époque. Je me souviens d'une rencontre d'intellectuels à l'Élysée. Françoise était là, étincelante d'esprit, de charme, et Mitterrand la fuyait du regard[1]... »

Au printemps 2001, à l'occasion de la parution d'un ouvrage de plus consacré au Président disparu, Giroud écrit dans *Le Nouvel Observateur* : « François Mitterrand a tant de visages, tant de facettes, une part si forte de secrets, qu'à vouloir le fouiller on trouve toujours celui qu'on cherche[2]. »

1. *Le Nouvel Observateur*, mai 2001.
2. *Ibid.*

En 1998 parut chez Plon, sous le pseudonyme de Jeanne Dautun, *Un ami d'autrefois*, le récit d'une passion torride, au milieu des années 60, entre une femme mûre et un homme politique ressemblant trait pour trait à François Mitterrand. Selon l'éditeur, l'auteur était « journaliste », et son nom, « le pseudonyme d'une grande figure du monde littéraire français ». La rumeur courut que Françoise Giroud en était à la fois l'héroïne et la rédactrice. N'y retrouvait-on pas des figures et des références familières : Hélène Lazareff, Malraux, le dégoût de la vie conjugale, et ce héros à la réputation établie de séducteur ?

Dans *La Rumeur du monde*[1], Françoise se contente de noter, se trompant de titre : « Lu aussi un tout petit livre qui fait jaser : *Un amour d'autrefois*, publié sous pseudonyme. Récit, par une femme, d'une liaison avec François Mitterrand, encore une. C'est fin, mélancolique. L'éditeur me raconte qu'on me l'attribue ! Allons bon... on ne prête qu'aux riches, comme on dit ! »

Contrainte au mutisme, Muriel Beyer, directrice littéraire chez Plon, assure aujourd'hui que Giroud n'est pas l'auteur d'un livre dont le style, il est vrai, s'écarte de la sobriété et de la concision dont elle a fait sa marque.

---

1. *La Rumeur du monde : journal, 1997 et 1998,* Fayard, 1999.

« Avez-vous eu une liaison avec Mitterrand ? »

Lors de l'un de nos derniers déjeuners, sans escompter la candeur de la réponse, je posai la question à Françoise.

« Non. Je suis l'une des rares femmes à ne pas avoir eu avec lui ce genre de liens ! Ce qui m'a toujours frappée dans ses rapports avec les femmes, c'est qu'elles étaient moches. C'était un homme qui n'aimait pas les jolies femmes. Il y en a certainement, dans le tas, qui étaient jolies, mais la femme qui attirait son regard, les femmes qu'il a fait mourir de désespoir – j'en connais deux ou trois : la mère de Mazarine, par exemple – sont des femmes au physique plutôt ingrat. Cela correspondait certainement, chez lui, à quelque chose de très profond. Pourtant, quand il était jeune, il était extrêmement beau et séduisant. Une fois Président, il pouvait mettre la main sur n'importe qui... J'aimais beaucoup Mitterrand. Beaucoup. Avec moi, il a toujours été naturel, charmant... »

Une pause, et elle reprend, faussement désinvolte :

« Si j'avais eu la moindre aventure avec lui, je n'aurais eu aucune raison de le cacher ! Une fois à l'Élysée, il me recevait de temps en temps à déjeuner... Il n'avait plus tellement de raisons de me voir : je n'avais plus de journal... »

Dans ses livres autobiographiques, Françoise n'est guère plus prolixe sur les rapports qu'elle avait entretenus avec ce président de la République dont elle avait décelé si tôt les talents. Sans doute souffrit-elle qu'ils se fussent distendus.

« Quand je publiais un nouveau livre, je l'envoyais toujours à François Mitterrand écrit-elle[1]. Il m'invitait à prendre un petit déjeuner à l'Élysée et, entre café et croissant, m'en parlait, montrant qu'il l'avait lu. Il lisait tout. "Ce que j'aime chez vous, me disait-il, c'est votre écriture. Lisse, lisse..." Cela me faisait plaisir. »

Rien de plus, sinon cette précision : « Je m'enorgueillis d'être la personne qui n'a pas publié de livre sur François Mitterrand. Ils ont été plus de cent à le décortiquer, le dépecer, le dépiauter, l'autopsier. »

Pas de livre sur Mitterrand ? Voire. En 1983 paraît *Le Bon Plaisir*, un roman signé Giroud et publié aux éditions... Mazarine. Alors qu'elle fait volontiers référence à ses propres ouvrages, bizarrement, celui-là, elle ne le cite guère. Pourtant ce fut un best-seller, dont elle signa aussi l'adaptation pour le cinéma – un film mis en scène par Francis Girod et produit par son gendre, Marin Karmitz, dont ce fut l'un des premiers succès commerciaux.

L'histoire ? Un voleur de sac à main met l'Élysée en émoi en dérobant une lettre qui prouve une liaison ancienne entre le personnage joué par Catherine Deneuve et Jean-Louis Trintignant,

1. In *On ne peut pas être heureux tout le temps*, *op. cit.*

devenu président de la République, et l'existence d'un fils issu de cette union illégitime.

Dans le livre, au détour d'un paragraphe, derrière le masque de « Castor », et malgré les travestissements de rigueur, on devine l'identité du héros :

« ... Là où se trouvait Castor, il se passait toujours quelque chose d'indéfinissable. Affaire de testostérone, sans doute. Il devait en avoir un peu plus que les autres. Ou bien était-ce sa voix ? Il était laid, paraissait largement ses quarante-cinq ans, portait une cravate bête avec un costume fripé. Il n'était pas grand, mais quand il se déplaçait, le centre de gravité de la pièce semblait se déplacer avec lui[1]... »

Le grand public ne connaîtra l'existence de Mazarine Pingeot, par la volonté de son illustre père, qu'en 1991. *Paris-Match* se fera le relais de cette magistrale opération qui fera accepter des Français les vies et les amours multiples de François Mitterrand – jusque par la présence des deux familles à ses funérailles, en janvier 1996.

Sans doute, dans ce Tout-Paris dont elle n'était jamais sortie, Giroud faisait-elle partie des initiés murmurant, tel un secret d'État, que le Président avait une fille adorée, élevée par sa mère avec laquelle il maintenait de tendres liens, et qu'elles

1. In *Le Bon Plaisir*, Mazarine, 1983.

habitaient toutes deux un appartement de la République, quai Branly, à Paris.

Pour publier *Le Bon Plaisir*, pourquoi aller choisir les éditions Mazarine quand on a ses habitudes chez Fayard, maison dirigée, de surcroît, par l'homme dont on partage la vie ? Par hasard, prétend alors Giroud dans un haussement d'épaules. Hasard des circonstances et, bien sûr, coïncidence des noms propres...

Certains ont prétendu que la maison d'édition avait été créée pour l'occasion. « Faux, rétorque Claude Durand, qui succéda à Alex Grall à la tête des éditions Fayard. L'un des plus proches amis d'Alex, Philippe Rossignol, alors patron du livre chez Hachette, avait demandé à Françoise comme une faveur de sortir le livre chez son poulain Cohen-Séat... Ce dernier avait fondé Mazarine un ou deux ans auparavant en empruntant le nom de la rue où étaient ses bureaux... »

Quoi qu'il en soit, « Mitterrand était fou de rage », raconte Jacques Attali, qui occupait à l'Élysée le bureau contigu de celui du Président et qui était l'un des rares à connaître l'existence de sa fille, née entre les deux tours de l'élection présidentielle de 1974. « Il était déchaîné, autant à cause du sujet que du choix de l'éditeur. Il était persuadé qu'il s'agissait d'un coup monté par Giscard, même si Françoise se répandait dans Paris en affirmant que son vrai personnage était VGE... Mitterrand en a voulu à mort à Giroud. Pour lui, c'était une mondaine, certes talentueuse, mais qui, comme JJSS, pouvait trahir dans la seconde. »

Cela n'empêcha pas Mitterrand de s'enticher un temps de JJSS qu'il nomma patron d'un Centre informatique international fermé au bout de quelques mois dans un fumet de scandale...

« Le plus drôle, à propos du *Bon Plaisir*, raconte un collaborateur de l'Élysée en ces années-là, c'est que l'une des anecdotes imaginées par Françoise est réellement survenue quelques années plus tard. Comme le fils illégitime du roman, Mazarine avait un chat qui s'est échappé un jour à Clermont-Ferrand. Les gendarmes l'ont cherché partout, jusque dans les arbres, et ont appelé l'Élysée en pleine nuit pour prévenir le fonctionnaire de permanence, qui n'était au courant de rien, que LE chat avait été retrouvé... Un avion du GLAM l'a ramené à Gordes chez la petite fille... »

Plus sérieusement, ce témoin évoque la façon typiquement mitterrandienne dont le Président choisit de réagir lors du tournage du film : « Démontrant une affection marquée à l'égard de Giroud, il fit tout pour faciliter les choses, autoriser l'accès à l'Élysée et à d'autres lieux symboliques du pouvoir... C'était pour mieux prouver qu'il n'était pas lui-même en cause... »

« Gaston Defferre était absolument furieux, se souvient Edmonde Charles-Roux dont l'époux était à l'époque ministre de l'Intérieur. Il aimait beaucoup Françoise, mais il lui fit deux scènes épouvantables dans sa vie : la première quand elle accepta de devenir ministre de Giscard, et la seconde à l'occasion de ce livre et du film. "Rien, rien et rien !" cria-t-il quand le producteur lui demanda l'autorisation de tourner place Beauvau, puis au ministrère des Affaires étrangères. L'ambassade d'Italie dut être louée pour la circonstance. »

La charge la plus féroce contre Giroud fut signée par Jean-Edern Hallier, le seul ou presque à l'avoir publiquement attaquée. Personnage fantasque, talentueux, haineux, tantôt courtisan, tantôt démiurge, l'un des rares polémistes à poursuivre ouvertement Françoise de son ire dans *L'Honneur perdu de François Mitterrand*[1] :

« Ah, la maligne ! elle avait beau susurrer fielleusement à Mitterrand comme à tous les autres : "Mon affection pour vous...", ce dernier continuait de faire la sourde oreille. Aucun appel du talon haut de cette opportuniste, ayant réussi d'extrême justesse son dernier retournement électoral de ragondin, ne pouvait venir à bout des réticences du prince. En mal de décorations, elle voulait effacer à tout prix son cuisant souvenir : qu'on eût démasqué jadis sa fausse médaille de la Résistance pour des actions d'éclat tout aussi imaginaires que celles que le Président s'est prêtées à lui-même. Ainsi ourdit-elle l'opération Mazarine [...]. Dès que Mitterrand, comprenant qu'il ne s'agissait pas

1. Le Rocher-Les Belles Lettres, 1996.

d'une opération à blanc, entendit la balle siffler à ses oreilles, il se hâta de lui remettre sa déco, à la maîtresse chanteuse : les Arts et les Lettres. Ah, les tricheurs ! C'était à en pleurer de rire, à l'Élysée. Deux visages liftés, face à face, solennels, se haïssant, échangeant des compliments mielleux. Si le Président avait pu l'étrangler, la Giroud, avec le cordon de l'Ordre, il l'aurait fait ! »

Pourquoi tant de hargne et d'incohérence ? Giroud a son explication :

« C'était un type ignoble, Hallier, mais il était surtout fou... Ce n'était pas simplement un maître chanteur. Il avait du talent. Et toute sa haine, si je puis dire, contre moi venait de ce que j'avais été ministre de la Culture et qu'il rêvait du poste. Quand Mitterrand a déçu ses espoirs, il s'est retourné contre lui. »

Hallier avait surtout entrepris de publier un pamphlet dénonçant l'existence de Mazarine et en avait été empêché par les sbires de l'Élysée.

Si Françoise Giroud transgressa les règles du milieu à propos de Mazarine en 1983, elle s'érigea douze ans plus tard en arbitre des élégances quand *Paris-Match* publia le premier reportage photo sur Mazarine. Roger Thérond, grand maître du magazine, avec le talent et la ruse qui étaient sa marque, avait obtenu, pour ce faire, l'accord tacite de l'Élysée, mais Françoise, alors chroniqueuse au *Journal du dimanche*, appartenant au même groupe, crut bon de condamner le procédé.

Son contrat fut dénoncé dès le lendemain. Elle intenta un procès. Dans son *Journal d'une Parisienne*[1], elle indique en mars 1995 :

« Une nouvelle m'enchante : j'ai gagné mon procès contre le groupe Filipacchi après avoir été chassée du *Journal du dimanche* [...]. Mon crime était d'avoir qualifié de "mœurs de goujats" la publication par *Paris-Match* des photos de Mazarine [...]. D'autre part, j'obtiens le franc symbolique de dommages et intérêts que je demandais pour préjudice moral à la suite d'attaques portées par *Paris-Match* visant mon honneur, ma probité et ma déontologie. »

Des quatre ouvrages de fiction que Giroud a signés, *Le Bon Plaisir* est celui qui fit le plus de bruit et rencontra le plus de succès, même si la qualité de l'écriture n'en fut pas la raison première.

Le roman est un genre dans lequel notre auteur se risqua avec un bonheur inégal. Pour qui se repaît comme elle de l'actualité et de ses personnages, l'imaginaire n'est qu'un registre de complément, et ce n'est pas son favori.

L'intérêt des quelques fictions courtes que Giroud choisit de raconter tient moins à leur dramaturgie qu'aux compléments ainsi apportés, par héros interposés, à tel ou tel épisode de sa

1. T. 2 : *Chienne d'année : 1995*, Le Seuil, 1996.

propre existence. Giroud n'est-elle pas toujours son meilleur sujet ?

« Françoise faisait un usage immodéré de la conjonction "comme". Dans la vie et dans les livres, s'amuse George Kiejman. Il est très difficile d'y discerner l'à moitié vrai de l'à moitié faux. On croit toujours que ce qu'elle compare est advenu. Si ses romans sont faibles, c'est parce qu'elle ne voulait pas se mettre en péril. Elle refusait de se peindre en situation de pouvoir, comme si le pouvoir n'était pas une raison suffisante pour être aimée. »

Ainsi, dans *Mon très cher amour...* [1], l'héroïne, une femme mûre qui exerce le métier d'agent littéraire, tombe amoureuse d'un jeune avocat. Ce Jerzy l'apostrophe à propos de sa robe transparente lors du cocktail d'un grand éditeur, il n'a pas d'argent, il ressemble à un grand chien joyeux, mais son regard gris trahit l'angoisse du petit Juif polonais élevé par une femme simple et bonne qui le pousse à plaider pour les pauvres. L'héroïne l'emmène dans le Midi en Mercedes décapotable... L'histoire de Kiejman, en quelque sorte, et de leur rencontre. Françoise avait simplement averti celui qui était resté un ami proche qu'elle écrivait un roman, et qu'elle avait besoin de quelques lignes de plaidoirie d'un procès d'assises. Georges choisit pour elle des citations d'un grand avocat du début du siècle, puis n'entendit plus parler de rien.

1. Grasset, 1994.

« Je découvre ensuite dans son livre toutes sortes d'anecdotes personnelles, empruntées ou inversées... Ainsi, quand j'appelais Françoise à *L'Express*, j'utilisais, en l'honneur de Balzac et par discrétion, le pseudonyme de M. de Nueil. Dans son roman inspiré très librement par cette histoire, c'est elle qui trompe la vigilance de ma secrétaire et se fait passer pour Mme de Beauséant... »

Mon très cher amour... est aussi un livre sur la jalousie, celle qui taraude jusqu'à l'humiliation la plus profonde, qui rend fou, qui pousse au suicide. Mélange de deux épisodes de sa vie ?

Sans surprise mais sans convaincre, Giroud entreprend, dans *Arthur ou le bonheur de vivre*, d'empêcher tout rapprochement :

« J'étais assise devant mon ordinateur, cherchant les premières lignes d'un nouvel ouvrage lorsque, bizarrement, une phrase s'installa... Quels étaient ces personnages, cet homme, cette femme qui avaient colonisé mon écran ? [...] Ainsi fut écrit *Mon très cher amour...*, sans une référence biographique, l'histoire d'une jalousie, alors que je ne suis pas jalouse, née de rien, d'une zone mystérieuse de mon cerveau où elle séjournait. Ce sont de ces tours que vous joue l'écriture. »

De la même façon, sans doute, une intrigue à base de lettres anonymes apparaît dans *Histoires (presque) vraies*[1]. Celles qu'envoie Léonie,

1. Fayard, 2000.

l'héroïne, sont bien anodines, mais elles la mèneront en prison.

Les mots sont aussi faits pour travestir la vie, et parfois en brouiller les traces.

En 1998, Giroud publie un petit roman, *Deux et deux font trois*[1]. Cette fois, on revient à la guerre, aux années troubles où se mêlent la faim, l'amour, l'aventure et la Résistance. Comme Françoise, Marine fuit Paris en juin 1940 dans une Simca 5. Elle va jusqu'à Clermont où vit son frère (comme sa propre sœur) qui travaille chez Michelin (comme son beau-frère). Elle aime Igor, un Russe, issu d'une noble famille ruinée (presque comme Eliacheff). Il travaille dans le cinéma avec Marc Allégret et se fait de l'argent au marché noir. Elle a pour rivale Ina, une garce qui couche avec les Allemands, à laquelle Igor offre un saphir et qui évidemment le dénoncera pour trafic (comme Eliacheff). Pour sauver son frère (sa sœur ?) arrêté par la Gestapo, l'héroïne, sur la suggestion d'Igor, va entrer en contact avec un certain M. Arthur qui, moyennant finance, peut négocier avec les Allemands et qui a ses habitudes dans un restaurant de Passy – « un gros homme rubicond... même pas franchement antipathique ». Comme Françoise, Marine sera arrêtée ; comme sa sœur, elle sera déportée et en reviendra. Comme Françoise, elle va faire carrière dans le journalisme

1. Grasset.

grâce à un certain H.M. aux yeux violets (comme Hervé Mille). Comme Françoise, elle vivra dans un bel appartement donnant sur les arbres, réquisitionné grâce à l'entregent d'Igor qui fait toujours dans le cinéma et dont elle va progressivement se lasser (comme Françoise de son Russe...).

Sans déflorer la suite de l'histoire, qui bifurque sur une autre romance teintée de grand reportage et de guerre d'Algérie, il est intéressant de rapprocher l'épisode de M. Arthur de *L'Étrange Monsieur Joseph* tel que le raconte Alphonse Boudard[1].

Dans les années glauques du Paris occupé, Joseph Joanovici, « gros bonhomme à face hilare », Juif, collaborateur, trafiquant notoire, qui savait rendre des services, avait ses habitudes dans un restaurant fréquenté par les gens de cinéma, et ne se faisait pas toujours payer. À en croire Boudard – tout à ses efforts pour réhabiliter la Collaboration à la française... –, parmi les attestations en faveur de Joanovici lors de son procès à la Libération, il s'en trouva une signée d'Elda Gourdji. La mère de Françoise, dans une lettre très chaleureuse, y faisait état de « la libération de sa fille, arrêtée par les services allemands de la rue des Saussaies, grâce à l'entremise de M. Joseph ».

Boudard poursuit : « En 1973, j'ai donc été voir Mme Giroud, à l'époque rédactrice en chef de *L'Express*, qui m'a reçu avec son éclatant sourire

1. Flammarion-Robert Laffont, 1988.

dans son bureau, rue de Berri. » Françoise lui raconte alors l'arrestation de sa sœur, ses contacts avec M. Joseph au restaurant les Deux Cocottes, l'accord de Pierre Jussieu, *alias* Dejussieu, le chef du réseau de résistance de Douce, pour réunir de l'argent que M. Joseph refusera. La recevant dans un immeuble de la Ville de Paris à la porte Champerret, ce dernier lui apprendra que sa sœur est malheureusement en route pour l'Allemagne, hors de sa zone d'influence. « Elle trouve bien sûr qu'il a l'air d'une fripouille, mais très sympathique », précise Boudard.

Bien des années plus tard, dans *Leçons particulières*, Giroud racontera à son tour l'épisode sans nommer le personnage en question :

« Pour tenter de faire libérer Douce, j'avais entrepris les démarches les plus folles, les plus périlleuses dans ce milieu louche où s'agitaient les Français qui monnayaient leurs bonnes relations avec la Gestapo. Dejussieu m'avait ouvert un large crédit, il tenait à Douce. J'avais couru d'un bistrot marché noir de l'avenue Niel, où ces messieurs faisaient bombance, à l'appartement d'un ferrailleur protégé par des hommes en armes, recevant derrière un mur de boîtes de lait concentré. J'aurais baisé le cul du diable. Je sentais que j'aurais dû partir, me cacher, que la situation devenait dangereuse après toutes ces arrestations qui avaient accablé notre groupe. Mais ce ferrailleur ne cessait de me faire espérer la libération de Douce. Au lieu de quoi, c'est moi qui me suis retrouvée rue des Saussaies où siégeait la Gestapo. »

Boudard reprend le fil de son récit : « Deuxième acte : en mars 1944, Françoise Giroud est arrêtée à son tour... Ayant laissé la consigne à sa mère, celle-ci immédiatement téléphone à M. Joanovici qui la reçoit et lui fait des promesses qui n'aboutiront pas, dira Françoise. »

Là, poursuit l'écrivain, le récit de Giroud est en contradiction avec la lettre de sa mère adressée à la cour de Justice en 1949 ; celle-ci écrit :

« Je suis retournée voir M. Joseph et je l'ai supplié d'intervenir en faveur de Françoise. Je perdais déjà tout espoir, car l'avocat accrédité auprès des Allemands, que j'avais choisi, m'avait fait savoir qu'elle devait être déportée dans le courant de juillet, lorsque, grâce à M. Joseph, elle a été libérée quelques jours avant la date fixée pour sa déportation... »

Boudard s'étonne : « Pourquoi Françoise Giroud ne veut pas reconnaître qu'elle doit sa libération à M. Joseph ? [...] Pourtant, à son procès, elle avait si bien témoigné en sa faveur que le lendemain, une partie de la presse – et surtout la presse communiste – l'a traînée dans la boue[1]... »

Il est des personnages et des moments dont on préfère ne pas entretenir le souvenir.

1. *L'Étrange Monsieur Joseph, op. cit.*

D'autres s'en chargent, et leurs intentions ne sont pas forcément généreuses. Avec la hargne qui la caractérise, Geneviève Dormann fait ainsi état des recherches entreprises dans les bibliothèques allemandes par son ami Jean Montaldo – celui qu'elle surnomme elle-même, dans un rire rauque, « le nain féroce, qui adore faire chier les socialistes » ! Dans une collection du *Pont*, journal de propagande nazie publié en français pendant la guerre à destination des travailleurs en Allemagne, il aurait trouvé la signature de Françoise Giroud.

Le Crapouillot, magazine réactionnaire longtemps spécialisé dans l'allégation et le scandale, reproduit en effet une nouvelle intitulée « Jalouse », signée Giroud et imprimée dans un numéro du *Pont* daté du 28 février 1943 (exemplaire obligeamment prêté par Montaldo et photocopié par Dormann à mon intention). Difficile à vérifier : la collection de l'hebdomadaire a entièrement disparu des rayons de la Bibliothèque nationale.

Interpellée à ce sujet par *Le Crapouillot* en 1976, alors qu'elle est secrétaire d'État à la Condition féminine, Françoise Giroud répond à son correspondant : « J'ai été étonnée – pour ne pas dire davantage – par votre dernière question. J'ignore ce qu'était le journal *Le Pont*, mais vous me dites qu'il a été créé pendant l'Occupation par les Allemands. La réponse va donc de soi : je n'ai jamais travaillé de quelque façon que ce soit pour ce journal. »

Bien à sa façon, *Le Crapouillot* reproduit sa réponse en 1992 dans un numéro consacré à « La gauche dans la Collaboration », et insinue que la biographie officielle de Giroud comporte un trou de quelques années : celles de la guerre.

On sait au contraire que dans le chaos de l'Occupation, Françoise, réfugiée à Clermont, puis à Lyon, va écrire ses premiers articles et gagner sa vie, tant bien que mal, en rédigeant des chroniques de spectacles, mais aussi des histoires courtes et sentimentales, à la mode du temps. Grâce à Hervé Mille, elles seront publiées dans les journaux de Jean Prouvost. On trouve aussi sa signature en 1942, l'espace de quelques mois, au bas d'une chronique hebdomadaire, « À cœur ouvert », à destination des lectrices du magazine d'inspiration pétainiste *Présent*, dirigé par Jean Mistler, futur secrétaire perpétuel de l'Académie française. À supposer que *Le Pont* ait reproduit certains papiers, on peut penser qu'il utilisait ainsi, sans leur consentement, la production de plusieurs auteurs, sûrement plus connus que la jeune débutante de l'époque.

C'est la conviction de l'historien Henri Amouroux : « Françoise Giroud n'est vraiment pas attaquable sur cette histoire. Elle n'y est pour rien. À l'époque, de nombreux journaux, notamment en province, publiaient des nouvelles qui leur étaient fournies par des agences spécialisées dans la diffusion d'articles déjà publiés. *Le Pont* devait procéder de la même façon. »

Ce qui n'empêche pas Jean-Edern Hallier de revenir à la charge : « Comme il [Mitterrand] l'a décorée au titre des Arts et des Lettres, ce devait être sûrement pour l'ensemble de son œuvre. À commencer par sa nouvelle « Désirée », sa première œuvrette, parue dans le journal de Berlin en français de la *Propagandstaffen* de Goebbels, entre un discours de Hitler et un reportage sur la jeunesse aryenne à l'entraînement[1]. »

Se souvenant de l'épisode, Giroud a son explication : « L'équipe de Jean Prouvost s'était repliée à Lyon, et dans ce journal j'écrivais régulièrement une nouvelle, une fiction. On a considéré que ce journal était maudit, je ne sais pas pourquoi. Quand Hallier a sorti cette histoire en la déformant, comme à son habitude, un copain a été lui casser la gueule. Qui ? Un journaliste dont j'ai oublié le nom. Je ne sais pas pourquoi tous ceux qui ont été insultés par Hallier n'ont pas fait automatiquement la même chose. »

Si d'aucuns se repaissent encore des remugles d'une époque trouble et douloureuse de la mémoire française, nul n'accusera jamais Françoise Giroud d'avoir manqué de courage dans ses refus, ni de rectitude dans les combats qu'elle avait vraiment choisi d'engager.

Les plus beaux livres de Giroud sont ceux où elle raconte Françoise. Progressivement, par

1. In *L'Honneur perdu de François Mitterrand*, *op. cit.*

petites touches, effleurant ici une cicatrice, là une tendresse à peine fanée, revenant sur les personnages aimés ou admirés qui peuplent l'extraordinaire galerie de ses contemporains, la trilogie formée par *Leçons particulières*, *Arthur ou le bonheur de vivre* et *On ne peut pas être heureux tout le temps* donne la mesure de son don pour l'écriture. Sobriété, efficacité, élégance, refus de la vulgarité, dans une langue travaillée jusqu'à l'os : le style Giroud est ici à son meilleur.

Comme tout écrivain, Giroud prend aussi des libertés avec la réalité, volontiers corrigée selon des canons qu'elle s'est fixés.

En 1972, alors au faîte de son pouvoir à *L'Express*, elle publie *Si je mens...*[1]. Répondant aux questions admiratives de Claude Glayman, elle livre là ses premières confidences autobiographiques. En exergue, le proverbe : « Croix de bois, croix de fer, si je mens, je vais en enfer ». Selon plusieurs témoins, Pierre Mendès France aurait eu alors ce mot cruel : « Mme Giroud a pris beaucoup de risques. »

Découvrant la fresque de sa vie au fur et à mesure qu'elle la compose et la complète, on vérifie qu'elle procède volontiers à la manière de ses romans : les comparaisons sont induites, l'identification se lit en filigrane. Comme sa sœur, elle aurait été torturée ; comme elle, elle aurait été décorée... Certains personnages disparaissent ou

1. *Op. cit.*

apparaissent selon les critères du moment. Mais les retouches sont d'une brosse légère.

Réfutant toute idée de mensonge, la fidèle Danièle Heymann livre son explication : « Françoise savait merveilleusement raconter. Disons qu'elle fixait les tableaux à sa convenance. Une fois l'épisode bien calé, elle effaçait plutôt qu'elle ne rajoutait. Ses récits sont conçus par rapport aux images d'Épinal qui lui tenaient tellement à cœur. Ainsi son père a toujours droit à des évocations édifiantes... »

Une historienne, spécialiste de la IVe République et familière de la présidence Mitterrand, se souvient à ce sujet du scepticisme ironique de Pierre Gaxotte. Pendant l'Occupation, à Clermont-Ferrand, le grand historien, directeur à l'époque de *Candide* et de *Ric et Rac*, créés par l'éditeur Arthème Fayard, s'était lié d'amitié avec la jeune femme avant de la retrouver à *Elle*, dont il fut un temps directeur littéraire. « Gaxotte, qui était cruel et drôle, adorait la comédie humaine. Il s'amusait de la capacité qu'avait déjà Françoise à enjoliver l'histoire, surtout la sienne. Il était toujours très dubitatif sur ses récits de résistance comme sur le personnage de son père... Il connaissait mieux que personne les ambiguïtés de l'époque, et lui-même ne les avait pas travesties. »

« J'ai connu Françoise aux débuts de *L'Express*, raconte Claude Alphandery. À l'époque, j'étais à la fois communiste et banquier, elle m'interrogeait beaucoup sur ce parcours atypique entamé dans les maquis de la Résistance... Elle s'intéressait à l'ambivalence des gens, en écho sans doute à la sienne propre. Plus tard, après sa psychanalyse, elle affirmait ce souci davantage encore, tranchant rarement entre le bien et le mal à propos d'autrui... »

« Il y avait chez elle une part d'autopersuasion à laquelle la psychanalyse n'est évidemment pas étrangère, note de son côté Yves Sabouret, son ancien directeur de cabinet, demeuré parmi ses proches. Elle réussit ainsi, par ce qu'elle écrivit, à donner l'impression d'une vie extraordinairement homogène. »

Une fracture dont Françoise confessera progressivement la gravité, la mort d'Alex Grall, va la souder à l'écriture qui, plus que jamais, deviendra son viatique.

Après une profonde dépression, à soixante-dix ans passés, elle se remet à l'ouvrage. À la demande d'un éditeur d'art, elle écrit d'abord un texte court pour accompagner un album de photos consacré à Christian Dior, qu'elle avait connu et admiré[1].

Les figures historiques dont elle choisira ensuite d'écrire la biographie vont eux aussi jouer leur rôle dans le travail de recomposition et de consolidation de son propre personnage – travail qu'elle remet inlassablement sur le métier, au point de rassurer ses proches en ces termes : « Je

1. *Christian Dior*, Éd. du Regard, 1987.

l'écris moi-même, ma biographie, de livre en livre ! » Elle s'attirera aussi la fidélité de milliers de lecteurs qui, d'un ouvrage à l'autre, ne la bouderont jamais.

Un seul homme parmi les héros de Françoise, mais quel homme ! Clemenceau, *Cœur de tigre*[1]. Un portrait brossé par larges touches plutôt qu'une chronologie classique. Pourquoi lui ?

« De l'histoire, de la politique, un personnage immense, c'est ce qu'il me fallait », raconte Françoise dans *Arthur ou le bonheur de vivre*. Elle précise : « Ma mère en raffolait, mon père l'avait connu... J'ai pu, dans ce livre, dire des choses qui me tenaient à cœur sur la France, la République, le formidable bonhomme qui l'a incarnée pendant tant d'années, avec ses ruades, ses excès, son courage, ses lubies. »

Image d'Épinal, toujours : sa première biographie, Giroud la consacra à la femme la plus admirée des Français, icône du mérite, de la réussite, de l'intégration aussi : Marie Curie, née polonaise et gloire de la République. *Une femme honorable*[2] eut droit, en librairie, à un grand succès, avant de faire l'objet d'une adaptation télévisée en 1990. La plus jolie trouvaille du livre tient dans sa dernière phrase : « Marie, je vous salue. »

Suit *Alma Mahler ou l'Art d'être aimée*[3] : « Une

1. *Op. cit.*
2. Fayard, 1981.
3. Robert Laffont, 1988.

garce ! Mais quel personnage... », s'exclame Françoise dans *Arthur ou le bonheur de vivre*, racontant le plaisir de suivre sa trace à Vienne, en compagnie de son amie Éliane Victor dont la culture musicale surpasse la sienne.

« Ce n'était pas très difficile ! affirme avec humour cette femme énergique, autrefois productrice à la télévision, qui, malgré ses quatre-vingts ans passés, trotte et voyage de concert en exposition, avec une inlassable curiosité. Mais Françoise avait le don de combler ses ignorances en racontant de belles histoires ! »

Une histoire de femme encore : *Jenny Marx* ou *la Femme du diable*[1]. « Raconter cette vie, c'était évidemment raconter celle de Marx, et cela me plaisait. J'ai travaillé comme une bête sur ce thème, et j'en ai été récompensée[2]... »

Un soir, au concert avec Éliane Victor, un nouveau personnage s'impose : Cosima Wagner, *Cosima la sublime*[3]. « Trop compliqué, trop lourd, vous allez avoir tous les wagnériens aux trousses », l'avertit Éliane, wagnérienne experte. « C'était plutôt fait pour me stimuler, riposte Françoise. Cosima... amoureuse incomparable par sa complexité, la singularité de sa vie intérieure, la passion qu'elle a inspirée[4]... »

1. Robert Laffont, 1992.
2. In *Arthur ou le bonheur de vivre*, *op. cit.*
3. Fayard-Plon, 1996.
4. In *Arthur ou le bonheur de vivre*, *op. cit.*

La passion encore, sa trace dans la vie de trois hommes illustres : Nietzsche, Rilke et Freud, cette histoire d'une femme libre, et cette énigme, le refus ou le dédain de la sexualité – c'est ce qui intrigue suffisamment Giroud pour qu'en 2002 elle publie une biographie de Lou Andreas-Salomé[1]. La phrase est moins sûre, le trait plus flou, le livre plus mince, mais il est là, et, comme les précédents, il rencontre le succès.

Valse de destins, visages de femmes toutes imprégnées de cette culture du XIXe siècle qui les condamnait à la figuration, et qui toutes en bousculèrent les barrières et les interdits. Femmes libres, femmes libérées, quels qu'aient été les hommes de leur vie, leurs passions, les sacrifices qu'elles consentirent. Figures d'inspiratrices et d'initiatrices.

1. *Lou*, Fayard.

11

L'initiatrice

En journalisme, Françoise Giroud aura été à son tour l'initiatrice, l'inspiratrice ou le modèle de beaucoup de ceux, en France, qui professent le métier. « La journaliste absolue », titrera *Le Monde* à sa disparition en janvier 2003.

Curieux et remarquable destin qui contredit bien des complaisances et quelques clichés. À la différence d'un Albert Londres ou d'un Joseph Kessel, Giroud n'a pas forgé sa réputation sur le terrain, au rythme des dépêches d'agence, des récits de guerre ou de lointains voyages. Elle ne l'a pas non plus bâtie sur des comptes rendus héroïques et empoussiérés, plume trempée dans l'alcool d'un bar exotique. Sa signature, ou plutôt sa griffe, elle l'a polie à son bureau, stylo noir sur page blanche, claquements de chariot de sa Remington, touches assourdies d'un ordinateur, quittant rarement Paris, ses bruits et ses rumeurs, butinant le temps à sa façon. Elle l'a aiguisée à l'observation de ses contemporains, croquant les célèbres, puis les puissants, auxquels elle appartiendra longtemps, entretenant au mieux son intuition des pulsions, des fièvres et des aspirations des générations suivantes. Elle ne s'est pas revêtue d'un gilet kaki, mais d'Yves Saint Laurent, seule femme de sa génération parmi tant d'hommes à leur en imposer et à leur en apprendre.

« D'ailleurs, écrit-elle dans *Arthur ou le bonheur de vivre*, je n'ai pas eu un grand destin. Tout au plus ai-je fait carrière, c'est autre chose. »

Dans la retenue de la formule, il y a comme de l'orgueil, et il est légitime.

« Françoise est la mère de tous les chroniqueurs, affirme avec flamme Bernard-Henri Lévy. Par son style à la fois rigoureux et libre, elle a inventé et imposé une nouvelle forme d'écriture journalistique. Ce que Sagan et Duras ont été au roman, Giroud l'a été à la presse. Si Françoise n'avait pas existé, le journalisme français ne serait sûrement pas ce qu'il est. Dans ce sens, elle a été la vraie patronne de la presse contemporaine au sens où Paulhan disait : "Braque, le patron." »

Maître de la chronique : que de fois, m'essayant à l'exercice, n'ai-je pensé à Giroud, enviant ses fulgurances, sa phrase sèche, son économie d'expression et cette simplicité suprême qui ne trahissait en rien le labeur.

Tous ceux qui, à *L'Express* surtout, eurent affaire à elle le reconnaissent : elle a marqué le métier autant qu'elle les a marqués.

Dans ses Mémoires[1], Jean-François Revel, chroniqueur du magazine à partir de 1965 avant d'en être plus tard le directeur, témoigne :

« Françoise Giroud avait joué longtemps la couturière aux doigts de fée qui ravaudait les articles les plus bancals et sirupeux. Elle raccourcissait les phrases, supprimait les chevilles, éliminait les transitions pesantes, rajoutait des attaques et des conclusions frappantes, coupait et intervertissait les paragraphes, pressait le récit. Elle avait contribué à expurger le journalisme de son ton déclamatoire, didactique, raisonneur, pompeux et prolixe qui terrassait le lecteur. »

Giroud existe d'abord par le style. Elle n'a jamais succombé à la prétention de le sacrifier à la pensée.

« Dans le journalisme, il suffit d'être un très bon artisan, expliquait-elle volontiers[2]. » Un bon artisan doué de réflexes, d'intuition, capable de comprendre et faire comprendre – une courroie de transmission ».

« J'ai passionnément aimé communiquer ce que je savais de mon métier [...]. Observer les premiers progrès, voir une écriture se faire peu à peu, un talent se construire, atteindre la maîtrise, c'est un

1. *Le Voleur et la Maison vide*, Plon, 1997.
2. In *Profession journaliste : conversations avec Martine de Rabaudy*, *op. cit.*

bonheur. Un bonheur d'artisan qui transmet ses secrets[1]. »

Cette fonction d'initiation, de formation, elle l'exercera par priorité vis-à-vis des jeunes femmes journalistes.

« Il y a eu le savoir-faire : je l'avais reçu, je l'ai communiqué, disséminé, rien de plus normal. Qu'ai-je transmis d'autre ? Aux hommes, je ne sais pas. Peut-être rien. Aux femmes, quelque chose de plus peut-être, malaisé à définir. Une image à laquelle s'identifier. Mais je ne sais pas laquelle au juste. Ce que j'ai tenté de transmettre, c'est une certaine façon de se conduire comme femme dans un milieu exclusivement masculin, de gouverner des hommes en s'affirmant différente, sachant se tenir et assurée de sa plume. Ainsi sont-elles nombreuses et diverses qui, au-delà du savoir professionnel, répercutent depuis ces années-là un savoir purement féminin qui leur vient de moi[2]. »

Jean Daniel l'affirme : « Par le magnétisme qu'elle exerçait sur les femmes, elle fut, presque à son insu, l'une des premières féministes en action. Elle provoquait un phénomène rare d'identification. »

« En elle j'ai eu un maître en journalisme, avoue, émue, Danièle Heymann. Pas un professeur de vie ni d'éducation sentimentale. Ce n'était pas

1. In *Leçons particulières*, *op. cit.*
2. In *Les Hommes et les Femmes*, entretien avec Bernard-Henri Lévy, Orban, 1993.

son rôle. Avec elle, chacun restait à sa place. Elle ne cherchait pas à provoquer un besoin affectif, elle était généreuse de son savoir-faire. »

« Françoise a accéléré le destion de beaucoup de jeunes collaborateurs en leur donnant leur chance tôt et en étant pour eux une sorte de modèle, affirme Sylvie Pierre-Brossolette, la plus jeune de celles que Françoise a formées. Pour être à sa hauteur, gagner sa confiance, voire son affection, il fallait se montrer à la fois bosseur et libre, viser l'excellence... Elle m'a initiée au travail mais aussi à une certaine ouverture sur le monde, l'art, les gens hors du commun. Tout l'intéressait, y compris les tâches matérielles : elle m'a même appris à bien repasser ! »

Évoquant les parcours de Michèle Cotta et de Catherine Nay, deux de ses « filles journalistes » dont elle revendique le plus fièrement la maternité, Giroud ajoute : « Leur ai-je enseigné quelque chose ? Probablement, mais je ne sais pas quoi. Peut-être des choses qui n'avaient pas un rapport direct avec le journalisme, plutôt avec la vie[1]... »

« À vingt et un ans, j'étais étudiante, je brûlais d'entrer à *L'Express*, raconte Michèle Cotta. Un jour, je l'ai vue passer rue de Lille dans une Mercedes décapotable grise. Je revois encore la scène. Sublime ! L'incarnation de la réussite au féminin, telle qu'on n'osait pas la rêver. »

---

1. In *On ne peut pas être heureux tout le temps*, *op. cit.*

Grâce à une relation, elle obtient un rendez-vous avec Giroud, qui l'envoie à Servan-Schreiber avec ce petit mot griffonné : « Ne la brusquez pas. Je la veux. »

« Elle entretenait avec moi un rapport d'initiation, pas de possession, reprend Michèle avec gravité. Moi, je ne connaissais personne, à l'époque nous étions sans homme l'une et l'autre. Elle me sortait dans Paris, m'emmenait dans les dîners, me montrait ses secrets. "Savez-vous comment on fait une page ?" me dit-elle un matin avant de m'emmener au marbre. "Faites attention aux autres, glissait-elle. Déjà vous êtes rouée, ne vous faites pas détester." Elle ne posait jamais de questions sur la vie privée, mais elle était d'une prescience inouïe : mélange étonnant d'intuition et de cérébralité. »

Ce sont Michèle Cotta et Catherine Nay que l'on verra à la télévision chez Michel Drucker, à l'automne 2001, dans l'émission consacrée à Giroud et composée par elle. Au cours de la préparation, au rang des témoins, forcément admiratifs, qui brossent la personnalité de l'invité, avait été suggéré le nom d'Éliane Victor, sa contemporaine, qui l'entraînait avec énergie dans ses sorties culturelles. « Trop vieille ! » avait lancé Françoise, lapidaire. Éliane en fut cruellement blessée.

« Bien des années après, j'avais toujours l'impression qu'elle parlait de Michèle et de moi un peu comme des plus belles fraises qu'elle pouvait mettre sur le dessus du panier. Je n'ai jamais été vraiment à l'aise avec Giroud. Jusqu'au bout, elle m'a intimidée », confie Catherine Nay qui se souvient comme moi d'un dîner chez Michèle Cotta, rue de Verneuil, à la fin des années 70. Terrorisées l'une et l'autre de se retrouver seules avec Françoise, elles m'avaient demandé d'être de la partie. S'affairant aux fourneaux où elle est experte, Michèle m'avait glissé à l'oreille : « S'il te plaît, tu la raccompagneras, Catherine n'osera pas ; et, surtout, pas trop tard ! » À ma surprise, la conversation entre ces trois femmes qui avaient tant partagé à *L'Express* était restée guindée et embarrassée, comme si elles ne retrouvaient plus leurs partitions respectives...

Quand Martine de Rabaudy lui demande si elle a conscience d'intimider, et même de faire peur, Giroud se rebiffe : « Méchante, moi ? Je n'avais encore jamais entendu ça... Dure ? Je l'accepte dans le sens d'exigence. J'ai été très exigeante, oui, à tous égards, je le reconnais volontiers. Faire peur ? Non, je n'ai jamais fait peur à personne, c'est bouffon... Intimider, c'est une autre affaire. C'est une réaction que j'inspire, bizarrement, depuis ma jeunesse... On dit aussi que je suis froide. Pas du tout. Je suis contrôlée. Par éducation. C'est très différent[1]. »

Sans cesser de les intimider, ce que Giroud a appris à ses « filles », c'est d'abord une manière de se comporter dans le monde des hommes. Séduire,

---

1. In *Profession journaliste*, *op. cit.*

et rester libre : tel était le *motto* de Françoise. On est loin des canons du féminisme militant auxquels les zélotes de la cause voudraient la réduire.

« Êtiez-vous féministe ? » lui demande Claude Glayman qui l'interroge sur sa jeunesse au début des années 70, au moment où le mouvement de revendication des femmes fait rage[1].

« Non, pas du tout. Les filles m'ennuyaient. Je les trouvais assommantes, avec leurs histoires et cette façon qu'elles avaient d'user de leur charme et ensuite de crier au loup. Au fond, j'étais le traître qui passe dans le camp des hommes », répond Françoise qui raconte son enfance sans père et sans hommes, et son apprentissage dans le cinéma.

« Je n'ai jamais été soumise à l'autorité d'un homme quel qu'il soit, ajoute-t-elle avec forfanterie. Je ne sais pas ce que c'est qu'un homme qui donne des ordres. Par conséquent, je n'ai jamais eu à m'en débarrasser[2]. »

« J'avais, des femmes, une vue assez conventionnelle, mais teintée par les tribulations de ma mère et mes années de travail dans le cinéma, reprend-elle, bien des années plus tard, dans *On ne peut pas être heureux tout le temps*. Je ne me sentais pas féministe, puisque j'aimais bien la

1. In *Si je mens..., op. cit.*
2. *Ibid.*

compagnie des hommes... Mais, dans ma vie professionnelle, j'avais vu ce que j'avais vu : des escouades de machos et de grands cons vaniteux, des femmes esclavagisées, et je ruais. »

Vis-à-vis des hommes, dans ses écrits, Françoise affecte volontiers la désinvolture : « Les hommes sont un art d'agrément, les femmes se suffisent parfaitement à elles-mêmes. » Ou encore : « Les hommes ont de grands pieds et de petites lâchetés, ce par quoi ils se distinguent des femmes. [...] Les hommes sont souvent intelligents, rarement courageux et toujours dominés par cette chose molle qui leur pend entre les jambes et dont on a envie de dire, quand ils en usent sans discrimination : "Ce n'est pas leur faute. C'est comme les chiens"[1]... ».

Elle s'est pourtant beaucoup préoccupée de les séduire.

C'est à *Elle* que Giroud va s'intéresser aux femmes, ou plutôt à leurs conditions de vie. Elle rapportait volontiers cette boutade d'Hervé Mille, son « Pygmalion », qui disait d'Hélène Lazareff, rentrée des États-Unis avec un projet de magazine très américanisé : « Elle n'aime pas la France, elle n'aime pas les femmes, et elle fait le meilleur journal pour les femmes françaises[2] ! »

« Hélène, raconte-t-elle encore dans *Arthur ou*

1. In *On ne peut pas être heureux tout le temps*, *op. cit.*
2. *Ibid.*

le bonheur de vivre, se sentait sincèrement chargée de mission en ce qui concernait les femmes. Quelle mission ? Les rendre aussi belles, aussi séduisantes, aussi attractives que possible pour séduire les hommes et se les attacher, fonction essentielle de toute femme, selon elle. C'est donc à cela qu'*Elle* s'est employé avec jubilation. » Et de faire allusion au combat « discrètement féministe » qu'elle y mena en militant pour l'hygiène corporelle et l'indépendance économique. Dans *Leçons particulières*, elle rapporte ses tentatives timides pour aborder la question de la contraception : « Pierre Lazareff avait opposé un veto absolu : "Il y a deux sujets tabous, me dit-il, vous devez le savoir. On ne dit jamais du mal des chiens et on ne parle pas de contraception." »

Giroud ne manifesta jamais de révérence particulière à l'égard de celle que les féministes placèrent très tôt sur un piédestal : Simone de Beauvoir. Loin de là. Lui consacrant un portrait dans *France-Dimanche,* elle avait écrit qu'« elle massacre un beau visage intelligent avec une coiffure et des ornements de mercière apprêtée pour la messe ». Beauvoir la détestait.

« Elle était mal habillée », se serait contentée de dire Giroud en apprenant sa mort.

« Il me semblait qu'une aussi longue histoire, celle de la domination des femmes par les hommes, exigeait une analyse plus subtile que celle publiée par Simone de Beauvoir, affirme-t-elle dans *Leçons particulières.* Beaucoup de femmes, sans doute, prendraient conscience, grâce à elle, de leurs virtualités, des pressions qui déviaient leur trajectoire. Mais, en même temps, je ne me sentais pas concernée par *Le Deuxième Sexe.* »

Dans *Si je mens...*, arguant de la sécurité matérielle et sentimentale dont bénéficiait la pionnière du féminisme, elle va plus loin : « L'histoire de Simone de Beauvoir, qui est belle parce qu'il n'y a rien de plus rare qu'une relation humaine réussie, est tout de même, par rapport aux femmes, une imposture involontaire [...]. Elle est l'exemple même de la femme vivant pour et par un homme, et n'ayant rien eu en particulier, si je l'ai bien lue, à sacrifier de sa relation avec cet homme à la réalisation de son œuvre. »

Quand « le Castor » vint à *L'Express* raccourcir, à la demande de Jean-Jacques Servan-Schreiber, un interminable papier de Sartre sur le référendum de 1958, les relations entre les deux femmes furent glaciales. Françoise venait d'inventer La Nouvelle Vague, ce n'était pas le même genre.

« À *L'Express*, raconte Giroud[1] j'étais entièrement libre, et c'est de là que j'ai mené campagne pour la contraception, pour la pilule, lorsque, aux entretiens de Bichat, des médecins ne trouvèrent rien de mieux, pour la torpiller, que de déclarer qu'elle enlaidissait ! Puis, pour le droit à l'avortement, quand Jacques Derogy[2] fut exclu du Parti

1. In *On ne peut pas être heureux tout le temps*, *op. cit.*
2. Bientôt le grand enquêteur du journal.

communiste par Maurice Thorez parce qu'il l'avait défendu. Mon article s'appelait "Les malades du samedi soir", allusion à celles qui se faisaient avorter le samedi pour n'être pas obligées d'aller travailler le lendemain. »

Lors de la grande grève des mineurs de 1963, qui ébranle la France du Général auquel *L'Express* ne pardonne rien, la directrice du journal en personne décide de rejoindre, à Lens, Jacques Derogy qui couvre l'événement. Elle a beau débarquer en tailleur Chanel pour rencontrer les femmes des grévistes, la découverte de leur misère l'ébranle à tel point qu'elle fond en larmes devant le photographe du journal[1]. À la rédaction, peu accoutumée à tout débordement émanant de la Patronne, ce moment d'émotion fait sensation.

Secrétaire d'État à la Condition féminine, poste nouvellement créé en 1974 par la volonté réformatrice de Valéry Giscard d'Estaing, Giroud aborde le sujet à sa façon, pragmatique, et propose cent mesures pour améliorer le sort des femmes : « Je n'étais pas féministe au sens radical du terme, répète-t-elle dans *Arthur ou le bonheur de vivre*. L'Homme n'était pas mon ennemi, son émasculation ne me paraissait pas constituer un idéal... [Je restais] persuadée, de surcroît, qu'un certain radicalisme ne trouverait jamais une large expression en France où les femmes s'obstinent heureusement

1. *In* Françoise Roth et Serge Siritzky, *Le Roman de « L'Express »*, *op. cit.*

à vouloir être jolies, désirables et en bons termes, autant que possible, avec les hommes de leur vie. »

Lorsqu'elle se rend officiellement aux États-Unis, elle choque les féministes new-yorkaises en affirmant qu'elle aime les hommes quoi qu'ils fassent – dans l'humeur militante du *Women's Lib* des années 70, c'est quasiment de la provocation !

« Ce qui intéressait Françoise, répète à son tour Yves Sabouret, à l'époque son directeur de cabinet, c'étaient les hommes, pas les femmes. Les militantes féministes de ces années-là, les Kate Millett et autres Gloria Steinem, qui exhalaient la haine de l'homme, l'assommaient. Très peu pour elle ! »

Elle ne s'adapte pas toujours à ses publics. Sabouret se souvient d'un moment catastrophique au congrès des jeunes agricultrices où Françoise qui, de sa vie, n'avait jamais eu affaire au syndicalisme agricole, crut les charmer en minaudant et en faisant assaut de coquetterie. « Un choc culturel ! » s'exclame en riant son ancien collaborateur, qui ajoute : « Elle n'en était pas moins un véritable symbole, à l'époque : elle était une femme qui avait réussi par ses propres mérites. Elle savait parler des femmes de la manière qu'elles aiment. » Pas de façon abstraite ou conceptuelle, en intellectuelle de salon, mais avec le sens du concret et, à l'occasion, de la bravoure.

Dorénavant, aux yeux des femmes de sa génération et de celles qui suivront, occupées à se défaire avec plus ou moins de bonheur de leurs liens de sujétion traditionnels, Françoise incarnera la modernité et s'attirera à jamais leur reconnaissance.

C'est la raison pour laquelle, avec le temps, les militantes du féminisme contemporain l'ont adoptée et statufiée – quitte à schématiser quelque peu sa position.

« Françoise Giroud était très féministe, affirma en février 2003, à la télévision, Sylviane Agacinski-Jospin. Elle avait une conscience aiguë des rapports stratégiques et politiques des femmes dans une société d'hommes. Elle savait la nécessité pour les femmes de combattre un système de pouvoirs organisés par et pour les hommes[1]. »

Le combat de Giroud, qui a fait d'elle un modèle, s'exerçait dans le domaine qui l'engageait le plus : son métier. « Dès qu'une femme franchit la frontière du territoire masculin, la nature du combat professionnel change. Les vertus qu'on exige alors d'une femme, on se demande combien d'hommes seraient capables de les montrer[2]. » Et de citer la formule que *Le Canard enchaîné* utilisait à son propos quand elle était ministre : « Ménopause café ». « Peut-on avoir plus d'esprit ? » interroge-t-elle[3].

Jean Daniel, qui l'observa au travail, de *L'Express* jusqu'au *Nouvel Observateur*, le souligne : « Toute sa vie elle eut la volonté farouche

1. *Culture et dépendances*, France 3, 5 février 2003.
2. In *Si je mens...*, *op. cit.*
3. In *On ne peut pas être heureux tout le temps*, *op. cit.*

de s'affirmer comme femme. Elle mettait une véritable rage à dépister partout les signes du machisme. »

C'est aux femmes qu'elle dédiera cette impérissable formule : « Le problème des femmes sera résolu le jour où l'on verra une femme médiocre à un poste important. »

Mais elle leur adressera aussi cette mise en garde : « La féminité n'est pas une incompétence. Elle n'est pas non plus une compétence[1]. »

« J'ai été une petite fille tant aimée par ma mère, par ma sœur aînée, Douce, qu'il m'en est resté quelque chose, constate Françoise dans *Arthur ou le bonheur de vivre*. Je crois que les femmes m'aiment, et je les aime en retour. C'est très confortable, très doux. Je vais, entourée par une pléiade de jeunes femmes dont la vigilante amitié me tient le cœur au chaud, et, quelquefois, je m'émerveille de ce privilège. »

Jusqu'à la fin de sa vie, Françoise Giroud entretiendra des liens étroits avec un cercle de femmes plus jeunes, liées à elle par l'admiration, la séduction, l'affection, et parfois la tendresse. Ce n'était pourtant pas un sentiment qu'elle prodiguait volontiers.

« La distance qu'elle maintenait avec les autres, c'était une façon de ne pas déranger, de ne pas

1. In *Journal d'une Parisienne*, t. 2 : *Chienne d'année : 1995*, *op. cit.*

se plaindre, analyse Marin Karmitz, son gendre. C'était pour elle affaire de dignité et de liberté. Les déjeuners à la maison, le dimanche, lui donnaient l'occasion de humer l'air du temps, de se nourrir en informations, de les recouper. Pas de parler sentiments. »

« Françoise était capable de tendresse, bien sûr, elle en débordait parfois, de façon surprenante, et j'y eus droit, je crois, plus que d'autres, raconte, émue, Albina du Boisrouvray. Elle était la mère que j'aurais tant voulu avoir... J'avais vingt et un ans quand je l'ai rencontrée, et elle m'a éblouie pour toujours. Elle était la séduction même, l'intelligence, le charme, la féminité, la cruauté retenue, et la tendresse en filigrane. Elle m'a appris beaucoup de choses sur la vie, elle m'en a livré quelques clés. J'ai retenu ses maximes : ne jamais entrer dans un dialogue qui mènerait à une impasse, ne jamais risquer une discussion entraînant la dispute avec quelqu'un qu'on n'estime pas, ne pas s'enfermer dans un contentieux... » Elle me disait aussi : "On ne prend jamais personne à personne. Si quelqu'un s'en va, c'est qu'il était déjà parti..." »

Rejetant en arrière ses lourds cheveux bruns, celle dont la beauté a enflammé bien des cœurs poursuit, les yeux embués : « Françoise me touchait parce que je devinais une immense fragilité derrière son énergie de fer. Je la forçais au sentiment... Ce n'était pas son registre habituel, elle s'y montrait maladroite, juvénile parfois... À part sa fille, je suis la seule qu'elle tutoyait, et je l'y ai contrainte ! J'en suis très fière. En fait, Françoise était timide et faisait tout pour le dissimuler. »

« Je me souviens d'une fête que j'avais organisée pour mes quarante ans, raconte Micheline Pelletier qui, avec son époux, Alain Decaux, fut de ses amis les plus intimes. Françoise était là, bien sûr, et Alix de Saint-André, mes deux témoins de mariage, et toutes sortes d'amis communs... On chantait, on riait, on buvait... Tout à coup, j'ai vu Françoise en retrait, solitaire, les larmes aux yeux... Plus tard, elle écrira dans son journal : "Rentrée penaude et triste de n'avoir pas su prononcer les quelques mots tendres que j'avais dans la gorge...[1]" Elle ne savait pas les dire, c'est vrai, elle les écrivait parfois... Depuis la mort d'Alex, elle avait fait des progrès, pourtant », sourit, émue, la photographe qui fit de Françoise quelques-uns de ses plus beaux portraits.

« Elle n'était ni sentimentale ni expansive, reprend Marin Karmitz. Elle était d'une grande timidité et détestait parler en public. Elle n'était pas à son aise à la télévision, sauf dans le face-à-face. Elle avait besoin d'installer la distance entre elle et les autres. »

« Françoise, pour moi, était quelqu'un de très émouvant, raconte Alix de Saint-André. Elle était comme la chèvre de M. Seguin, occupée à se battre sans cesse et jusqu'au bout... Elle incarnait cette

---

1. In *Journal d'une Parisienne, op. cit.*

forme d'éducation, d'énergie, de courage qui caractérise son inoxydable génération : on ne se laisse pas aller, on se tient, on ne pleure jamais, on serre les dents avec le sourire, on met son beau chapeau, on est élégante... Avec trois côtes cassées, plus qu'octogénaire, elle prenait l'autobus pour aller chez le coiffeur... Elle était vraiment touchante... »

Alix a connu Françoise quand elle était déjà une vieille dame très consciente de son âge. Malgré leurs trente ans d'écart, la journaliste-écrivain, à laquelle Giroud trouvait beaucoup de talent, l'enchantait par ses trouvailles et sa drôlerie : « Françoise avait un énorme défaut : elle ne savait pas s'amuser. Elle était terriblement sérieuse. J'essayais de la dissiper, mais ce n'était pas donné ! Quand elle s'est cassé les côtes, elle souffrait beaucoup. Sans se plaindre et avec le sourire, bien sûr. Je lui ai expliqué qu'en Californie on utilisait la marijuana contre la douleur. "Un petit pétard, Françoise ? – D'accord." À quatre-vingt-cinq ans, elle ne s'était jamais droguée. Elle n'aimait pas perdre le contrôle. Avant de passer à l'acte, j'appelle quand même Caroline : "C'est prouvé, me dit-elle. Tu peux y aller !" Avec sa double bénédiction, filiale et médicale, je me procure la denrée requise. J'arrive chez Françoise, je mets un vieux disque de Miles Davis sur sa platine (elle n'avait pas de Bob Marley), et en avant ! Qu'est-ce que c'était censé lui faire ? La première fois, on ne sait jamais trop. Une chose était sûre : elle dormirait comme un bébé... Bon. Elle fume, en s'appliquant. Soudain, au bout d'un moment, catastrophe ! Elle se met à tousser. Avec des côtes cassées, ce n'était pas l'idéal ! Le lendemain, pas de nouvelles. J'appelle, un peu inquiète. Elle n'avait pas fermé l'œil de la nuit. Mais elle avait beaucoup ri en pensant à mes prédictions... Rire, avec des côtes cassées, il n'y a pas pire... Sa carrière de junkie s'est arrêtée net ! »

Alix de Saint-André en sourit encore, émue.

« Je l'avais rencontrée à la parution de son livre sur Alma Mahler, bien décidée à lui rentrer dans le chou. J'avais préparé une interview musclée. Je suis tombée sur une vieille dame au ralenti, sortant difficilement d'une grave dépression... L'interview a été plus longue que prévu... Plus pénible aussi. Mais le résultat lui a plu. J'avais bien travaillé, et je l'avais fait rigoler. Plus tard, je l'ai interviewée à propos des Mémoires de JJSS, qui ne lui faisaient pas une place mirobolante... Elle se montra drôle, vache, juste, amoureuse... JJSS était venu lui apporter son livre, et ils avaient dîné ensemble chez Françoise. Ils ne s'étaient pas revus depuis très longtemps. À huit jours d'intervalle, ils ont fait chacun le même commentaire à Bernard Fixot, l'éditeur de JJSS : "Qu'est-ce qu'il (elle) a vieilli !" Ils n'en revenaient pas de n'avoir plus vingt ans... Elle l'aimait toujours, je crois... Récemment, j'étais chez elle quand il lui a téléphoné. Françoise m'a dit : "Vous avez été témoin d'un événement historique !" Pour elle, l'aventure de *L'Express*, leur aventure, ce n'était pas qu'un épisode de l'histoire de la presse, c'était une page de l'histoire de France. »

Je me souviens à mon tour de Servan-Schreiber chez Caroline, à l'anniversaire des quatre-vingts ans de Françoise. Vêtu d'un gilet matelassé blanc, il était entré avec son air d'empereur d'un monde qu'il n'avait pas conquis, et Françoise n'eut plus d'yeux que pour lui. La passion pour cet homme l'aura habitée jusqu'au bout.

Dans le carton d'archives personnelles qu'elle me permit de consulter, elle avait rassemblé, en vrac, toutes les traces de cet amour singulier où se sont confondus un homme et un journal : lettres d'amour, petits mots, télégrammes, dans lesquels ils se vouvoient toujours, reliques émouvantes, disparates et parfois minuscules de leur histoire brisée et ininterrompue ; quatre photos de Jean-Jacques, lieutenant en Algérie, une photo d'elle qu'elle aimait sans doute, souvenir d'un moment, assise, sérieuse et décolletée au bord d'une route du Midi ; des lettres d'elle à lui, passionnées, retenues, jamais envoyées, où elle écrit qu'elle n'acceptera à aucun prix de se sentir vaincue. Dans une enveloppe marron, une analyse graphologique de l'écriture de Jean-Jacques, et les prédictions d'une voyante à propos de Jean-Jacques. Et puis aussi des discours de Jean-Jacques, des notes de Jean-Jacques, des manifestes signés Jean-Jacques au titre du Parti radical ; quelques courriers internes du journal liés aux remous provoqués par le parcours politique de Jean-Jacques ; et le texte de la transaction financière scellant son départ de *L'Express*.

Avec ce carton vert, elle m'avait prêté le plus précieux de son passé, ouvert une brèche dans sa mémoire lointaine et toujours brûlante. J'eus scrupule à le dépouiller et le refermai vite, émue, gênée, comme si j'avais forcé un tiroir secret.

Pour Jean-Jacques Servan-Schreiber, le temps aujourd'hui s'est arrêté : la maladie ne lui laisse plus guère de lucidité. Avec dévouement, Sabine, son épouse, ses fils, quelques proches, se relaient auprès de lui pour entretenir la flamme vacillante de sa mémoire. Madeleine Chapsal m'a raconté cette scène étonnante :

« Il y a deux ans à peu près, nous étions plusieurs réunies autour de lui : il y avait moi, Sabine – dont il avait divorcé et qu'il a réépousée à son retour des États-Unis –, et Colette Duhamel, la veuve de Jacques, à qui il avait fait très peur quand, ayant tous deux dix-huit ans, il lui avait demandé, dès leur première rencontre, de devenir sa femme. Tout à coup, Jean-Jacques lève la tête, nous regarde toutes les trois et dit : "Et Françoise ? Où est Françoise ? Pourquoi n'est-elle pas là ?" »

Il est des hommes ainsi qui ne quittent jamais aucune de leurs femmes.

Au cours de leur dialogue sur *Les Hommes et les Femmes*[1], rivalisant de citations, Françoise Giroud et Bernard-Henri Lévy s'interrogent sur la séduction – « un thème délicat », assure-t-elle.

1. *Op. cit.*

« Est-on selon vous séducteur... presque par nature, fait mine d'interroger Giroud, parce qu'on ne peut pas s'empêcher de jouer de son charme, d'éprouver son pouvoir, ou choisit-on de temps en temps une victime, ou, si l'on veut, un ou une partenaire de jeu ? » Un peu plus loin, revenant sur les circonstances de leur rencontre, elle admet : « Vous ai-je fait un grand numéro de charme ?... Pour quoi faire ? Pour rien ? Pour un instant de plaisir, le plaisir de tenir l'autre, fugitivement, sous le charme. Je confesse que j'ai bien aimé ce plaisir au long de ma vie. »

Voilà un aveu rare sous sa plume, et plutôt fugitif.

Françoise a adoré séduire, et s'y est employée avec succès jusqu'à la fin de sa vie. Peu lui importaient l'âge, la condition ou le sexe de ceux qu'elle aimantait de son charme, pourvu qu'elle leur trouvât de l'intérêt.

Ainsi, elle ne dédaignait pas les femmes, à commencer par les homosexuelles. Jusqu'à une époque récente, elle suscita quelques passions dont témoigne Micheline Pelletier :

« Des femmes lui ont fait la cour. Elle recevait des lettres fondues d'amour, de filles plus jeunes dont certaines avaient même une petite notoriété, ou de gens qu'elle ne connaissait pas du tout. Elle aimait séduire. Il n'y avait pas en elle de perversité, elle était simplement heureuse de vérifier son effet. »

Lors d'une de nos dernières conversations, je

taquinai Françoise sur l'ascendant qu'elle continuait d'exercer :

« J'y attache beaucoup d'importance, me répondit-elle gravement. C'est très important de séduire. C'est le signe qu'on est encore en vie. L'une des tristesses du vieillissement, c'est que la capacité de séduire fléchit à vue d'œil ! »

Et de m'interroger sur l'effet de ses cheveux blancs, qu'elle avait décidé de ne plus teindre, et sur l'efficacité rajeunissante de la DHEA dont son ami le professeur Étienne Émile-Baulieu s'est fait le savant prophète.

Tout au long de sa vie – médisances ou dépit d'hommes rudoyés – des rumeurs ont couru sur ses mœurs. Je lui ai demandé un jour si elle avait connu des amours féminines. « Non ! me rétorqua-t-elle avec son rire de gorge. C'est l'un de mes regrets, d'ailleurs... C'est une expérience que je n'aurai pas vécue. »

Et elle rit de plus belle avant de passer à l'actualité du jour.

Si elle s'intéressa aux femmes, et d'abord à celles dont elle fit l'éducation professionnelle, Françoise Giroud fut aussi, pour quelques hommes, une initiatrice.

Elle se reconnaît ce rôle pour un seul d'entre eux, auquel elle rend un hommage ému dans *Leçons particulières* : son chauffeur à *L'Express* – « la seule figure protectrice d'homme qui ait traversé ma vie, écrit-elle. Il s'appelait Bernard V.

Je l'aimais beaucoup. Lui aussi m'aimait. Personne ne m'a donné des marques plus fines d'affection... Bernard V. souffrait de porter un patronyme qui prêtait à sourire, et plus encore de n'avoir aucune instruction. Un jour, il m'a demandé des livres. Je les ai choisis avec soin, pour ne pas le décourager. Il s'y est mis très vite, avec discernement. Ensuite, nous parlions ensemble de ses lectures. Puis il a voulu s'initier à la musique... Bernard V. était l'incarnation du gâchis que produit l'injustice sociale, l'expression même de l'homme démuni pour n'avoir pas reçu le minimum vital de connaissances ».

Georges Kiejman eut avec elle d'autres rapports. Se souvenant de leurs quelque deux ans de vie commune dans l'effervescence politique et mondaine du Paris des années 60, il lui rend cet hommage avec admiration et tendresse :

« Je l'ai entendue formuler quelques recettes de la vie sociale auxquelles elle croyait. Ne jamais polémiquer avec des gens moins importants. Peu importe ce que les gens disent, affirmait-elle, l'important est de ne pas le dire soi-même. Savoir sourire : elle était tellement plus douée que moi ! Surtout, je dois à Françoise l'une des grandes rencontres de ma vie : Pierre Mendès France. C'est elle qui m'a envoyé le voir à Louviers : il s'était fait battre aux élections et avait besoin d'un jeune homme sachant écrire. Un vrai coup de foudre.

C'est lui qui m'a donné mon brevet d'intelligence. Nous devînmes tellement liés que je choisis son camp plutôt que celui de Françoise quand celle-ci fit sur "Augustin" – c'était son nom de code à *L'Express* – quelques papiers devenus mi-figue, mi-raisin. "Faut-il la remercier ?" lui demandai-je un jour. "De quoi ?" rétorqua-t-il. À Mendès France, plus qu'à tout autre, je fus fidèle jusqu'à sa mort. Le plus beau cadeau de Françoise... »

« J'ai rencontré Françoise en 1975, raconte à son tour Bernard-Henri Lévy. J'avais vingt-sept ans, j'avais lancé un journal qui ne vécut que quinze jours et s'intitulait *L'Imprévu*. Un de mes premiers éditoriaux, je l'écrivis sur "Giroud ou la douceur de vivre avant la révolution". C'était un papier décalé sur cette femme, ministre à l'époque, belle, exemplaire, féminine et libérée, libre et coquette. Je la trouvais extrêmement troublante. Je reçois un premier coup de fil de Caroline : "Monsieur, êtes-vous amoureux de ma mère ?", et un second de son directeur de cabinet : "Mme le Ministre souhaite vous rencontrer." En fait, nous nous sommes connus lors d'un dîner chez Jean-Edern Hallier, avant qu'il ne se brouille avec la terre entière. Elle était avec Alex Grall, moi avec mon épouse de l'époque, Sylvie, il y avait Mandiargues... La première image que j'ai gardée d'elle, dans ce salon de cuir beige très années 60, c'est son jeu de jambes. Elle la jouait très vamp, se déhanchant pour se faire allumer une cigarette, très belle, vraiment... Non, nous n'avons pas couché ensemble ! se défend en riant l'écrivain-philosophe adoubé par Françoise au début des années 90. Elle était amoureuse d'Alex, moi de ma femme. Mais nous avions des rapports marrants : ainsi, sur une photo de mon second mariage avec Arielle Dombasle, Françoise joue à poser la tête sur mon épaule, très maîtresse abandonnée ! »

Amoureux à leur façon, séduits par leur propre reflet dans l'œil de l'autre ?

« Ce qui me plaît en lui, explique Giroud dans *Arthur,* c'est ce qu'il y a derrière le masque du séducteur : du courage. Courage intellectuel, courage physique. C'est un lion. Tout le reste est secondaire. Une certaine façon de faire un peu trop parler de lui, la coquetterie de ses chemises décolletées, la hâte avec laquelle il se lance dans des aventures improbables, l'urticaire que ce normalien donne aux universitaires, son côté “gauche de luxe”... Il souffre parfois de la représentation qu'on a de lui, dandy tapageur trop beau pour être honnête, tant il la sait superficielle, mais soit, il assume. Et il va son chemin, avec une conscience aiguë de la responsabilité de l'intellectuel dans la société. »

De ce portrait tendre et précis un autre visage surgit, qui appartient au passé et qui l'habite encore...

« C'est vrai, pour elle BHL est apparu comme

une réincarnation de Jean-Jacques, et du fils qu'elle aurait voulu avoir », dit Micheline Pelletier. L'intéressé le confirme sans déplaisir : « Oui, parfois, elle m'a dit retrouver chez moi, dans l'énergie et l'intelligence, quelque chose de Servan-Schreiber... »

« Un homme beaucoup plus jeune qu'elle, beau, très-très gentil, très-très brillant, le rêve ! sourit Florence Malraux, qui sait à quel point Françoise était sensible à la beauté physique des hommes comme des femmes. Un petit succédané de Jean-Jacques ? Oui, peut-être. Une vraie amitié, en tout cas. »

Bernard-Henri et Arielle emmèneront fréquemment Françoise en voyage, de Marrakech au Mexique – « une trotteuse incroyable », dira-t-il –, jusqu'à ce que l'âge la freine.

Les deux complices ont écrit ensemble, un été, dans le Midi, un petit livre gourmé, pétri d'admiration réciproque, *Les Hommes et les Femmes*[1]. « Au fur et à mesure que nous avancions dans notre dialogue, écrit Giroud dans *Arthur ou le bonheur de vivre*, je découvris un "macho" romantique mais rigide ; il découvrit une féministe tranquille mais irréductible. Ce fut quelquefois orageux. Les choses nous amusèrent et nous rapprochèrent davantage. »

« Ce que j'ai appris ou plutôt vérifié auprès d'elle, rétorque son complice, c'est à quel point comptent dans la vie la rigueur, l'opiniâtreté,

1. *Op. cit.*

l'intransigeance. Françoise ne cédait jamais sur les principes. »

Dans la pénombre du bar de cet hôtel parisien où vont encore les écrivains et où il aime donner rendez-vous, BHL, ému, se tait. Pourquoi Françoise a-t-elle plus appris aux femmes qu'aux hommes ?

« Parce que les hommes sont parfois des cons et qu'ils ne veulent pas reconnaître son extraordinaire séduction. Séduction intellectuelle, et aussi physique : ce mélange de tête politique et de femme frivole, c'était irrésistible. *La Parisienne*, pour reprendre le titre de l'un de ses journaux[1]. La meilleure représentante du Tout-Paris, qui était son univers. »

Le Tout-Paris de Françoise Giroud rassemble ceux qui ont le brio et l'ambition de la réussite. Elle aime ceux qui brillent, mais aussi ceux qui résistent aux aléas de la fortune. Elle apprécie l'entêtement, plus encore le succès.

Jean Daniel le dit avec précaution : « Elle avait de l'admiration pour la réussite, c'était pour elle une forme de philosophie implicite qu'elle aura entretenue toute sa vie. S'il lui est arrivé de manquer de compassion, c'est à l'égard de ceux qui, à ses yeux, manquaient d'ambition, d'énergie, de persévérance. Dans les milieux que nous fréquentions du temps de *L'Express*, où les grands

1. *Journal d'une Parisienne*, Le Seuil, t. 1, 1994.

patrons se mélangeaient aux politiques, elle manifestait un mépris rageur vis-à-vis des mondains indolents et des fils de famille paresseux – à l'opposé d'un Jean-Jacques qui, lui, épanouissait son héritage. Elle n'avait aucun intérêt pour la classification sociale ; son tableau à elle était celui du mérite. C'est le talent qui la retenait, surtout si elle pouvait le dépister, l'épanouir chez autrui, et accroître ainsi son magistère. »

« Françoise n'avait que mépris pour les gens qui avaient frôlé la réussite et qui ne lui devaient rien. Elle en éprouvait davantage encore pour ceux qui n'avaient rien fait, déclare Daisy de Galard qui en rougit encore d'indignation. J'avais très bien connu Françoise à *Elle*. En 1958, j'y suis toujours, elle dirige *L'Express*. Hector de Galard, mon mari de l'époque, alors à *France-Observateur*, lui propose de venir à la maison, rue du Cherche-Midi, pour discuter avec François Mitterrand. Françoise arrive et fait comme si elle ne me connaît pas ! Et quelle allumeuse ! Il fallait la voir, allongée sur le canapé, la jupe bien relevée, sous le regard d'Hector et de Mitterrand. Pour séduire ceux qui à ses yeux comptaient, tout était bon. Pour les autres, rien, pas un mot. Elle me refera le coup, bien plus tard, lorsqu'elle sera secrétaire d'État à la Condition féminine. Je suis alors la directrice d'*Elle*. À un déjeuner de femmes, elle me traite comme si on se voyait pour la première fois ! J'en suis restée sans voix. »

Françoise cultiva longtemps son rôle d'égérie auprès de ceux dont la réussite l'intéressait :

« On lui téléphonait volontiers pour lui demander conseil – surtout des journalistes comme Anne Sinclair, Sylvie Pierre-Brossolette, avec qui elle avait de vrais liens d'affection, ou des gens des médias comme Michel Drucker », précise Éliane Victor.

C'est une profession où il n'y a pas beaucoup de maîtres, et sur eux aussi elle savait exercer son magistère. Longtemps présidente du jury du prix Louis-Hachette, autrefois prix Mumm, qui récompense chaque année les meilleurs articles de la presse française, Françoise savait mieux que personne organiser et orienter les débats de cette bande de turbulents qui se nomment Jean Daniel, Claude Imbert, André Fontaine, Bernard Pivot, Philippe Tesson ou encore Philippe Labro. Je l'observais lors de nos déjeuners rituels, jouant des plus jeunes, les Giesbert, Genestar ou Poivre d'Arvor, pour taquiner les anciens, parvenant à ses fins malgré les défaillances du grand âge, justifiant ses choix de quelques formules sans appel que nous écoutions tous avec respect.

Pour avoir tant souffert, enfant, de la pauvreté et de la déchéance sociale, Françoise Giroud n'a jamais dédaigné ni les mondanités, ni l'argent. Elle avait beaucoup travaillé pour en arriver là.

« L'argent avait une certaine importance pour

elle, souligne Georges Kiejman qui fut aussi son avocat. Sa possession la concernait moins que la sécurité, et le statut social qui s'y attachait. C'est Alex Grall qui lui apprit à en jouir, à acheter des tableaux, de beaux objets. Pour elle, l'argent était un signe de valeur, mais pas le seul. Après tout, il était normal, pour une héritière ruinée, de recouvrer son bien. Encore une fois, tout se passait comme si... »

Si elle découvre l'indépendance financière au moment où Kiejman négocie pour elle son départ de *L'Express*, ce sont ses succès d'édition qui vont lui assurer une véritable aisance matérielle.

« Mes rapports avec l'argent n'ont jamais été sains. Il m'ennuie, prétend Giroud dans *Arthur ou le bonheur de vivre*. Je ne veux pas savoir qu'il existe. Il me file entre les doigts. Je sais en gagner, je sais en donner, je ne sais pas l'épargner, moins encore calculer... Ainsi vont ceux qui, dans leur enfance, en ont été privés. Ils deviennent avares ou prodigues, jamais raisonnables. »

« Elle dépensait volontiers pour son confort et son plaisir. Elle aimait les belles choses, les vêtements de qualité... Pendant des années, elle eut un mannequin à ses mesures chez Cerruti ! Je ne l'ai jamais surprise en délit de radinerie, précise Éliane Victor qui, jusqu'au Festival d'Aix-en-Provence de juillet 2002, l'emmenait dans de nombreux voyages et sorties culturels. Chez elle, elle gardait imprudemment de l'argent liquide et ne se souciait guère de gérer ses revenus, confiés à un banquier de ses amis. »

« Françoise a toujours été snob, raconte Jean-Louis Servan-Schreiber. Il lui fallait les premiers cachemires, les voitures décapotables américaines... Snob, elle l'était surtout dans ses fréquentations. Elle ne masquait en rien sa volonté d'ascension sociale. Il lui importait de frayer avec les plus notoires, les plus éminents, les plus riches. Elle avait cela en commun avec Jean-Jacques, lui aussi épaté par l'argent. » Et le frère cadet de conclure en souriant : « Françoise incarnait la gauche caviar avant la lettre. À moins qu'elle ne l'ait inventée... »

« Son snobisme à elle n'était pas mondain, il n'était pas lié aux classes sociales, qui lui étaient indifférentes. Il tenait au pouvoir », précise Micheline Pelletier.

« Elle était fascinée par les rapports de forces. Elle ne les théorisait pas, ce n'était pas son genre. Ce qui l'intéressait, c'étaient les passions humaines, la tragédie à l'état brut », confirme Teresa Cremisi, directrice éditoriale de Gallimard qui fit partie de ses intimes à partir des années 90. Italienne, née en Égypte, belle et vive, assumant avec succès et simplicité, aux côtés d'Antoine Gallimard, la responsabilité de la vénérable maison d'édition, Teresa avait téléphoné à Françoise à son arrivée à Paris. Celle-ci n'était-elle pas pour sa propre mère, autrefois sculpteur, une figure du féminisme, une incarnation de la réussite par le talent et le charme, une signature qui avait compté au moment de la guerre d'Algérie ? « Je n'avais rien à proposer à Giroud, mais elle m'accepta. Elle était curieuse de mon histoire, flairant un parcours familier, celui d'une immigrée, déracinée, solitaire à Paris, qui essaie d'y faire son chemin... Elle me disait souvent : "Mais alors, comment vous avez fait pour retenir tous les noms, nouveaux pour vous, de ceux qui comptent ici ?" Comme tous ses familiers, je nourrissais sa curiosité... Elle mettait inlassablement à jour sa géographie des pouvoirs. »

Pour autant, Françoise Giroud ne fit jamais partie de confréries ou de réseaux organisés. Elle nia farouchement toute appartenance à la franc-maçonnerie alors que son nom parut dans les listes d'initiés indiscrètement publiées dans un livre récent[1]. Giroud alla jusqu'à promettre devant moi qu'elle giflerait l'auteur et poursuivrait l'éditeur si l'erreur n'était pas rectifiée dans les éditions suivantes.

Paris, ses bruissements, ses emportements, les tendances qui font les modes, et les modes qui font les gens : Françoise s'en nourrit avec appétit jusqu'aux tout derniers jours de sa vie.

À partir de 1994, pour Le Seuil d'abord, puis

1. Ghislaine Ottenheimer, *Les Frères invisibles*, Albin Michel, 2001.

pour Fayard, elle va le raconter dans son *Journal d'une Parisienne*. Il est loin, le temps où l'étiquette du « Tout-Paris » avait à ses yeux valeur d'opprobre ! En rapportant par le menu ses rencontres et ses conversations, Giroud tient la chronique de ce milieu qu'elle affectionne, le Tout-Paris qui pense, qui agit, qui chuchote et qui dîne en ville. On y retrouve en toutes lettres ou sous leurs initiales ceux qui, avec elle, font partie des initiés, qui, mieux que d'autres, au gré de leurs opinions et de leurs humeurs, croient sentir le pouls du monde et peser sur son cours. Dans son tout dernier *Journal* posthume[1], sans rien dissimuler des tracas et des douleurs physiques qui l'accablent de plus en plus, elle égrène ainsi ses rencontres, distillant ses humeurs et ses appréciations. Jusqu'au bout, elle se sera voulue contemporaine de ceux qui, à Paris, donnent le ton.

« Françoise s'intéressait au pouvoir des autres, bien sûr, ceux qu'elle aimait fréquenter, observer. Mais elle n'a jamais accepté l'idée que sa séduction fût liée au pouvoir qu'elle pouvait elle-même exercer, commente, songeur, Georges Kiejman. Le pouvoir peut être un facteur de séduction, le fameux "phallus social", mais elle était incapable d'en convenir. Elle soulignait volontiers par ailleurs que les raisons pour lesquelles on aime sont de peu d'importance, l'essentiel étant d'aimer. »

Dans *Les Hommes et les Femmes*, Bernard-

1. *Demain, déjà*, *op. cit.*

Henri Lévy déclare à Giroud : « Vous faites partie des rares femmes qui ont su rendre compatibles des positions de pouvoir et de séduction. » Esquivant la corrélation, elle réplique : « Rétrospectivement, cette position n'était pas si difficile[1]. »

C'est en tout cas un équilibre que Françoise Giroud se sera efforcée de maintenir toute sa vie.

---

1. *Op. cit.*

12

L'icône

Jusqu'à sa disparition en janvier 2003 à l'âge de quatre-vingt-six ans, Françoise Giroud aura maintenu son rang. Elle aura butiné l'air du temps, donné son avis sur la question du jour, rendu son papier dans les temps, répondu aux demandes d'entretiens, avancé le manuscrit en cours, accepté les invitations, convié à déjeuner ceux qui l'intéressent ou la divertissent, pratiqué cet art de la conversation dont elle déplorait la disparition, et conservé sa place dans Paris.

C'était là son travail, sa discipline, sa sauvegarde contre la vieillesse dont les ravages l'obsédaient. L'âge est le seul ennemi qui lui ait tenu tête. Elle n'en avait plus d'autres depuis longtemps. Telle une icône, elle avait réussi à se rendre intouchable.

« Comment cela peut-il m'être arrivé à moi ? À moi ! s'exclame-t-elle dans *On ne peut pas être heureux tout le temps*. Un jour, on se découvre petite chose molle, fragile et fripée, l'oreille dure, le pas incertain, le souffle court, la mémoire à trous, dialoguant avec son chat un dimanche de solitude. Cela s'appelle vieillir, et ce m'est pur scandale. »

Pour Canal +, sur une idée de Nicolas Plisson et Frédéric Sauger, elle avait accepté, en 1997, de filmer sa vie quotidienne avec une caméra vidéo. Monologuant devant son miroir, elle se prenait à partie, répliquant avec rage aux insultes de l'âge. Elle se montrait à la tâche, écrivant ses papiers, pestant contre son ordinateur, allant chez le coiffeur, partant en vacances à l'île Maurice avec Éliane Victor, ou encore prenant le thé avec Arielle Dombasle.

Le narcissisme chez elle s'accompagnait de la plus grande intransigeance : elle ne se pardonnait rien. C'était aussi une façon d'entretenir son image.

« Elle était très préoccupée par l'image qu'elle donnait d'elle-même, confirme Éliane Victor qui la connaissait depuis les années 50. Dans la formidable discipline dont elle faisait preuve, il y avait le souci de son reflet dans l'œil de l'autre, et une petite dose de rouerie. Par exemple, elle rechignait à admettre sa surdité, et faisait souvent semblant de rire à des propos qu'elle n'avait pas compris. En revanche, et je le regrette infiniment, je n'ai pas souvenir en cinquante ans d'avoir eu avec elle une véritable conversation intime. J'ai toujours souffert de cette distance protectrice qu'elle s'infligeait à elle-même et à ses plus proches amis. Un exemple : à l'île Maurice, un jour que nous nous ennuyions sous la pluie, je lui demandai quels défauts elle se reconnaissait. Au bout d'un certain temps, elle me répondit : "Je suis têtue !" »

Son obstination était telle qu'elle s'astreignait à toutes sortes de contraintes malgré les mises en garde de son fidèle kinésithérapeute, Christian Duverne. Sans arrêt, il lui fallait tester ses capacités, intellectuelles et physiques.

Dans son dernier *Journal*, à la date du 29 juillet 2000[1], elle écrit :

« Gros remords vis-à-vis d'Éliane V. Nous étions ensemble à Maurice et elle a amputé son séjour de quatre journées pour rentrer avec moi parce que je suis excédée... En nous observant, à Maurice, vaguement grelottantes et ratatinées au milieu de ces gens exubérants qui sautaient, qui dansaient, je me suis vue, je nous ai vues : deux petites vieilles bien propres qui n'avaient rien à faire dans ce décor... J'ai éprouvé un profond sentiment de détresse. »

Se tenir, au risque de ne jamais ôter son masque, d'apparaître à certains, qui n'auront pas voulu être cités ici, comme un monstre d'artifice et de faux-semblants. Se tenir et ne pas donner prise. Toujours tirer la première.

Car elle était aussi capable de méchanceté. Maîtrisant mieux que personne le redoutable

1. *Demain, déjà*, *op. cit.*

pouvoir des mots, elle en faisait plutôt un usage défensif :

« Françoise avait l'habitude de dégainer avant l'adversaire, précise Jean Daniel. Elle voyait toujours son interlocuteur comme un ennemi éventuel, et, avec l'âge, elle n'avait pas baissé sa garde. »

« Elle avait la méchanceté préventive, confirme Albina du Boisrouvray. C'était une professionnelle de la survie. Elle avait appris à se méfier des attaques, qui, disait-elle, pouvaient surgir de partout. »

Giroud n'était pas indulgente : ni pour elle-même ni pour ses proches, encore moins pour ceux qui l'indifféraient. Elle était même capable de cruauté.

Aujourd'hui rédactrice en chef à *Paris-Match*, Élisabeth Chavelet se souvient, telle une brûlure, de sa première rencontre avec celle qui lui apparaissait comme la grande prêtresse du journalisme français. Le métier la faisait rêver, elle sortait de Sciences-Po, voulait un conseil et, grâce à des amis communs, obtint un rendez-vous :

« Elle me fait attendre une heure chez elle. Soit. Elle arrive, me jette à peine un coup d'œil et me lance : "Comment vous appelez-vous, ma petite ? Comment ? Chavelet ? Chavelet ! Dites-vous bien que si vous ne vous appelez pas Pierre-Brossolette, vous n'avez aucune chance dans ce métier." »

Comme la jeune fille rougissante, ébranlée,

murmure qu'elle est admissible à l'ENA et qu'elle y a un fiancé, Giroud la coupe et lui jette : « Telle que je vous sens, vous êtes une petite-bourgeoise. Épousez-le donc, votre énarque, et ne pensez plus à faire carrière ! »

Élisabeth Chavelet ne suivit pas son avis.

Pour contrôler de façon si policée une violence enfouie depuis l'enfance, Françoise savait mordre, et on ne comprenait pas toujours pourquoi. Cultivant comme un art l'économie de l'expression, elle n'était pas loin, parfois, de la sécheresse de cœur.

Maniant les mots à l'instar d'un stylet, elle pouvait aussi blesser pour le bonheur d'une formule, la vivacité d'un paragraphe. Pour en avoir fait les frais, je me souviens d'un de ses billets du *Nouvel Observateur* où elle s'en prenait à ces journalistes qui s'efforçaient, en pleine campagne électorale, d'interroger un Jean-Marie Le Pen jouant encore de sa brutalité physique : « Mais pour qui se prennent-ils ? » s'écriait-elle, préférant, contre toute attente, le talent médiatique du patron du Front national et ridiculisant ceux qui tentaient de lui tenir tête.

Françoise pouvait être lapidaire dans ses jugements. Le temps passant, elle les exprimait avec davantage de parcimonie, et on avait le sentiment que la prudence n'y était pas pour rien.

« Elle était méfiante plutôt que prudente, corrige son vieil ami Claude Alphandery. Elle le demeurait même vis-à-vis des personnes les plus proches. Ainsi, elle ne transmettait jamais de ragots... » C'était chez elle une règle et une « hygiène », disait-elle, mais elle ne détestait pas qu'on les lui raconte.

« Il lui était difficile de dire merci, ajoute Éliane Victor, tant elle était méfiante et, au fond, timide. Tout au plus, quand vous lui rendiez service, vous lançait-elle dans un sourire : "Oh ! vous êtes un amour !" Elle m'a très longtemps intimidée par la sûreté de ses jugements souvent sans appel, et par l'incontestable ascendant qu'elle exerçait sur ceux qui l'approchaient. En tout cas, elle me manque, oui, elle me manque. »

Au fil de son long parcours, Giroud fut rarement la cible d'attaques ou même de critiques à découvert. Les quelques portraits d'elle, publiés à la parution de tel ou tel de ses livres, sont unanimement louangeurs. Dans un milieu parisien qui place la méchanceté au rang des beaux-arts, le respect dû à sa longévité n'est pas la seule explication.

« Sa réussite faisait peur, affirme aujourd'hui Philippe Tesson. Elle était redoutablement intelligente, elle impressionnait par sa capacité à juger, à catégoriser, à rationaliser. Avec une décontraction apparente, elle savait extraire le suc des gens et des situations, aller très vite à l'essentiel. Au fond, sourit le chroniqueur, de Paris Première et de *Metro* avec une pointe de coquetterie, on admire toujours l'intelligence qu'on n'a pas... Giroud détestait l'esthétisme sous toutes ses formes. Elle n'aimait pas le théâtre, au nom de la vérité : c'était une réaliste. » Voilà un adjectif que Françoise n'aurait pas réfuté, mais qui, dans la bouche de Tesson, n'a pas valeur de compliment.

Les deux journalistes entretinrent jusqu'au bout des rapports houleux. Jeune secrétaire des débats parlementaires, lui était entré comme rédacteur en chef à *Combat* en 1962 : « Elle détestait Smadja, qui en était le patron. Moi, elle me prit longtemps pour un dilettante avant de me considérer comme un pur réactionnaire à l'époque du *Quotidien de Paris*. C'était une redoutable charmeuse, mais jamais à mon endroit. Il faut dire que je l'"allumais" volontiers... Je me souviens d'avoir critiqué avec virulence *La Comédie du pouvoir* dans *Le Canard enchaîné*, en particulier un passage où elle s'en prenait aux mains de Chirac... J'avais qualifié sa description de raciste, ou quelque chose comme ça... »

Avec son allure d'éternel jeune homme à soixante-dix ans passés, Tesson en rit encore, et reprend le fil de ses souvenirs :

« J'eus une seule fois avec elle une conversation d'ordre privé. J'avais dû commettre sur elle un papier désagréable dans les années 1982-83. Je la croise quelque part et elle me lance avec violence : "Vous êtes un homme-enfant, et je n'aime que les hommes achevés. Moi, je préfère les êtres et les choses aboutis." »

Françoise savait aussi, à l'occasion, porter le fer.

Si Giroud a échappé si longtemps à la critique, c'est aussi parce qu'elle entretenait avec vigilance les outils et les réseaux de son propre pouvoir. Elle n'en parlait pas volontiers, et a peu écrit sur sa façon de l'exercer.

« Je préfère la formule de Victor Hugo : "Je veux l'influence et non le pouvoir" » me dit-elle un jour, comme si ce mot-ci n'était pas tout à fait convenable. Il lui arrivait de s'abriter derrière les conventions.

« Françoise le savait mieux que personne : pour exercer de l'influence, il faut des lieux et des symboles », sourit Alain Minc, expert en la matière. Giroud avait compris très tôt les mécanismes du pouvoir, et elle les a maîtrisés jusqu'à la fin avec sa meilleure arme : les mots.

« Ce qui fait courir le journaliste, écrit-elle dans *Leçons particulières*, c'est le sentiment de remplir une mission d'intérêt public [...]. Et puis quoi ! Il y a le pouvoir, le pouvoir sur les puissants. Dix lignes dures, cinq lignes élogieuses, et quelqu'un dans l'*establishment* sera meurtri au fond, ou tout épanoui. »

En quelques mots, tout est dit. Ce pouvoir singulier, c'est à *L'Express* qu'elle l'aura éprouvé, chaque semaine, sans en épuiser les plaisirs, et c'est avec *L'Express* qu'elle l'aura perdu. Ministre éphémère, elle ne voudra retenir de la politique que sa part de comédie. Puis, brutalement, elle va lâcher pied.

« Elle avait été un ministre médiocre, raconte Jean Daniel qui sait en peu de mots aiguiser ses souvenirs. Elle avait écrit deux ou trois livres, mais elle avait perdu toute influence. Elle a alors tenté de conquérir la télévision en animant une émission littéraire. Ce fut le seul échec de sa carrière. »

En 1982, grâce à Christian Bernadac, Giroud anime en effet sur TF1, en direct, une émission mensuelle intitulée *Les Vaches sacrées*. Le propos : rendre accessibles les grands noms de la littérature. Premier sujet : Victor Hugo. L'exercice ne convainc pas. Après trois numéros, le magazine est supprimé. « J'ai dû arrêter, explique Françoise à sa façon. Ce travail devenait trop absorbant. J'avais un malade à soigner[1]. »

En 1980, prenant sa retraite des éditions Fayard, Alex Grall a découvert qu'il était atteint d'un cancer de la gorge. Pendant quatre ans, Françoise, pour la première fois de sa vie, va prendre en charge les souffrances d'autrui.

« Un jour, au *Nouvel Observateur*, raconte Jean Daniel, un journaliste veut se payer enfin Françoise et intitule son papier : "Télévision : l'échec de Mme Giroud". Elle le prend très mal, évidemment. Moi aussi, je dois le dire, car j'avais

1. In *Profession journaliste*, *op. cit.*

gardé, de nos passes d'armes de jeunesse, du respect pour elle. Je refuse de publier l'article. » Jean Daniel marque un temps puis reprend : « Caroline vient me voir et me dit : "Faites-la écrire, elle ne va pas bien." Maurice Clavel, auquel j'avais confié la rubrique télévision, venait de mourir. L'idée de la proposer à Françoise me taraude ; j'ai toujours admiré sa façon d'écrire. Au journal, personne n'est pour. On me dit : c'est une ringarde, une *has-been*, elle va nous vieillir... Elle n'était vraiment plus rien dans Paris, répète le directeur du magazine qui, au fil des années, a réussi à supplanter *L'Express*. J'en parle à Perdriel. "Tu prends des risques !" me dit-il tout en me laissant agir. De façon totalement monarchique, je décide de faire la proposition à Françoise et lui demande de passer me voir. Elle réagit comme si elle me rendait service ! »

Jean Daniel en sourit encore.

« "Donnez-moi quatre semaines, me lance-t-elle, après ce sera gagné." De toute évidence, c'était gagné dès sa première chronique. Et, de fait, elle m'a rendu service. »

Pierre Bénichou adore raconter des histoires qui tordent dans les coins les versions autorisées.

« En 1980, Giroud et moi sommes invités à participer au voyage de presse accompagnant Giscard, alors Président, en visite officielle en Chine. Françoise, qui écrivait dans *Le Journal du dimanche*, avait été son ministre, ce n'était pas simple pour elle d'être traitée comme une vulgaire journaliste alors que Peyrefitte avait droit au tapis rouge. Elle se vengeait en racontant des horreurs sur lui, de sa voix sucrée, tout en guettant du coin de l'œil le moindre signe de Giscard qui, bien sûr, ne lui en accorda aucun. » Et Bénichou, irrésistible, d'imiter Françoise clignant des yeux et distillant ses perfidies : « J'étais sous le charme, nous étions un peu flirt, tous les deux, même si je la surpris encore une fois en flagrant délit d'imposture, prenant à son compte une formule sur la muraille de Chine que quelqu'un lui avait fait découvrir, la veille, dans le *Guide bleu.* » Il rit, continuant son imitation avec le talent qui lui vaut, à soixante-cinq ans, une nouvelle carrière à la télévision et à la radio. « Je lui ai alors parlé de la succession de Clavel à l'*Obs*. “Il faudrait que ce soit Jean Daniel qui me le demande”, réplique-t-elle. À mon retour, Jean, qui n'aime pas trop qu'on ait des idées à sa place, réagit froidement : “Elle est fatiguée !” Et il ajoute aussitôt : “Mais c'est la plus grande...” On connaît la suite. Elle vint, elle fit merveille ; de journaliste vedette qu'elle était, je l'ai vue devenir l'icône de la profession. »

En vieux briscard du métier, Bénichou analyse le phénomène :

« Déjà, dans le passé, Giroud avait fait le pont entre la grande presse et la presse engagée, entre Lazareff et Camus, et c'était utile à tout le monde », affirme-t-il, rappellant ensuite l'évolution des hebdomadaires français qui, à la suite de *L'Express*, adaptèrent la formule des news-magazines américains. « Dans les dernières années, elle illustrait parfaitement l'axiome selon lequel, dans les journaux, on refuse les femmes patronnes, mais on les adore comme anciennes patronnes. Beaucoup de gens se sont inventé avec elle une filiation, s'exclamant à la moindre occasion : "Elle m'a tout appris !" En fait, Giroud n'a jamais donné son adoubement à qui que ce soit, elle était beaucoup trop maligne pour cela, et, comment dire... trop économe. »

C'est à Bénichou que, des années durant, Françoise enverra sa chronique du *Nouvel Obs* ; il en écrira souvent le titre et le chapeau, comme il fait chaque semaine pour une partie du journal. « Vous êtes mon censeur ! » lançait-elle. « Je la traitais avec déférence, politesse et prudence », précise-t-il malicieusement. Dans sa rubrique, elle n'épargnera pas les collaborateurs ou les dirigeants de son propre journal. À Jean Daniel, qui aurait bien aimé qu'elle fît état de sa participation à une émission littéraire, elle aurait déclaré : « Évidemment, je n'en parlerai pas. Il n'y aurait rien de pire que d'en dire du mal, et en dire du bien, vous n'y pensez pas ! »

Ainsi, pendant les vingt dernières années de sa vie, par le truchement du petit écran, miroir d'une société qu'elle savait trousser comme personne,

Giroud, plume à l'affût, avait retrouvé de l'influence. Coups de patte et coups de main, coups de griffes et coups de fil : elle était à nouveau en mesure de dire le bien et le mal, de flatter ou de punir, de défendre les causes qui lui tenaient à cœur, ou celles de ses amis.

« Écrire un article chaque semaine oblige à être attentif à l'actualité. Lire, regarder, écouter, c'est un réflexe chez les journalistes. Mais quand il devient inutile, quand aucune tâche précise ne le sollicite, il s'émousse. L'article à faire vous rappelle à l'ordre, c'est un aiguillon précieux pour garder les yeux ouverts sur le monde plutôt que sur soi[1]. »

« Son papier pour *l'Obs*, elle mettait au moins cinq heures à l'écrire ! s'exclame Alix de Saint-André. À son âge, avec son expérience et son talent, elle ne bâclait pas. Elle était d'une totale humilité par rapport au travail. Sa grande valeur était celle-là. »

« Françoise m'a sidéré quand je lui ai demandé, au printemps 2002, d'écrire un texte pour la présentation du *Dictateur*, de Chaplin, dont j'avais restauré la copie, raconte Marin Karmitz. En juillet, à Aix-en-Provence, elle se casse le col du fémur. Le lendemain de son opération, elle me dit, gênée, qu'elle aura un peu de retard, et dix jours après, malgré ses souffrances, elle m'envoie dix pages par fax. Aussitôt, je l'appelle. Embarrassé, je lui fais comprendre qu'ici ou là, le texte ne va pas.

1. In *On ne peut pas être heureux tout le temps*, *op. cit.*

Deux jours plus tard, je reçois une version totalement réécrite, et parfaite. Croyez-moi, s'exclame le producteur de cinéma, j'ai travaillé avec les plus grands, je n'ai jamais vu une telle humilité et une telle efficacité en même temps. Le travail parfait : c'est ce qui comptait le plus pour elle. »

Giroud s'intéressait à l'industrie du cinéma autant qu'à certains films, même si sa culture en la matière était demeurée essentiellement française. À travers son gendre, elle en suivait les débats et les querelles, et présida un temps la Commission d'avance sur recettes – l'organisme de soutien financier aux films d'auteur. Entraînée par Bernard-Henri Lévy, elle fit aussi partie du Conseil de surveillance de La Cinq-Arte, la chaîne de télévision culturelle, dont elle défendait ardemment la cause. C'était pour elle, à chaque fois, une façon de rester dans le coup, et, pour ceux qui l'avaient sollicitée, la présence d'une figure tutélaire.

Dépossédée de *L'Express*, Françoise Giroud n'a jamais tenté de reprendre la direction d'un magazine ou d'un journal. Entraînée par ses amis Jean Riboud et Claude Alphandery, elle va cependant participer au sauvetage financier du quotidien *Libération*. Membre du conseil d'administration de la société qui regroupe les amis du journal, elle n'en manquera aucune séance et suivra toutes les augmentations de capital.

« Elle était toujours exacte, bien préparée – si

elle n'avait pas bien compris les documents envoyés, elle m'appelait pour en avoir l'explication, se souvient, admiratif, son ami Alphandéry. Ses propos étaient toujours très argumentés. En particulier, elle avait été très sévère sur la formule du *Libé 3* que July avait voulu lancer, et elle avait raison. »

« Elle parlait peu du contenu éditorial, encore moins du cahier-Livres où ses ouvrages n'étaient jamais mentionnés, précise à son tour le directeur du journal, qu'elle aimait beaucoup. À nos conseils d'administration, ses interventions étaient plutôt d'ordre technique – elle faisait de la pédagogie à l'intention des membres qui connaissaient mal la presse. Son obsession était de rester dans le coup, de ne jamais être dépassée ou diminuée par son âge. »

Giroud sera tout aussi assidue au jury du prix Femina. Venue au livre par le journalisme, elle ne dédaignait pas cette forme d'appartenance à la République des lettres, à charge pour elle, à chaque remise de prix, de se coiffer d'un chapeau. Car Françoise aimait aussi les rituels parisiens. C'est Madeleine Chapsal, la première femme de Servan-Schreiber, romancière prolifique, membre du Femina depuis 1981, qui lui proposa d'y entrer en 1992.

« Françoise était décidément incorrigible ! raconte-t-elle. Elle avait aussitôt envoyé un fax à Jean-Jacques en lui disant à peu près : “Je ne sais pas pourquoi Madeleine me demande d'entrer au Femina, je crois que cela lui ferait plaisir"... »

Dans son *Journal d'une Parisienne* de l'année 1993, Françoise raconte les délibérations du jury et fait état des confidences d'une collègue qui vient de perdre sa petite-fille contaminée par le sida. « Transmis par Cyril Collard au cours d'une brève liaison. L'horreur ! » écrit-elle. L'horreur et le scandale : le réalisateur des *Nuits fauves*, mort en 1994, est devenu le héros d'une génération et d'un milieu qui se refusent à distinguer entre contaminateur et contaminé, entre coupable et victime de la maladie. Ce que Suzanne Prou avait caché, Giroud l'écrit au grand jour et le répète à la télévision chez Pivot. L'indiscrétion déchaîne les passions parisiennes. Les parents de Cyril Collard lui intentent un procès pour préjudice moral. Défendue par Georges Kiejman, elle obtient gain de cause.

Françoise ne détestait pas déclencher les orages. C'était aussi une façon de vérifier son influence et de rester en vie.

La politique est le théâtre privilégié du pouvoir : Giroud ne saurait en être absente. Pour en avoir abandonné très vite la pratique, elle ne va pas s'en désintéresser. Une fois soldée son expérience ministérielle et giscardienne, son engagement à gauche restera tranquille mais constant.

Si elle goûtait sans retenue l'observation de la faune politique, si elle en croquait les ambitions et les déconvenues, elle ne jouait pas aux têtes pensantes, encore moins aux pythies. Elle portait comme une croix son erreur de jugement de 1958 quand, avec Jean-Jacques Servan-Schreiber et Mendès, elle s'était engouffrée, et *L'Express* avec eux, dans un anti-gaullisme aveugle. Elle en fera l'aveu ici ou là, écrivant par exemple dans *Arthur ou le bonheur de vivre* : « J'ai cru ce qu'ils affirmaient, j'ai cru que de Gaulle serait prisonnier des militaires. J'ai manqué de jugement. » « Cette erreur de discernement, je ne me la suis jamais pardonnée. Elle me brûle encore », confie-t-elle à nouveau dans *Profession journaliste*.

Dans *Si je mens...*, elle avait affirmé, contre toute vraisemblance, avoir entendu à la radio, réfugiée à Clermont-Ferrand en 1940, l'appel du 18 Juin. Dans le même ouvrage, elle disait avoir assisté aux funérailles du Général à Notre-Dame, par admiration pour le chef de la France libre – « le char auquel j'avais accroché mon étoile » –, sans pourtant avoir écrit une ligne sur sa mort dans *L'Express*. On ne retrouve aucun de ces récits dans ses livres ultérieurs, comme si l'ombre du grand homme l'oppressait encore.

Mitterrand Président va l'écarter de sa Cour, mais il n'en sera pas de même de Lionel Jospin, Premier ministre. Sylviane Agacinski, son épouse, tient Françoise en haute estime. L'auteur de la *Politique des sexes*[1] voit en elle une grande figure

1. Le Seuil, 2001.

du féminisme et la cite volontiers, fût-ce à contre-emploi. Dans son *Journal interrompu*[1], dont la publication fit sensation quelques mois après la défaite de son époux à l'élection présidentielle, la théoricienne du féminisme cite Giroud : « Elle pense qu'un homme, aujourd'hui, ne peut plus se présenter seul à l'élection présidentielle, sans femme à ses côtés (d'ailleurs, me dit-elle, derrière la réussite d'un homme, il y a toujours une femme)... »

On reconnaît bien là le ton de Françoise, pas franchement teinté d'orthodoxie féministe...

Josyane Savigneau, la journaliste du *Monde*, rapporte à ce propos avec quelque agacement : « Françoise Giroud fait partie, avec Jean Daniel, des rares personnes échappant à la détestation des journalistes que professe Sylviane Agacinski[2]. »

« Pour elle, manifestement, Giroud était encore moderne ! » s'émerveille Alain Minc.

En pleine campagne électorale, Sylviane demandera à Françoise de venir conseiller Lionel Jospin sur sa communication. Elle ira ainsi, à quelques reprises, bavarder avec le Premier ministre-candidat, et sera particulièrement contrariée quand une mauvaise chute la contraindra à annuler un rendez-vous.

Dans son dernier *Journal*[3], elle raconte à

1. Le Seuil, 2002.
2. *Le Monde*, 26 septembre 2002.
3. *Demain, déjà*, *op. cit.*

propos d'une de leurs rencontres, à la date du 27 novembre 2001 : « Puis-je vous parler franchement sans vous offenser ? – Oui, dit-il. D'ailleurs, il va chercher un bloc pour prendre des notes. » Et Françoise de le mettre en garde sur l'insécurité, la préoccupation montante en cette veille de la campagne, et sur les 35 heures : "Il faut amender cette loi avant l'élection présidentielle, sinon elle va vous coûter cher..." Il n'en croit pas un mot, m'explique que je me trompe. »

Au petit mot de sympathie envoyé par Françoise au lendemain de sa défaite, Jospin prit la peine de répondre par une longue lettre manuscrite réfutant encore une fois, point par point, les arguments de sa « conseillère ».

En mai 2002, peu après la victoire de Chirac, Giroud me racontait, plus flattée qu'il y paraissait : « Je lui avais bien dit qu'il fallait qu'il soit lui-même au lieu de lire les discours assommants de ses collaborateurs. Sylviane m'a avoué qu'il acceptait tout d'elle, sauf les critiques qu'elle portait sur ces derniers. On a vu le résultat ! »

À propos des présidentielles, elle me raconta aussi une scène au *Nouvel Observateur* qui l'avait mise en joie : « Comme vous l'imaginez, je me garde bien de me mêler de la marche du journal. Mais, le soir du second tour, dans le bureau de Jean Daniel, alors que tous s'affairaient en vain à trouver le titre de la une, je leur ai suggéré : "Vainqueurs, les Français". J'ai toujours eu le sens des titres ! »

Le lendemain, Claude Perdriel lui envoyait des fleurs avec ce petit mot : « J'aimerais au plus vite réunir les trois membres les plus inventifs de cette rédaction : vous, Jean Daniel et moi. »

Giroud, quatre-vingt-cinq ans ; Daniel, quatre-vingt-un ans ; et Perdriel, soixante-quinze ans.

Jean Daniel m'a confirmé l'anecdote, pimentée par ce coup de fil de Françoise : « Mon cher Jean, décidément, nous sommes les deux meilleurs ! »

Sa présence au monde, sa vivacité à réagir à l'événement, à le situer dans une dimension qui dépasse le simple rebond médiatique, Giroud les démontrera jusqu'à son dernier souffle.

En juin 2002, elle signe dans *Le Monde* une tribune libre sur le drame israélo-palestinien : « Cette Shoah qui ne passe pas ». Selon elle, le sentiment anti-israélien et pro-palestinien, perceptible en France, notamment chez les intellectuels, prend racine dans la culpabilité chrétienne vis-à-vis de l'extermination des Juifs, et trouve dans le sanglant conflit actuel « l'occasion de transformer la figure du Juif martyr en Juif bourreau ». Alors qu'elle écrivait son dernier roman, c'était un autre signe de son ultime préoccupation pour la question de l'identité juive et le retour de l'antisémitisme.

La même année, réagissant aux attentats du World Trade Center à New York et à l'explosion du thème de l'insécurité dans l'opinion et la politique françaises, elle écrit dans *Le Nouvel Observateur* un long article pour demander aux psychanalystes de se préoccuper de la montée des violences. S'ensuivra dans la revue confidentielle de Jacques-Alain Miller, gendre de Lacan et défenseur hargneux de son héritage, une série d'échanges entre Giroud et différents psychanalystes d'obédience lacanienne :

« Rien ne me qualifie pour écrire dans une revue de psychanalyse. Quelques années allongée sur le divan de Lacan m'ont bien donné une idée de ce déménagement intérieur que représente une cure, mais il n'y a là rien à raconter de foudroyant, sinon pour témoigner qu'il fut, en ce qui me concerne, particulièrement efficace. Cependant, j'ai une requête à présenter à tous les analystes d'aujourd'hui. Les enfants se tuent entre eux, les professeurs sont poignardés, les voitures sont brûlées, les maisons incendiées par de très jeunes gens. Se peut-il que les analystes n'aient rien à dire sur la question de l'Autorité[1] ? »

« J'aimerais écrire un éloge de la contrainte », me dit Giroud lors de l'un de nos ultimes déjeuners. Elle mettait la dernière main aux *Taches du léopard*. « Un bon thème pour un essai, vous ne trouvez pas ? Bien à contre-courant de l'ambiance actuelle. »

Son exigence poussait aussi Françoise sur des terrains où on ne l'attendait pas.

---

1. In *Élucidation*, n° 1.

Giroud a découvert le militantisme à l'âge où la plupart de ses contemporains rêvent de retraite. À soixante ans passés, elle s'est engagée dans l'action humanitaire en fondant en 1979, avec quelques amis, l'Action internationale contre la faim. Médecins sans frontières, puis Médecins du monde avaient ouvert la voie à cette forme d'engagement qui allait faire de ces organisations les plus beaux fleurons de la présence française dans le monde.

« ACF est née lors d'une des grandes famines qui ont ravagé l'Afrique, raconte Françoise dans *On ne peut pas être heureux tout le temps.* Nous étions une petite poignée de gens indignés par la mollesse des secours internationaux institutionnels. Bernard-Henri Lévy voulait aller interpeller le pape ! Jacques Attali disait non, non, pas ça ! Bref, nous avons décidé qu'il fallait faire quelque chose contre la faim. Le petit groupe a grossi, il s'est donné un président, Alfred Kastler, le prix Nobel, et, sans expérience, quasiment sans argent, nous avons foncé dans le brouillard. Là, c'était vraiment le commando ! »

« Jeune économiste, j'avais rencontré Françoise juste avant qu'elle ne devienne ministre ; je l'avais trouvée à la fois mondaine et très "pro", raconte Jacques Attali, déjà collaborateur de François Mitterrand à cette époque. Je l'ai revue plusieurs fois quand elle était ministre. Elle quitte le gouvernement dans les circonstances que l'on sait, en

1978. Après une conversation avec Marco Panella sur les famines en Afrique, j'organise une réunion chez moi avec Guy Sorman et Marc Ullmann, un ancien de *L'Express*, lequel à son tour en parle à Giroud. Les mauvaises âmes diront qu'elle n'avait plus rien à faire, qu'elle voulait peut-être se blanchir après l'affaire de la médaille ; moi, je témoignerai de sa volonté d'agir, de son rayonnement, de sa pudeur vis-à-vis d'un univers qui n'était pas du tout le sien. Elle amène BHL, qui écrit une charte superbe avant de s'éclipser ; Marek Halter dessine le logo ; Jean-Christophe Victor, le fils d'Éliane, rentre d'Afghanistan avec d'effroyables récits de famine, et nous nous lançons. À notre première conférence de presse, à l'hôtel Lutétia, nous étions plus nombreux à la tribune que dans la salle ! Françoise a demandé à Michel Guy, l'ancien ministre de la Culture de Pompidou, de nous prêter des locaux. Michel David-Weill, le patron de la banque Lazard, et quelques autres nous ont donné un peu de moyens. Nous avons lancé deux programmes très efficaces en Ouganda et en Afghanistan, frôlé deux fois la faillitte avant d'être choisis comme partenaires par l'Union européenne. Françoise, qui avait pris la présidence après le professeur Kastler, organisait des réunions chaque semaine, sollicitait ses relations mais ne cherchait pas la médiatisation, contrairement à d'autres. Par prudence peut-être, ou par pudeur. »

« Au fur et à mesure que l'association s'est

développée, prend soin de préciser Giroud dans *Arthur ou le bonheur de vivre*, ses fondateurs ont eu moins à y faire et se sont, pour quelques-uns, désintéressés de son fonctionnement, mais pas votre servante, toujours obstinée dans ses entreprises. Je ne lâche jamais ce dans quoi j'ai planté mes dents. »

Au fil des années, et grâce au travail de ses équipes qui comptent aujourd'hui quelque trois cents volontaires, ACF est devenue la quatrième ONG française.

« On a ainsi sauvé entre huit cent mille et neuf cent mille enfants », rappelait avec une fierté légitime Giroud, qui jamais ne manqua un conseil d'administration.

Au début des années 90, elle va militer activement pour d'autres causes.

« J'ai enrôlé Françoise dans mes combats pour la Bosnie, pour l'Afghanistan, et elle a été formidable ! s'exclame Bernard-Henri Lévy. Rendez-vous compte, elle avait plus de soixante-quinze ans, je l'ai emmenée là-bas, à Sarajevo et à Srebrenica ; à Paris elle était de toutes les manifestations, à battre le pavé avec nous, son petit corps tendu pour la bagarre, me disant : "Tant pis si on fait de la peine à Mitterrand, on va cogner !" »

Agacé par les intellectuels qui protestaient contre la passivité française vis-à-vis de la Serbie, le Président s'était moqué à haute voix des « capacités de stratège » de sa vieille connaissance.

Dans *Arthur ou le bonheur de vivre*, Giroud explique son engagement avec une sincérité moins travaillée qu'à l'ordinaire : « Ces meetings sur la Bosnie au cours desquels BHL m'avait obligée à prendre la parole – ce qui me terrorisait toujours, comme tous les timides – m'avaient rafraîchi le sang. Sans sous-estimer les agréments de ma situation particulière – pas de patron, et des revenus non négligeables grâce à mes livres –, j'éprouvais le sentiment parfois déprimant de n'avoir plus prise sur les choses, ou si peu. Habituée pendant des années à avoir de l'influence à travers *L'Express* où chaque éditorial constituait un acte, puis engagée dans l'action ministérielle avec des résultats concrets, je ne me sentais plus vraiment opérationnelle, ou quelquefois seulement par le truchement du *Nouvel Observateur*. D'où une certaine mélancolie, une nostalgie fugitive. Souvent, je pensais à la phrase de Mauriac : "Je suis une vieille locomotive qui traîne des wagons, qui peut siffler, et il m'arrive encore d'écraser quelqu'un." »

Rendant hommage à son amie dans son « Bloc-notes » du *Point*, le 24 janvier 2003, BHL écrit : « Françoise, qui avait l'âge des honneurs et des considérations mandarinales, était là, toujours là, fidèle au petit groupe que nous formions, toute pâle, toute fragile. Il y avait de la colère chez cette Françoise. Il y avait de la révolte contre la France qui se couchait [...]. Il y avait, je veux en témoigner, ce souci de l'autre, cette compassion, cette émotion jamais en défaut, face au scandale d'un visage outragé. »

De tous les combats que Françoise Giroud aura voulu mener jusqu'au bout, il en est un, plus intime et plus méconnu : son engagement pour qu'on ose en France débattre de la fin de la vie et des moyens à accorder, dans certains cas, à ceux qui souhaitent ne plus souffrir.

Alex Grall est mort en 1986, à soixante-treize ans, d'un cancer de la gorge. Il était miné par la maladie depuis quatre ans. Au fil de l'aggravation de son état, rançon de tant de havanes goulûment aspirés, Françoise s'était transformée en garde-malade.

« Là, elle est vraiment devenue humaine, note avec émotion Danièle Heymann. Tendre, vigilante, présente, ludique pour tenter d'alléger la solitude d'Alex. À observer, c'était joli, impeccable. »

Françoise lui faisait elle-même des potages à la vichyssoise. C'était la seule manière dont elle pouvait l'alimenter.

Lors de l'un de ses derniers séjours dans leur maison d'Antibes, Alex avait confié à Albina du Boisrouvray : « Ça ne m'ennuie pas de mourir. J'ai eu une belle vie. Ça m'ennuie pour Françoise. Tu t'occuperas d'elle... »

« Sa gorge s'est encombrée de tumeurs, écrira Françoise dans *On ne peut pas être heureux tout le temps*. Il s'est étouffé chaque jour un peu plus. Alarmé : "Tu m'as promis que je ne mourrais pas étouffé, tu m'as promis..." J'ai tenu ma promesse quand elle s'est imposée... »

Françoise a aidé Alex à mourir. Elle en portera témoignage lors du colloque « Fin de vie » organisé au ministère de la Santé, à Paris, à l'automne 2001 :

« Je récuse le mot d'"euthanasie", mais je revendiquerai toujours le droit de recevoir la mort quand vivre devient douleur, ou fait de vous un légume. Je n'accepte pas qu'on me dénie ce droit, à moi et à ceux que j'aime... J'ai trouvé quelqu'un qui m'a aidée à le faire. On ne sort pas indemne de ce genre d'acte... C'est incontestablement un geste qui va contre tout ce que l'on porte en soi, tout ce que l'on a appris, tout ce que l'on croit. Après, il y a un moment à passer qui est extrêmement difficile, où on se pose des questions... J'en suis sortie d'abord avec une dépression... et avec la certitude d'avoir bien fait, car j'ai agi par amour[1]... »

À la mort d'Alex, Michèle Cotta téléphone à Françoise, qu'elle n'avait plus vue depuis quelque temps :

« Voulez-vous que je vienne vous voir ? »

Connaissant la Patronne, elle ne doute pas un instant de son refus.

1. In « Fin de vie », ministère de la Santé.

« Oui », lui répond une petite voix .

« Je l'ai vue sangloter ... C'était tellement à l'inverse de son image, de ses écrits, que j'en étais gênée pour elle. Moi, je pleurais aussi... »

Pour une fois, Françoise ne réussissait plus à « se tenir », comme l'aurait exigé sa mère.

« Le vrai tour de force de Françoise, c'est qu'elle est redevenue une star à l'âge de soixante-dix ans !, s'exclame Teresa Cremisi. Et elle a tenu son petit monde en haleine pendant quinze ans encore... C'est extraordinaire ! "Giroud m'a dit...", "Qu'en pense Françoise ?...", entendait-on dans Paris à propos de cette vieille dame qui avait failli sombrer dans la dépression et l'oubli. Elle eut la force de se remettre à écrire, de refaire son cercle d'amis, d'admirateurs, d'obligés, de l'entretenir, de le renouveler, de le rajeunir à l'occasion... Elle s'était refait une ruche et butinait avec vigueur, pas à la façon d'un vieillard qui ne veut jamais vous laisser partir... Avec elle tout était bref : le coup de fil, le fax, la conversation qui ne traînait pas... Tout cela à force de travail, de discipline. Elle avait toujours voulu être la première de la classe. C'est ainsi qu'elle a maintenu son pouvoir. »

« Malgré un parcours politique erratique, Françoise avait réussi à devenir intouchable, renchérit, admiratif, Jean-Louis Servan-Schreiber. Elle était devenue à la fois l'icône du féminisme réussi et l'icône du journalisme – tout cela grâce à son talent d'écriture, à sa formidable ténacité au travail. Quelles qu'aient pu être sa solitude, sa dégradation physique, elle n'a jamais lâché sur le plan professionnel. Elle est un exemple rare de durée par la seule force des mots. »

« Elle ne rendait pas volontiers service, reprend Pierre Bénichou, mais on la trouvait toujours du bon côté, attachée aux meilleures causes... Au terme d'un long parcours, plutôt mouvementé, elle s'était inventé un personnage d'intellectuelle inflexible qu'en fait elle n'avait jamais été : elle fut une véritable technicienne du journalisme. C'est en maîtresse à penser qu'elle a voulu s'en aller. Ça aussi, elle l'a réussi. »

« Au fond, renchérit Alain Minc, les Français ont toujours besoin de mamans. Ils en avaient deux : Simone Veil et Françoise Giroud. Simone les émeut et leur donne mauvaise conscience ; Françoise les impressionnait, mais elle les rassurait aussi. Un peu comme François Mitterrand, elle était la France à elle seule, avec le bon et le moins bon. »

Alix de Saint-André se souvient d'un séjour à La Baule avec Françoise : « Je n'avais jamais réalisé auparavant son incroyable popularité. Dans la rue, les gens la regardaient avec un mélange de respect et d'attendrissement. Ceux qui osaient, des femmes en général, s'approchaient d'elle pour lui dire merci. J'avais l'impression de me balader avec mère Teresa ! »

« Si elle est devenue une icône, poursuit Bernard-Henri Lévy, c'est parce que, jusqu'au bout, elle est restée très bonne. Elle avait gardé son coup de patte mais aussi sa très grande générosité, sa douceur. Par chance, son talent de journaliste n'avait pas faibli. »

Songeur et ému, son bel ami philosophe conclut : « D'elle il restera un tracé, une statue. Une construction. »

En janvier 1983, François Mitterrand avait promu Françoise Giroud au rang d'officier de la Légion d'honneur. La décorant à l'Élysée, dans un de ces petits discours fleuris dont il avait le secret, le président de la République avait rendu hommage « à cette jeune fille courageuse et exilée qui avait su bâtir sur ses seules forces et ses seules réserves une vie entière ».

Françoise n'avait pas aimé : elle ne se considérait pas du tout comme une « exilée ».

En mars 1998, chez elle, devant ses amis, elle reçut des mains d'Alain Decaux la cravate de commandeur de la Légion d'honneur. Elle nous lut alors ce texte dont elle offrit l'original à Teresa Cremisi :

> Je ne suis pas celle que vous croyez.
> Je suis une saltimbanque.
> Quand j'étais petite fille, les mères de mes camarades de classe leur interdisaient de venir à la maison. C'est que j'étais la fille d'un réfugié politique, étrangère donc. J'étais pauvre, et j'étais première en classe. Les

Français n'aiment pas les étrangers, ils n'aiment pas les pauvres et ils n'aiment pas les premiers.

Ma mère adorait la France et elle m'a appris à l'aimer. J'ai voulu furieusement m'approprier sa culture, son histoire, ses beautés. Mais je n'ai jamais voulu m'intégrer, m'insérer dans ce qu'on appelait la bonne société, que j'avais vue si arrogante avec ma mère, si blessante. On n'oublie pas ces choses-là.

Si j'avais été en quête de respectabilité, je n'aurais pas débuté dans le cinéma, le repère de tous les métèques de l'époque. C'était un milieu incroyable, drôle, créatif, mais complètement en marge. Je ne m'y sentais pas à ma place, peut-être parce que je n'avais pas de place...

Pendant ces années d'apprentissage, j'ai appris quelque chose, c'est que le monde se divise en deux : les dominants et les dominés. Seuls les dominants respirent.

Je n'ai pas dédaigné de me ranger plus tard parmi les dominants, toutes choses égales, puisque j'ai dirigé deux journaux. Le premier fut *Elle*, journal fondé pour Hélène Lazareff par Pierre Lazareff. Mais qui étaient les Lazareff ? Les rois des saltimbanques [...]. À *L'Express*, journal de tous les combats, j'étais chez moi. J'y suis restée vingt ans, et puis un jour je me suis retrouvée faisant le ministre chez Giscard. “Trahison, trahison !” a hurlé Defferre. Mendès m’a dit : “Mais qu’est-ce qui vous prend ?” Caroline était fâchée, fâchée ! Moi, il fallait que je m’arrange avec moi-même. J’y suis arrivée assez vite, parce que, dans l’exercice de mes fonctions, j’ai eu le sentiment constant d’être utile [...].

Je ne sais plus quand François Mitterrand m’a donné la Légion d’honneur. J’aimais beaucoup François Mitterrand, ce n’est pas la mode de le dire aujourd’hui, mais je le dirai quand même. Je crois néanmoins que j’aurais refusé cette Légion d’honneur si elle n’était intervenue dans des circonstances un peu particulières.

Pendant la campagne municipale de Paris, j’avais été abreuvée d’une calomnie lancée par le RPR et reprise par toute la presse, selon laquelle j’aurais usurpé la médaille de la Résistance. Je n’ai rien usurpé du tout, et justice a été faite quelques mois plus tard de cette histoire. Mais la calomnie est toujours longue à s’éteindre, à supposer qu’elle s’éteigne jamais... Or le Conseil de l’ordre de la Légion d’honneur statue au sujet de chaque candidat. Il est particulièrement vétilleux en ce qui concerne les états de guerre et les faits de Résistance. Que ces vieux messieurs, presque tous issus de la Résistance la plus pure, me donnent leur

> onction, ça m'a été plus qu'agréable. À partir de là, vous connaissez la routine... Le ruban, la rosette. Et me voilà aujourd'hui devant vous avec cette belle cravate de commandeur. Qu'est-ce que je commande, je n'en sais rien. J'espère que ce n'est pas le respect, ça m'ennuierait. Mais, à mon âge, il y a un risque. J'espère que je saurai rester jusqu'au bout une vieille dame indigne...

Décidément, Françoise ne laissait jamais rien traîner.

ÉPILOGUE

Elle avait l'ambition de la France, et sa vie fut son grand œuvre.

Pour sa dernière apparition, Françoise Giroud était revêtue du drapeau tricolore. À ses pieds, sur le coussin de circonstance, reposait la cravate de commandeur de la Légion d'honneur.

Par un jour glacial de janvier 2003, dans la crypte du cimetière du Père-Lachaise où elle avait choisi de se faire incinérer, tous ceux qui l'avaient aimée, admirée, courtisée, amusée, agacée, tous ceux qui comptent et se comptent, dans ce Paris chatoyant et trompeur, étaient là pour lui rendre un dernier hommage. Jean-Jacques aussi, l'air altier et perdu, appuyé sur ses fils.

Elle savait pouvoir compter sur sa fille : Caroline avait tout organisé à la perfection, assignant sa place et son rôle à chacun, et, d'une voix assurée, fit un superbe discours.

Françoise avait réussi son ultime défi : maîtriser sa mort comme elle avait voulu gouverner sa vie. Librement, activement, avec entêtement, seule.

La fin fut nette comme sa façon d'écrire : sans fioritures, sans souffrances inutiles avec leur cortège d'apitoiements. Elle mourut un dimanche matin, à temps pour le bouclage de ces journaux qu'elle aimait bien plus que ceux qui les font. Simplement, cette fois, contrairement à la règle qu'elle imposait à ses journalistes, la chute avait précédé l'attaque.

Malicieuse et impénétrable, plissant ses grands yeux à la manière d'un chat, ravie de nous avoir plantés là avec tant d'élégance, elle observait notre désarroi et en riait doucement – de ce rire de gorge qui lui tenait lieu de politesse quand elle ne voulait pas en dire davantage. Françoise Giroud n'aimait pas les longueurs.

À quatre-vingt-six ans, tête haute et voix de miel, elle était partie, alerte et curieuse jusqu'au bout, belle encore jusqu'à la chute fatale qui sans doute la délivra. La semaine précédente, elle avait fêté parmi une foule d'amis complices l'anniversaire du patron de *Libération*, envoyé dans les temps son papier au *Nouvel Observateur*, mis à jour les listes de dédicaces du roman qu'elle venait de terminer pour Fayard et dont elle devait encore signer le service de presse. Trois jours avant sa mort, elle était à l'Opéra-Comique pour applaudir Arielle Dombasle et embrasser Bernard-Henri Lévy ; le lendemain, elle expliquait à son amie

Albina du Boisrouvray sa recette de foie gras. Le plus dur, lui disait-elle encore, pestant contre ses vieilles jambes et les marques de l'âge sur ses bras, c'était d'aller chez son fournisseur habituel choisir les ingrédients. Comme elle ne laissait rien au hasard, elle pensait déjà à la manière dont elle s'acquitterait, plus tard dans la saison, de ce rituel auquel elle tenait tant : faire son propre foie gras pour en régaler ses amis.

Françoise aimait faire, fabriquer, dompter les mots et les choses, elle aimait se servir de ses mains et détestait qu'elles l'eussent trahie, nouées par l'âge, rouillées par le temps. Terminant un travail pour en commencer un autre, interrompant une conversation pour fixer un prochain rendez-vous, humant l'ambiance du moment avec un appétit consciencieusement entretenu, acharnée à refuser la vieillesse et ses abandons dont elle observait les signes avec férocité, elle n'aimait pas se ménager. Pour elle, le travail était mieux qu'une discipline, c'était une hygiène bonne à berner le temps qui passe et fait son œuvre.

À l'ombre de son sourire, les hommages se sont amoncelés, attendus, légitimes, sincères souvent, forcés parfois. Ceux des vrais amis, intenses et tendres, qu'elle ne ménageait pas plus que les autres, car elle avait l'affection exigeante et ne laissait rien passer. Ceux des faux amis, si nombreux dans les bruissements et les croassements de la vie parisienne qu'elle aima fréquenter jusqu'au bout. Sans rivaux ni jaloux – elle les avait tous enterrés –, il restait les grincheux, ceux qu'elle avait pu blesser, écorcher, abîmer de sa plume : elle n'avait pas d'indulgence, et aux êtres préférait les formules.

Avec le respect que s'accordent les combattants d'endurance, le président de la République, ce Jacques Chirac qu'elle avait tant brocardé, lui rendit un hommage appuyé. La classe politique, à laquelle elle avait appris à lire et à compter avec la presse, lui tressa des couronnes. Au risque de simplifier ou d'embellir l'histoire, les panégyriques ont proliféré.

Françoise sûrement n'en est pas mécontente : elle ne détestait pas les honneurs. Au contraire. Sans doute y voyait-elle les marques d'une reconnaissance qui faisait d'elle, France Gourdji, née à Genève de parents turcs et sépharades, privée d'études et de diplômes, une Française ayant servi avec gloire les valeurs de cette République à laquelle elle croyait tant.

REMERCIEMENTS

Je tiens à remercier tous ceux qui ont accepté de me parler de Françoise Giroud, quelles qu'aient été la nature et l'intensité de leurs liens :

Claude Alphandery, Henri Amouroux, Jacques Attali, Pierre Bénichou, Albina du Boisrouvray, Madeleine Chapsal, Edmonde Charles-Roux, Élisabeth Chavelet, Christiane Collange, Michèle Cotta, Teresa Cremisi, Jean Daniel, Christian Duverne, Geneviève Dormann, Georgette Elgey, Daisy de Galard, Marie-France Garaud, André Gillois, Sébastien Grall, Danièle Heymann, Robert Hossein, Serge July, Marin Karmitz, Georges Kiejman, Colette Lancelin, Ivan Levaï, Bernard-Henri Lévy, Florence Malraux, Alain Minc, Colette Modiano, Catherine Nay, Léone Nora, Georges Ortiz, Micheline Pelletier, Sylvie Pierre-Brossolette, France Roche, Michèle Rosier, Albert du Roy, Yves Sabouret, Alix de Saint-André, David Servan-Schreiber, Franklin Servan-Schreiber, Jean-Louis Servan-Schreiber, Philippe Tesson, Simone Veil, Éliane Victor, sans oublier l'équipe de l'IMEC, à laquelle Françoise Giroud avait confié les archives liées à ses différentes activités.

Avec enthousiasme, entêtement et rigueur, Adeline Pron m'a aidée à trouver et à organiser toute la documentation nécessaire. Je l'en remercie de tout cœur.

Enfin ma gratitude va à Claude Durand, sans qui ce livre ne serait pas.

BIBLIOGRAPHIE GÉNÉRALE

AGACINSKI, Sylviane, *Politique des sexes*, Paris, Le Seuil, 2001.

–, *Journal interrompu*, Paris, Le Seuil, 2002.

BOUDARD, Alphonse, *L'Étrange Monsieur Joseph*, Paris, Flammarion-Robert Laffont, 1988.

CARNÉ, Marcel, *Ma vie à belles dents*, Paris, L'Archipel, 1996.

CHAPSAL, Madeleine, *La Maîtresse de mon mari*, Paris, Fayard, 1997.

COLLECTIF (Marie-Pierre de Cossé-Brissac, Roland Dumas, Françoise Giroud...), *Connaissez-vous Lacan ?*, Paris, Le Seuil, 1992.

COURRIÈRE, Yves, *Pierre Lazareff*, Paris, Gallimard, 1995.

DAUTUN, Jeanne, *Un ami d'autrefois*, Paris, Plon, 1998.

ELIACHEFF, Caroline, *Mères-filles : une relation à trois*, Paris, Albin Michel, 2001.

GISCARD D'ESTAING, Valéry, *Le Pouvoir et la Vie*, Paris, Compagnie 12, t. 1, 1988.

HALLIER, Jean-Edern, *L'Honneur perdu de François Mitterrand*, Paris, Le Rocher-Les Belles Lettres, 1996.

HOSSEIN, Robert, *Nomade sans tribu*, Paris, Fayard, 1981.

HOUSSIAU, Bernard, *Marc Allégret, découvreur de stars sous les yeux d'André Gide*, Yens-sur-Morges (Suisse), Cabédita, 1994.

JAMET, Michel, *Les Défis de « L'Express »*, Paris, Le Cerf, 1981.

KARMITZ, Marin, *Bande à part*, Paris, Grasset, 1994.

L'HERBIER, Marcel, *La Tête qui tourne*, Paris, Belfond, 1979.
LACOUTURE, Jean, *Pierre Mendès France*, Paris, Le Seuil, 1981.
LAMY, Jean-Claude, *Pierre Lazareff à la une*, Paris, Stock, 1975.
MILLE, Hervé, *Cinquante ans de presse parisienne*, Paris, La Table ronde, 1992.
MINC, Alain, *Le Fracas du monde : journal de l'année 2001*, Paris, Le Seuil, 2002.
MITTERRAND, François, *La Rose au poing*, Paris, Flammarion, 1973.
OTTENHEIMER, Ghislaine, *Les Frères invisibles*, Paris, Albin Michel, 2001.
REVEL, Jean-François, *Le Voleur et la Maison vide*, Paris, Plon, 1997.
ROTH, Françoise, et SIRITZKY, Serge, *Le Roman de « L'Express »*, Paris, Atelier Marcel Jullian, 1979.
RUSTENHOLZ, Alain, et TREINER, Sandrine, *La Saga Servan-Schreiber*, Paris, Le Seuil, 1993, 2 vol.
SERVAN-SCHREIBER, Jean-Jacques, *Le Défi américain*, Paris, Denoël, 1967.
–, *Passions*, Paris, Fixot, 1991.
SOULÉ, Robert, *Lazareff et ses hommes*, Paris, Grasset, 1992.
WHITE, Theodore, *La Victoire de Kennedy ou comment on fait un président*, Paris, Robert Laffont, 1962.

BIBLIOGRAPHIE DES ŒUVRES DE FRANÇOISE GIROUD

Le Tout-Paris, Paris, Gallimard, 1952.
Nouveaux Portraits, Paris, Gallimard, 1954.
La Nouvelle Vague, Paris, Gallimard, 1958.
Si je mens..., Paris, Stock, 1972 ; rééd. LGF, coll. « Le Livre de poche », 1973.
Une poignée d'eau, Paris, Robert Laffont, 1973.
La Comédie du pouvoir, Paris, Fayard, 1977 ; rééd. LGF, coll. « Le Livre de poche », 1979.
Ce que je crois, Paris, Grasset, 1978 ; rééd. LGF, coll. « Le Livre de poche », 1979.
Une femme honorable, Marie Curie, Paris, Fayard, 1981 ; rééd. LGF, coll. « Le Livre de poche », 1982.
Le Bon Plaisir, Paris, Mazarine, 1983 ; rééd. LGF, coll. « Le Livre de poche », 1984.
Christian Dior, Paris, Éd. du Regard, 1987.
Alma Mahler ou l'Art d'être aimée, Paris, Robert Laffont, 1988 ; rééd. Presses-Pocket, 1989.
Écoutez-moi (avec Günter Grass), Paris, Maren Sell, 1988 ; rééd. Presses-Pocket, 1990.
Leçons particulières, Paris, Fayard, 1990 ; rééd. LGF, coll. « Le Livre de poche », 1992.
Jenny Marx ou la Femme du Diable, Paris, Robert Laffont, 1992 ; rééd. Feryane, 1992 ; Presses-Pocket, 1993.
Les Hommes et les Femmes (avec Bernard-Henri Lévy), Paris, Orban, 1993 ; rééd. LGF, 1994.

Journal d'une Parisienne, Paris, Le Seuil, t. 1, 1994 ; rééd. coll. « Points », 1995.
Mon très cher amour..., Paris, Grasset, 1994 ; rééd. LGF, 1996.
Cosima la sublime, Paris, Fayard-Plon, 1996.
Journal d'une Parisienne, t. 2 : *Chienne d'année : 1995*, Paris, Le Seuil, 1996 ; rééd. coll. « Points », 1997.
Cœur de tigre, Paris, Fayard, 1995 ; rééd. Pocket, 1997.
Journal d'une Parisienne, t. 3 : *Gais-z-et-contents : 1996*, Paris, Le Seuil, 1997.
Arthur ou le bonheur de vivre, Paris, Fayard, 1997.
Deux et deux font trois, Paris, Grasset, 1998.
Les Françaises, Paris, Fayard, 1999.
La Rumeur du monde : journal, 1997 et 1998, Paris, Fayard, 1999.
Histoires (presque) vraies, Paris, Fayard, 2000.
C'est arrivé hier, Paris, Fayard, 2000.
On ne peut pas être heureux tout le temps, Paris, Fayard, 2001.
Portraits sans retouches, Paris, Gallimard, 2001.
Profession journaliste : conversations avec Martine de Rabaudy, Paris, Hachette Littératures, 2001.
Lou, Paris, Fayard, 2002.
Demain, déjà : journal, 2000-2003, Paris, Fayard, 2003.
Les Taches du léopard, Paris, Fayard, 2003.

TABLE